3 4028 07974 8019
HARRIS COUNTY PUBLIC LIBRARY

D0657503

Principios del cerebro

Embarazo

Los niños desarrollan una activa vida mental en el útero
Mamá estresada, bebé estresado
Coma bien, manténgase en forma, hágase muchas pedicuras

Relación de pareja

Matrimonio feliz, bebé feliz
El cerebro busca la seguridad por encima de todo
Lo que es obvio para usted es obvio para usted

Bebé inteligente

Al cerebro le preocupa más la supervivencia que el aprendizaje
La inteligencia es más que el CI
Tiempo cara a cara, no frente a la pantalla
Bebé seguro, bebé feliz
Elogie el esfuerzo, no el CI
Juego guiado, todos los días
Emociones, no emoticones

Bebé feliz

Los bebés nacen con su propio temperamento
Las emociones son solo unas notas adhesivas
La empatía hace buenos amigos
El cerebro ansía comunidad
La empatía calma los nervios
Etiquetar las emociones apacigua los grandes sentimientos

Bebé moral

Los bebés nacen con sensibilidades morales
Disciplina + corazón afectuoso = hijo moral
Que su sí sea sí y su no sea no

Los principios del cerebro en los niños

John Medina
Autor de *Los 12 principios del cerebro*

Los principios del cerebro en los niños

Cómo tener hijos listos y felices

Traducción
Olga Martin

Bogotá, Buenos Aires, Caracas, Guatemala, Lima, México,
Panamá, Quito, San José, San Juan, Santiago de Chile.

Medina, John J.
Los principios del cerebro en los niños: cómo tener hijos listos y felices / John Medina; traductora Olga Martín. -- Bogotá : Grupo Editorial Norma, 2011.
328 p. ; 23 cm. -- (Colección padres)
ISBN 978-958-45-3399-9
Título original: Brain rules for baby : how to raise a smart and happy child from zero to five.
1. Desarrollo de la inteligencia 2. Desarrollo infantil 3. Cognición en niños I. Martín, Olga, tr. II. Tít. III. Serie.
153.4 cd 21 ed.
A1289248

CEP-Banco de la República-Biblioteca Luis Ángel Arango

Título original:
Brain Rules for Baby
How to Raise a Smart and Happy Child from Zero to Five

Avenida El Dorado No. 90-10, Bogotá, Colombia.

Primera edición, julio de 2011
www.librerianorma.com

Impreso por Editora Géminis Ltda.
Impreso en Colombia - *Printed in Colombia*

Diseño de cubierta, Paula Andrea Gutiérrez
Diagramación, Nohora E. Betancourt Vargas
Este libro se compuso en caracteres Chaparral Pro

ISBN: 978-958-45-3399-9

A mis asombrosos hijos y a su aun más asombrosa madre, por enseñarme que cuando se nos presenta una alternativa entre dos teorías igualmente verosímiles, siempre es mejor optar por la más divertida.

Contenido

Principios del cerebro

Embarazo

Los niños desarrollan una activa vida mental en el útero

Mamá estresada, bebé estresado

Coma bien, manténgase en forma, hágase muchas pedicuras

Relación de pareja

Matrimonio feliz, bebé feliz

El cerebro busca la seguridad por encima de todo

Lo que es obvio para usted es obvio para usted

Bebé inteligente

Al cerebro le preocupa más la supervivencia que el aprendizaje

La inteligencia es más que el CI

Tiempo cara a cara, no frente a la pantalla

Bebé seguro, bebé feliz

Elogie el esfuerzo, no el CI

Juego guiado, todos los días

Emociones, no emoticones

Bebé feliz

Los bebés nacen con su propio temperamento

Las emociones son solo unas notas adhesivas

La empatía hace buenos amigos

El cerebro ansía comunidad

La empatía calma los nervios

Etiquetar las emociones apacigua los grandes sentimientos

Bebé moral

Los bebés nacen con sensibilidades morales

Disciplina + corazón afectuoso = hijo moral

Que su sí sea sí y su no sea no

Introducción

Cada vez que daba una charla sobre el desarrollo del cerebro del bebé a un grupo de futuros padres, cometía un error. Los padres, creía yo, habían venido en busca de una apetitosa porción de datos científicos sobre el cerebro en el útero; un poco sobre la formación de la cresta neural mezclado con otro poco sobre la migración neuronal. Pero en la sesión de preguntas y respuestas que hay después de todas las charlas, las preguntas eran siempre las mismas. La primera, planteada por una mujer muy embarazada, una lluviosa noche de Seattle, fue: "¿Qué puede aprender mi bebé mientras está en el útero?". Otra preguntó: "¿Qué le sucederá a mi matrimonio después de que llevemos el bebé a casa?". Un padre formuló la tercera pregunta, con cierta autoridad: "¿Cómo hago para que mi hijo entre en Harvard?". Una madre inquieta planteó la cuarta pregunta: "¿Cómo puedo asegurarme de que mi hija sea feliz?". La quinta provino de una abuela que había asumido las responsabilidades maternas de una hija drogadicta y no quería que la historia volviera a repetirse. "¿Cómo hago para que mi nieto sea *bueno*?", preguntó.

Sin importar cuántas veces tratara de dirigir la conversación hacia el esotérico mundo de la diferenciación neuronal, los padres planteaban variaciones de las mismas cinco preguntas, una y otra vez. Hasta que, finalmente, me di cuenta de mi error. Lo que los padres necesitaban era información práctica. De modo que este libro no se concentrará en la naturaleza de la regulación genética en el desarrollo del rombencéfalo. *Los principios del cerebro del bebé* se guiarán por las preguntas prácticas que el público me plantea constantemente.

"Principios del cerebro" es la manera como me refiero a lo que sabemos con certeza sobre el funcionamiento del cerebro en la primera infancia. Estos principios han sido extraídos de los estratos profundos de la psicología conductual y la biología celular y molecular. Y todos y cada uno han sido elegidos por su capacidad de ayudar a los nuevos padres y madres en la sobrecogedora tarea de cuidar de un pequeño e indefenso ser humano.

Yo entiendo perfectamente la necesidad de respuestas. Tener un primer hijo es como beberse una bebida embriagadora compuesta por partes iguales de dicha y terror, seguida por un baldazo de transiciones de las que nadie nos habla nunca. Lo sé por experiencia propia, pues tengo dos hijos que llegaron al mundo acompañados de preguntas apabullantes y sin la menor instrucción. Pero pronto descubrí que eso no era todo. También ejercían una atracción gravitacional capaz de arrancarme un amor violento y una lealtad tenaz. Y además eran magnéticos: no podía dejar de contemplar sus uñitas perfectas, sus ojos claros, sus espectaculares matas de pelo. Cuando nació mi segundo hijo, comprendí que podía dividir el amor hasta el infinito, sin menoscabarlo en absoluto. La crianza hace realmente posible multiplicar dividiendo.

En mi calidad de científico, era plenamente consciente de que ver cómo se desarrolla el cerebro de un bebé es como estar en la primera fila de un Big Bang biológico. Al principio, el cerebro no es más que una célula en el útero, silenciosa como un secreto. Pocas semanas después, ya está bombeando células nerviosas a una velocidad asombrosa de 8000 *por segundo*, y pocos meses después, está en camino de convertirse en la mejor máquina de pensamiento del planeta. Estos misterios alimentaban no solo asombro y amor, sino también, en mi calidad de padre novato, ansiedad y preguntas.

Demasiados mitos

Los padres necesitan datos, no solo consejos, sobre la crianza de sus hijos. Infortunadamente, es difícil encontrar esos datos en las montañas cada vez más grandes de libros para padres. Y blogs. Y tablones de mensajes, y *podcasts*, y suegras y todos los familiares que hayan tenido hijos. La información está por todas partes. Lo difícil es saber en cuál creer.

Lo maravilloso de la ciencia es que no toma partido ni prisioneros. En cuanto sabemos en qué investigación creer, el panorama se aclara y los mitos desaparecen. Para ganar mi confianza, todas las investigaciones tienen que pasar mi "factor gruñón". Y para poder entrar en este libro, cualquier estudio tiene que haber sido publicado en la bibliografía evaluada por expertos y replicado con éxito. Algunos resultados a los que hago alusión se han confirmado muchísimas veces. Y cuando hago una excepción con alguna investigación de punta responsable, pero que aún no ha sido plenamente examinada por el paso del tiempo, lo señalaré.

Para mí, la maternidad-paternidad tiene que ver esencialmente con el desarrollo del cerebro. Y esto no es de sorprender, pues soy un biólogo molecular del desarrollo, con un marcado interés en la genética de los trastornos psiquiátricos, y he pasado la mayor parte de mi vida investigativa trabajando como asesor privado de empresas e instituciones de investigaciones públicas que necesitan a un genetista con experiencia en salud mental. También soy el fundador del Instituto Talaris, en Seattle, cuya misión original incluía el estudio de cómo procesan los niños la información en un nivel molecular, celular y conductual. Fue así como empecé a hablar con grupos de padres, como aquella noche lluviosa.

Desde luego que los científicos no lo sabemos todo acerca del cerebro. Pero lo que hacemos nos da la posibilidad de criar niños inteligentes y felices. Y esto es importante si acaba de enterarse de que está esperando un hijo, tiene un niño pequeño o está criando a sus nietos. Por tanto, será un placer para mí responder en este libro a las grandes preguntas que me han planteado los padres y, al mismo tiempo, desenmascarar los grandes mitos. He aquí unos de mis favoritos:

Mito: Ponerle música de Mozart a la barriga mejorará el promedio de matemáticas de su futuro bebé.

Verdad: El bebé simplemente recordará la música de Mozart después de nacer, junto con muchas otras cosas que haya oído, olido y probado en el útero (véase "Los bebés recuerdan", p. 46). Si quiere que le vaya bien en matemáticas, lo mejor que puede hacer es enseñarle a controlar sus impulsos en sus primeros años (véase "Autocontrol", p. 129).

Mito: Los DVD para estimular el lenguaje mejorarán el vocabulario de su bebé o hijo pequeño.

Verdad: Algunos DVDs pueden incluso reducir el vocabulario de un niño pequeño (p. 177). Es cierto que la cantidad y la variedad de palabras que use al hablarle a su bebé estimulan tanto su vocabulario como su CI (véase "Háblele a su bebé, y mucho", p. 154), pero las palabras deben venir de *usted*: una persona de carne y hueso.

Mito: Para estimular la potencia cerebral, los niños necesitan clases de un segundo idioma a los tres años, una habitación llena de juguetes "cerebrales" y una estantería llena de DVD educativos.

Verdad: Puede que la mejor tecnología pediátrica para estimular el cerebro sea una simple caja de cartón, unas crayolas y un par de horas.

Y la peor, su nueva pantalla plana de televisión. (Véase "¡Que viva el juego!", p. 159.)

Mito: Decirle constantemente a su hijo que es inteligente estimulará su seguridad en sí mismo.

Verdad: Esto lo hará *menos* dispuesto a resolver problemas desafiantes (véase "Lo que sucede cuando decimos '¡Qué inteligente eres!'", p. 168). Si quiere que su hijo entre en una buena universidad, elogie más bien su esfuerzo.

Mito: Los niños se las arreglan para ser felices.

Verdad: El mejor predictor de la felicidad es tener amigos. ¿Cómo hacer y conservar amistades? Siendo bueno para descifrar la comunicación no verbal. (Véase "Cómo hacer amigos", p. 198.) Esta habilidad puede perfeccionarse. Aprender a tocar un instrumento (p. 245) estimula esta capacidad en un 50 por ciento. Mandar mensajes de texto (p. 181) puede destruirla.

Las revistas científicas respetadas publican investigaciones como estas constantemente, pero si no está suscrito a ninguna, no tiene cómo acceder a este sustancioso desfile de descubrimientos. Por tanto, este libro está pensando para darle a conocer lo que sabemos los científicos, sin que tenga que tener un doctorado para entenderlo.

Lo que la ciencia del cerebro no puede hacer

Estoy convencido de que la ausencia de un filtro científico lo suficientemente sólido es una de las razones por las que tantos libros para padres llegan a conclusiones tan opuestas. Trate, por ejemplo, de encontrar un consenso entre lo que dicen los expertos sobre cómo hacer que un bebé duerma toda la noche. No se me ocurre nada más frustrante para los padres primerizos.

Esto pone de relieve el hecho de que la ciencia del cerebro no puede resolver todas y cada una de las situaciones de la crianza. Puede suministrarnos reglas generales, pero no siempre es buena con las particularidades. Pensemos en la siguiente historia publicada en TruuConfessions.com, una fuente a la que recurriré a lo largo de todo el libro:

> *Anoche le quité la puerta del cuarto a mi hijo. Sin gritos ni nada. Le advertí que si volvía a cerrarla después de que le dijera que no lo hiciera, la quitaría. Al pasar por el corredor y volver a encontrarla cerrada, regresé con el taladro y la puerta se fue a pasar la noche en el garaje. Hoy volví a ponerla, pero volveré a quitarla si es necesario. Él sabe que hablo en serio.*

¿La ciencia del cerebro podría intervenir en esta situación? En realidad, no. Las investigaciones nos dicen que los padres debemos establecer reglas claras y consecuencias inmediatas para la violación de las reglas. Pero no pueden decirnos si deberíamos quitar o no la puerta. La verdad es que apenas estamos empezando a aprender cómo es una buena crianza. Y la investigación sobre la crianza es difícil, por cuatro motivos:

1. Todos los niños son diferentes

Cada cerebro tiene, literalmente, su propio cableado. No hay dos niños que vayan a reaccionar de manera idéntica a una misma situación. Por tanto, no hay consejos "que les funcionan a todos los padres". Debido a esta individualidad, invito a los padres a conocer a sus hijos. Y esto significa pasar mucho tiempo con ellos. Saber cómo se comportan, y cómo su comportamiento cambia con el tiempo, es la única forma de descubrir lo que sí funcionará —y lo que no— en *su* crianza.

Desde la perspectiva de un investigador, estudiar la disposición del cerebro a responder al entorno exterior es bastante frustrante. La complejidad individual está revuelta con las diferencias culturales, con todo su sistema de valores. Para completar, las familias pobres tienen problemas distintos a los de las familias de clases media y alta. Y el cerebro responde a todo esto (la pobreza puede influir en el CI, por ejemplo). No es de extrañar entonces que todo esto sea tan difícil de investigar.

2. Todos los padres son diferentes

Los niños que crecen en hogares biparentales se ven enfrentados a dos estilos de crianza, pues papá y mamá suelen tener distintas prioridades, lo cual es una fuente de conflicto en algunas parejas. Una *combinación* de los dos estilos es lo que guía al hijo. He aquí un ejemplo:

> *Ver a mi hermano y a mi cuñada con sus hijos me pone los pelos de punta. Ella ejerce sus funciones maternas de vez en cuando, desde el sofá. De modo que él compensa en exceso y les grita por TODO. Desde una perspectiva externa, pareciera que la razón por la que los niños no se comportan es porque NO TIENEN IDEA de cuáles son las reglas. Saben que se meterán en problemas hagan lo que hagan, entonces no hacen ningún esfuerzo por portarse bien.*

Dos estilos, efectivamente. Lo cual abogaría por una cooperación del cien por ciento entre el padre y la madre respecto a la crianza de sus hijos. Pero esto es imposible, por supuesto. La crianza de los hijos en un hogar biparental siempre será una proposición híbrida. Con el tiempo, los niños empiezan a responderles a los padres, y esto influye igualmente en la conducta de los padres. Todos estos cambios complican la investigación.

3. Los niños se influencian entre sí

A medida que los niños crecen, la vida se hace más complicada. La escuela y la interacción con los pares juegan un papel cada vez más impactante en la formación de los niños. (¿Alguna vez tuvo una experiencia espantosa en la escuela, de la que todavía se acuerda?). Un investigador ha afirmado públicamente que los compañeros —sobre todo del mismo sexo— moldean la conducta de un niño mucho más que sus padres. Como se podrá imaginar, esta idea fue recibida con una buena dosis de escepticismo. Mas no con un rechazo categórico, pues no hay duda de que los niños no viven en una ecología social exclusiva, dominada por los padres y nadie más.

4. Podemos decir "relacionado con" pero no "causado por"

Incluso si todos los cerebros tuvieran el mismo cableado y todos los padres se comportaran siguiendo un mismo patrón, buena parte de las investigaciones que existen actualmente serían imperfectas (al menos en sus etapas preliminares), pues la mayoría de los datos que tenemos son asociativos, no causales. ¿Por qué es esto un problema? Dos cosas pueden estar asociadas sin que la una sea la causa de la otra. Por ejemplo, es cierto que todos los niños que hacen pataletas también se orinan —la asociación es del cien por ciento—, pero esto no quiere decir que lo segundo lleve a lo primero.

La investigación ideal sería: a) encontrar la salsa conductual secreta que hace que los niños inteligentes o felices o morales sean lo que son, b) encontrar a unos padres que no conocen esta salsa secreta y dársela, y c) examinar a sus hijos veinte años después para ver cómo resultaron. Esto no solo suena costoso, sino además imposible. Por tanto, la mayoría de las investigaciones sobre la crianza son asociativas, no causales. Aun así, compartiré estos datos con usted, con el ánimo de que lo imperfecto no tiene que ser enemigo de lo bueno. La otra cosa frustrante y asombrosa es:

¡El comportamiento humano es complicado!

Los humanos podemos parecer sencillos y apacibles, como el mar más cristalino, pero debajo de esa superficie hay escarpados barrancos de emociones, reflexiones tenebrosas y motivaciones fluctuantes y escasamente racionales. De vez en cuando, estas características —diferentes en cada persona— afloran a la superficie. Pensemos en una reacción emocional común ante un niño pequeño:

> *Pues sí, es oficial. No me queda ni una sola gota de paciencia. El pozo se ha secado. Mi hijo se las ha ingeniado para agotar mi suministro de paciencia antes de cumplir los tres años. Ya no queda nada, y no veo cómo podré reabastecerlo en sus profundidades originales sin un esfuerzo intenso y continuo..., es decir, un semana en el Caribe con una provisión infinita de Mai Tais.*

Como científico del cerebro, en este parrafito puedo contar al menos ocho cuestiones conductuales que son objeto de investigación. La madre está reaccionando al estrés, y el modo como su cuerpo responde es algo que quedó impreso por primera vez en las llanuras del Serengueti. La forma como pierde la paciencia depende, en parte, de sus genes, de acontecimientos sucedidos cuando estaba en el útero y de cómo la criaron cuando era niña. También están implicadas las hormonas, junto con las señales neurológicas que usa para percibir a su obstinado hijo. Y se hace evidente un recuerdo de la calma —¿a lo mejor está recordando un crucero?—, así como su deseo de escapar. En tan solo cinco oraciones, nos ha llevado de la sabana africana al siglo XXI.

Y los investigadores del cerebro, desde los teóricos de la evolución hasta los estudiosos de la memoria, estudian todo esto.

De modo que *sí* hay cosas sólidas que los investigadores pueden decir acerca de la crianza de los hijos. De lo contrario, yo no habría hecho mi propia contribución a la montaña de cientos de miles de libros para padres. Muchos y buenos investigadores han dedicado años y más años a extraer estos datos valiosísimos.

No estamos hablando solo de recién nacidos

Este libro aborda el desarrollo del cerebro desde los cero hasta los cinco años. Y como sé que los padres son más propensos a atragantarse de información durante el embarazo, quise atraer su atención desde el primer momento. Pero lo que haga en los primeros cinco años de vida de su hijo —no solo en el primero— influirá profundamente en la manera como este se comporte cuando sea adulto. Lo sabemos porque un grupo de investigadores tuvo la paciencia de seguir a 123 niños desfavorecidos y de familias de bajo ingreso, desde la edad preescolar hasta su cumpleaños número cuarenta. Bienvenido al estudio HighScope del preescolar Perry, uno de los estudios más extraordinarios de su estilo.

En 1962, en Ypsilanti, Michigan, los investigadores se propusieron examinar los efectos de un programa de entrenamiento preescolar diseñado por ellos mismos. Los niños fueron asignados al azar a uno de dos grupos: el primero asistió al programa (que, con el tiempo, se convertiría en modelo para otros programas de todas partes del país, entre ellos, el programa Head Start); el grupo de control, no. Las diferencias encontradas ilustran convincentemente la importancia de los primeros años de vida.

Los que participaron en el programa superaron académicamente a los niños del grupo de control en casi todas las formas como puede medirse el rendimiento, desde el CI y las pruebas de lenguaje en los primeros años, hasta las evaluaciones estándar y los exámenes de alfabetismo en los últimos años. Se graduaron más del bachillerato y, lo que no es de sorprender, tenían más tendencia a entrar en la universidad. Los que no asistieron al programa eran cuatro veces más propensos a necesitar tratamiento por un problema de salud mental (36 por ciento *versus* 8 por ciento) y eran doblemente propensos a repetir un año (41 por ciento *versus* 21 por ciento).

De adultos, los que habían estado en el programa tenían menor tendencia a cometer crímenes y mayor propensión a tener trabajos estables. Ganaban más dinero y tenían mayor tendencia a tener una cuenta de ahorros y casa propia. Los economistas calcularon que el reintegro a la inversión de la sociedad en un programa como este sería del 7 al 10 por ciento, cerca de lo que uno ganaría históricamente en el mercado de valores. Algunos calculan un reintegro sustancialmente mayor: 16 dólares por cada dólar de impuesto invertido en la primera infancia.

Semilla y suelo

El estudio HighScope es un ejemplo fundamental de la importancia del entorno en la crianza de los niños. Pero la naturaleza desempeña un papel igualmente importante. No suele ser fácil separarlos, como en esta vieja broma: un niño de tercer grado llega a casa y le entrega al padre su informe de notas. "¿Cómo explicas todos estos aceptables e insuficientes?", pregunta el padre. El niño lo mira y responde: "Dímelo tú, ¿naturaleza o crianza?".

En una feria de la ciencia a la que asistí con mi hijo de tercer grado, varios de los experimentos de sus compañeros tenían que ver con semillas, suelo y curvas de crecimiento. Una pequeña niña inolvidable hizo un gran esfuerzo por explicarnos que sus semillas habían empezado con un ADN idéntico. Había sembrado una en un suelo rico en nutrientes y la había regado cuidadosamente. La otra, la había sembrado en un suelo pobre en nutrientes, pero también la había regado cuidadosamente. Pasó el tiempo. La semilla sembrada en el suelo bueno había producido una planta maravillosa, y la niña, orgullosísima, me permitió sostenerla. La semilla sembrada en el suelo pobre había producido una planta mustia y lastimera (que también me permitió sostener en mis manos). Su argumento era que aunque ambas semillas habían empezado con las mismas posibilidades de crecimiento, el hecho de haber empezado igual no bastaba. Se necesita la semilla y el suelo (naturaleza y crianza), me explicó, para obtener los resultados deseados.

La niña tenía razón, desde luego, y es una metáfora que utilizo en este libro para separar las distintas investigaciones sobre la crianza de niños felices e inteligentes. Hay algunos factores que los padres no pueden controlar, y otros que sí. Tenemos la semilla y tenemos el suelo. Pero ni toda la crianza del mundo junta puede cambiar el hecho de que el 50 por ciento del potencial de su hijo es genético. Aun así, e incluso en mi calidad de genetista profesional, estoy convencido de que podemos ejercer mucha más influencia en la conducta de nuestros hijos de lo que suele imaginarse. Es una tarea muy, muy grande que implica mucho trabajo. Y la razón tiene unas raíces evolutivas muy profundas.

¿Para qué necesitamos la crianza, al fin y al cabo?

He aquí una pregunta que inquieta a muchos científicos evolucionistas: ¿Por qué se necesita tanto tiempo para criar a un ser humano? Aparte de una o dos ballenas, los humanos tenemos la infancia más larga del planeta. ¿De dónde nos viene la necesidad de experimentar este periodo tan largo, y por qué no hay otros animales que tengan que soportar nada parecido? A continuación, una muestra de un par de cosas maravillosas que tenemos que soportar los padres humanos:

> *Estoy agotada. JJ se hizo popó en el pañal justo después de que lo sacara de la bacinica, vomitó en la alfombra, volcó la bacinica y regó los orines en la alfombra, después volvió a orinarse en la alfombra OTRA VEZ a la hora del baño. A veces siento que no*

puedo con esto de ser mamá, pero entonces me doy cuenta de que estoy haciéndolo...

Tanto mi esposo como yo tenemos un vocabulario bastante colorido, nunca le decimos palabrotas a nuestra hija y nos cuidamos de las palabras que usamos cuando estamos con ella, pero está claro que estamos fallando rotundamente... Mi mamá le preguntó cómo se llamaba su bebé, y ella respondió: "Huevón". ¡Uf!

Pues sí, a los niños hay que enseñarles *todo*, incluso cómo regular los fluidos de su cuerpo. Y están hechos para aprender, lo que implica que tenemos que observar hasta nuestras conductas más distinguidas. Ambas cosas requieren una enorme cantidad de energía. Y los biólogos evolucionistas no pueden dejar de preguntarse: ¿Por qué alguien asumiría voluntariamente este trabajo?

La entrevista para el puesto, el mero acto sexual, es divertida, cómo no. Pero después nos contratan para *criar a un hijo*. Hay momentos maravillosos, pero la esencia del contrato es, sencillamente: ellos toman, nosotros damos. Nunca recibimos ningún sueldo, solo cuentas de cobro. Es un trabajo que viene sin licencias por enfermedad ni vacaciones, hay que estar de turno permanente por las noches y los fines de semana, y su ejecución exitosa probablemente nos convertirá en unos "preocupones" por el resto de nuestra vida. Sin embargo, miles de personas aceptan diariamente este trabajo. Tiene que haber una razón muy convincente.

La supervivencia ante todo

Por supuesto que la hay. La principal tarea del cerebro —el suyo, el mío y el de sus adorabilísimos hijos— es ayudarle al cuerpo a sobrevivir un día más. Y la razón de la supervivencia es tan antigua como Darwin y tan nueva como los mensajes "*sextuales*": poder proyectar nuestros genes hacia la nueva generación. ¿Un humano superaría voluntariamente el egoísmo para asegurar la supervivencia de sus genes o los de su familia en la siguiente generación? Parece que sí. Al menos hubo suficientes humanos que así lo hicieron hace miles de años, para terminar apoderándose del Serengueti y después del mundo entero. Cuidar de un bebé es una manera sofisticada de cuidar de nosotros mismos.

Pero ¿por qué requiere tanto tiempo y esfuerzo?

Bien podemos echarle la culpa a ese maravillosísimo órgano llamado cerebro. La evolución nos llevó a tener cerebros más grandes y con coeficientes intelectuales más altos, lo que nos permitió pasar de ser comida de leopardo a Maestros del Universo en unos brevísimos diez millones de años. Desarrollamos el cerebro gracias al ahorro energético de caminar en dos patas en vez de cuatro, pero alcanzar el equilibrio necesario para caminar erguidos implicó el estrechamiento del canal pélvico del *Homo sapiens*. Para las mujeres, esto significó una cosa: unos partos terriblemente dolorosos y con frecuencia mortales. Según los biólogos evolucionistas, esto produjo una carrera de armamentos entre la amplitud del canal de parto y el tamaño del cerebro. Si la cabeza del bebé era demasiado pequeña, este moriría (sin una intervención médica inmediata y extraordinaria, los bebés prematuros no duran ni cinco minutos). Si era demasiado grande, la madre moriría. ¿La solución? Dar a luz antes de que el cerebro del bebé fuera demasiado grande como para matar a la madre. ¿La consecuencia? Traer a los niños al mundo antes de que su cerebro esté completamente desarrollado. ¿El resultado? *La maternidad-paternidad*.

Al forzarlo a salir del horno antes de que esté listo, el niño necesita ser instruido por cerebros veteranos durante años, y los familiares son los encargados de este trabajo, pues fueron ellos quienes lo trajeron al mundo. No hace falta escarbar demasiado en el manual darwiniano para encontrar una explicación convincente de la conducta parental.

Y aunque aquí no acaba el misterio de la crianza, esto subraya su importancia. Los humanos sobrevivimos porque una buena cantidad de nuestros antepasados se convirtieron en padres que guiaron hasta la adultez a sus vulnerabilísimos retoños. Pero, en realidad, no tenemos ni voz ni voto en el asunto. El cerebro de un bebé no está preparado para sobrevivir al mundo, punto.

La infancia es una etapa vulnerable, evidentemente. Entre el momento en que nacemos y el momento en que estamos en capacidad de reproducirnos media más de una década; una eternidad, comparado con otras especies. Esta brecha muestra no solo la inmadurez del desarrollo cerebral, sino la necesidad evolutiva de una crianza supremamente atenta. Los adultos que establecían relaciones de protección y educación permanente con la siguiente generación tenían una clara ventaja frente a los que no podían o no lo hacían. Es más, algunos teóricos de la evolución creen que el lenguaje se desarrolló con tanta riqueza solo para que la instrucción entre el padre y el hijo pudiera darse con mayor profundidad y eficacia. Las relaciones entre adultos también eran cruciales. Y siguen siéndolo, a pesar de nosotros mismos.

Somos seres sociales

La sociedad moderna está haciendo un esfuerzo por acabar con las conexiones sociales profundas. Nos mudamos continuamente; nuestros familiares suelen vivir a cientos, incluso miles de kilómetros de distancia. Hoy en día, hacemos y mantenemos las amistades electrónicamente. Una de las principales quejas de los padres primerizos en su transición a la maternidad-paternidad es el aislamiento de su círculo social. Para los parientes, el bebé suele ser un extraño; para los amigos, una palabra de cuatro letras. Pero no debería ser así.

Advierta todas las veces que la narradora de esta historia se refiere a su familia y sus amigos.

> *Volví a mudarme adonde mis abuelos para ahorrar para el colegio. Yo crecí en esta casa, a la que me siento muy arraigada. Uno de nuestros vecinos más queridos ha muerto y la familia está recogiendo todo para vender la casa. Esta noche, unos cuantos nos reunimos en el garaje, tomamos vino y recordamos la cantidad de vecinos y familiares que ya no están con nosotros. Hubo risas y llanto, pero también una sensación maravillosa de que los que se han ido estaban con nosotros, riéndose con nosotros. ¡Fue increíble!*

Somos tremendamente sociales. Y entender esto en relación con el cerebro es fundamental para comprender muchos de los temas tratados en este libro, desde la empatía hasta el lenguaje y los efectos del aislamiento social. Puesto que el cerebro es un órgano biológico, las razones son evolutivas. La mayoría de los científicos cree que sobrevivimos porque formamos grupos sociales cooperativos, lo que nos llevó a pasar mucho tiempo en el mundo de las relaciones, aprendiendo a conocer las motivaciones y los interiores psicológicos de los otros, así como sus sistemas de recompensa y castigo.

Se revelaron dos beneficios. Uno es la capacidad de trabajar en equipo, que es útil para cazar, encontrar refugio y defenderse de los depredadores. El otro es la capacidad de ayudar a criar a los hijos de los demás. Las batallas entre el tamaño del canal de parto y el del cerebro del bebé implicaban que las mujeres necesitaban tiempo para recuperarse después de dar a luz. Entonces alguien tenía que cuidar de los niños, o alimentarlos si la madre moría. Esta responsabilidad recayó principalmente en las mujeres (al fin y al cabo, los hombres no pueden producir leche); sin embargo, muchos científicos creen que los grupos más aventajados eran aquellos en los que los hombres desempeñaban un papel activo en el apoyo a las mujeres. La necesidad de comunidad era tan fuerte y decisiva para nuestra supervivencia, que los investigadores han dado un nombre a este fenómeno: "cuidado aloparental". De modo que si está sintiendo que no puede sola o solo, es porque no debe ser así.

Aunque no exista una máquina del tiempo capaz de mandarnos de regreso al Pleistoceno, tenemos evidencias de esto en abundancia. Los bebés nacen con una necesidad profunda de relacionarse con su familia y están programados para relacionarse con otros. Una madre cuenta que estaba viendo *American Idol* con su hijo de dos años. Cuando el presentador entrevistó a los afligidos concursantes que no habían clasificado, el niño dio un brinco, acarició la pantalla y dijo: "Ay, no, no llores". Para hacer esto se requieren unas capacidades relacionales profundas, que, a su vez, son prueba tanto del proceso biológico que se está desarrollando en el niño como de su dulzura. Todos tenemos una capacidad natural para conectarnos con los otros.

Si usted comprende que al cerebro lo que más le interesa es la supervivencia, y que además tiene una necesidad profunda de relacionarse con los otros, la información que encontrará en este libro —las cosas que mejor contribuyen con el desarrollo cerebral de su bebé— tendrá sentido.

Un par de notas antes de empezar

Definir la familia

Tal vez haya visto este anuncio de televisión: la cámara sigue a un apuesto universitario en un acontecimiento social en una casa grande. Es época de vacaciones, y el joven le presenta sus amigos y parientes al espectador mientras canta una canción y pasa los refrescos. Están su mamá, su hermanita, su hermano, su "madrastra sorprendentemente maravillosa" y los dos hijos que esta tuvo antes de conocer a su papá; también hay tías, primos, colegas, su mejor amigo, su entrenador de judo, su alergista e incluso sus fans de Twitter. Este es el ejemplo más claro que haya visto de que la definición de la familia estadounidense está cambiando. Y muy rápido.

Pero nunca fue estable. La definición de la familia nuclear —un hombre, una mujer, 2.8 niños— existe solo desde la época victoriana. Con una tasa de divorcio del 40 al 50 por ciento acechando como un buitre sobre los matrimonios estadounidenses desde hace más de tres décadas, y la popularidad creciente de las segundas nupcias, la familia "mezclada" es ahora la experiencia familiar más típica, así como la monoparental; más del 40 por ciento de los niños que nacen en Estados Unidos vive solo con su madre. Hay más de 4,5 millones de niños que no son criados por sus padres biológicos, sino por sus *abuelos* biológicos. Y una de cada cinco parejas homosexuales tiene hijos.

Muchos de estos cambios se han producido demasiado rápido como para que la comunidad científica pueda estudiarlos adecuadamente. No se puede hacer un estudio de veinte años, por ejemplo, sobre matrimonios homosexuales que acaban de legalizarse. Por tanto, los mejores datos acerca de la maternidad-paternidad se han extraído de estudios con parejas heterosexuales en matrimonios tradicionales del siglo XX. Y hasta que los investigadores no hayan podido investigar las dinámicas de los nuevos modelos, no sabremos si la información aquí descrita sea válida para otras situaciones. Por eso uso los términos "matrimonio" y "cónyuge" en lugar de "pareja".

La fuente de las historias

Muchas de las historias que aparecen en este libro provienen de TruuConfessions.com, una página en la que los padres pueden escribir anónimamente para desahogarse, buscar consejo o compartir sus experiencias.

Otras vienen de experiencias de mi esposa y mías durante la crianza de nuestros hijos, Josh y Noah, quienes están entrando en la adolescencia mientras escribo estas páginas. Mi esposa y yo llevamos un diario de su desarrollo, con fragmentos de observaciones, recuerdos de unas vacaciones, un paseo o alguna cosa maravillosa que nuestros hijos nos enseñaron. Los dos leyeron estas historias, y en estas páginas aparecen únicamente las que me permitieron publicar. Celebro su valor y su sentido del humor al permitir que su viejo y querido padre publicara estas rebanadas de su primeros años.

La fuente de los datos

En estas páginas, hay partes en las que prácticamente todas las oraciones están basadas en alguna referencia. Pero por cuestiones de legibilidad, estas están únicamente en www.brainrules.net, una página repleta de material adicional, incluyendo animaciones de los conceptos básicos. Algunos temas han quedado por fuera totalmente, ya sea para que el libro no se alargara demasiado o porque simplemente no hay suficiente documentación que los respalde.

La cocina de mi esposa

Ya estamos casi listos para comenzar. Pero dada la enorme cantidad de información que hay en este libro, quise usar una metáfora que me ayudara a organizarlo. Y la solución vino de mi esposa Kari, que, entre sus muchos talentos, es una gran cocinera. Nuestra cocina está llena de cosas, desde las más mundanas como la avena (así es, en nuestra casa comemos gachas de avena) hasta botellas de vinos exóticos. Kari suele preparar platos caseros tradicionales, y muchos de los ingredientes que usa vienen del huerto de frutas y verduras que tiene del otro lado de la puerta de la cocina, cuyo suelo enriquece mediante una variedad de fertilizantes naturales. Un taburete de tres patas les permite a nuestros hijos llegar a las partes superiores de las alacenas y ayudar a cocinar. A lo largo de los capítulos reconocerá estos utensilios, incluyendo las semillas y el suelo del jardín, y mi esperanza es que la imagen de la cocina y el huerto de mi esposa le permita ver todas estas ideas de una manera agradable y accesible.

¿Listo para criar hijos inteligentes y felices? Siéntese en un sillón, pues está a punto de adentrarse en un mundo realmente mágico. El trabajo más importante en el que haya podido matricularse bien podría ser también lo más interesante que haga en su vida.

Embarazo

Principios del cerebro

Los bebés desarrollan una activa vida mental en el útero

Mamá estresada, bebé estresado

Coma bien, manténgase en forma, hágase muchas pedicuras

Embarazo

Un día, al terminar una charla para parejas embarazadas, una mujer y su marido se me acercaron con expresión inquieta. "Mi padre es operador radioaficionado", empezó ella, "y le dijo a mi esposo que debía empezar a darme golpecitos en la panza. ¿Eso es bueno?" Estaba perpleja. Yo también. "¿Para qué?", pregunté. "Quiere que yo aprenda el código Morse", contestó el esposo, "y empiece a mandarle mensajes al cerebro del bebé para que salga inteligente. ¡Tal vez podríamos enseñarle a contestarnos!" La mujer añadió: "¿Eso sí lo hará inteligente? Tengo la panza adolorida, y no me gusta".

Recuerdo que fue un momento gracioso, y nos reímos un rato. Pero también fue sincero. Podía ver la interrogación en sus ojos.

Cada vez que doy una charla sobre la extraordinaria vida mental del feto, casi puedo sentir la ola de pánico que inunda la sala. Los futuros padres se muestran preocupados al principio, después empiezan a tomar anotaciones apresuradamente, hablando con sus vecinos en susurros emocionados. Algunos padres de hijos mayores lucen satisfechos, otros arrepentidos; unos pocos se muestran incluso culpables. Hay escepticismo, asombro y, ante todo, muchas preguntas. ¿Un bebé realmente puede aprender código Morse en las últimas etapas del embarazo? Y si pudiera, ¿le haría bien?

Los científicos han descubierto muchas cosas sobre la vida mental del bebé en el útero. En este capítulo, nos adentraremos en el maravilloso misterio del desarrollo cerebral (que empieza por un puñado de células diminutas), responderemos a la pregunta sobre el código Morse al detallar las cosas que se ha demostrado que ayudan al desarrollo del cerebro en el útero —una pista: solo son cuatro— y, por el camino, refutaremos unos cuantos mitos... Bien puede empezar por guardar sus discos de Mozart.

Silencio, por favor: bebé en ciernes

Si tuviera que darle un único consejo basado en lo que sabemos acerca del desarrollo del bebé durante la primera mitad del embarazo, sería este: el bebé quiere que lo dejen en paz.

Al menos al principio. Desde el punto de vista del bebé, lo mejor de la vida en el útero es la relativa *ausencia* de estimulación. El útero es oscuro, húmedo, cálido, resistente como un búnker y mucho más apacible que el mundo exterior. Y así tiene que ser. Tras la fecundación, el incipiente cerebro de su embrioncito empezará a bombear neuronas a una velocidad pasmosa de 500 000 células por minuto. Eso equivale a más de 8000 células por segundo; un ritmo que mantendrá durante semanas, sin parar. Esto puede observarse fácilmente tres semanas después de la concepción, y continúa más o menos hasta la mitad del embarazo. ¡El pequeño tiene mucho que lograr en muy poco tiempo! De modo que una apacible ausencia de intromisión por parte de los padres es exactamente lo que necesitará.

Es más, algunos biólogos evolucionistas creen que aquí reside la razón de la persistencia de las náuseas matutinas en los embarazos humanos. Las náuseas matutinas, que pueden durar todo el día (y para algunas mujeres, todo el embarazo), hace que la mujer tenga que limitarse a una dieta sosa y aburrida, si es que puede comer gran cosa en realidad. Esta estrategia de evasión habría mantenido a nuestras antepasadas alejadas de las toxinas naturales presentes en las comidas exóticas o podridas de nuestro salvaje y desordenado menú pleistocénico. La consecuente fatiga las habría mantenido alejadas de actividades físicas lo suficientemente arriesgadas como para perjudicar al bebé. Hoy en día, los investigadores creen que esto también podría hacer más inteligente al bebé.

Un estudio, no replicado aún, examinó a niños cuyas madres habían sufrido náuseas y vómitos graves durante el embarazo. Cuando los niños llegaron a la edad escolar, el 21 por ciento obtuvo una puntuación de 130 o más en una prueba estandarizada del CI, es decir, un nivel considerado como prodigioso. Cuando la madre no había padecido náuseas matutinas, solo el 7 por ciento alcanzó este nivel. La teoría de los investigadores —aún por comprobar— es la siguiente: dos hormonas que estimulan el vómito podrían actuar también como fertilizante neuronal para el cerebro en desarrollo. Cuanto más vomite la madre, más fertilizante se produce; por tanto, mayor es el efecto en el CI. En todo caso, sean cuales sean las razones, el bebé parece hacer un gran esfuerzo para que lo dejen en paz.

¿Qué tan buenos somos para dejar en paz al bebé en esta etapa, o cualquier otra etapa del embarazo? No mucho. La mayoría de los padres tienen un deseo insaciable de hacer *algo* para ayudar a su bebé, sobre todo en lo que al cerebro se refiere. Atizar este deseo es el objetivo de un enorme sector del mercado de los juguetes, cuya única estrategia está, creo yo, en explotar los temores de los padres bienintencionados. Así que preste mucha atención, pues estoy a punto de ahorrarle un montón de dinero.

El maravilloso *embaráfono*

Hace muchos años, en una juguetería, me topé con un anuncio de un DVD diseñado para bebés recién nacidos y niños pequeños que se llamaba "Bebé Prodigio". El folleto rezaba: "¿Sabía usted que realmente puede ayudar a potenciar el desarrollo del cerebro de su bebé? Durante los primeros treinta meses de vida, el cerebro experimenta las etapas más importantes de su evolución... y, juntos, ¡podemos ayudarle a hacer de su bebé el próximo Bebé Prodigio!". Me enfurecí tanto, que arrugué el folleto y lo eché a la basura.

Estas afirmaciones peregrinas tienen una larga historia. A finales de 1970 se creó la Universidad Prenatal, un plan de estudios que decía estimular la capacidad de atención, el rendimiento cognitivo y el vocabulario del bebé, todo esto antes del parto. El bebé recibía incluso un título que lo declaraba "bebé superior" al nacer. A finales de los ochenta apareció el "*embaráfono*", un elogiado sistema de altavoz diseñado para introducir en la panza la voz de la madre, o música clásica o lo que fuera que estuviera de moda en el momento, para estimular el CI. Pronto aparecieron más productos, de la mano de un bombo publicitario impresionante: "¡Enséñele a su bebé a deletrear en la panza!" "¡Enséñele un segundo idioma a su hijo antes de que nazca!" "mejore el promedio de matemáticas de su bebé con música clásica!". Mozart estuvo especialmente en boga, con un fenómeno del que seguramente habrá oído hablar: el efecto Mozart. Y las cosas no mejoraron en los noventa. Muchos de los libros que se publicaron en esta época formulaban a las parejas embarazadas actividades cortas, que debían realizarse a diario, para "aumentar el CI de su bebé entre 27 y 30 puntos" y su capacidad de atención de 10 a 45 minutos.

No se ha demostrado que ningún producto comercial haga algo para mejorar el rendimiento cerebral del feto en desarrollo.

Actualmente, si entra en cualquier juguetería, se encontrará con productos con pretensiones similares. Pero casi ninguna de estas pretensiones está respaldada por estudios de la propia empresa, mucho menos por investigaciones independientes y evaluadas por sus pares.

Créalo o no, no se ha demostrado de una manera científicamente responsable (o siquiera de una manera no científicamente irresponsable) que *ningún* producto comercial haga *algo* para mejorar el rendimiento cerebral del feto en desarrollo. No se ha hecho ningún experimento aleatorizado, a doble ciego, cuya variable independiente fuera la presencia o ausencia del artículo en particular. Tampoco se ha hecho ningún estudio riguroso que muestre que un currículo de estudios en el útero produce beneficios a largo plazo cuando el niño entra a la universidad, ni ningún experimento con gemelos separados al nacer que pretendiera burlarse de los componentes de "naturaleza y crianza" en los efectos de un artículo determinado. Y esto incluye tanto a la universidad como al Mozart prenatales.

Tristemente, los mitos bullen cuando hay pocos datos, y atrapan a la gente. Incluso después de todos estos años, muchos de estos productos siguen llevando a los padres incautos a gastarse el dinero ganado con el sudor de su frente.

Para quienes trabajamos en la comunidad científica, este afán por crear productos comercializables resulta francamente espantoso. Su falsedad es además contraproducente, pues estos artículos atraen tanta atención que pueden oscurecer la aparición de un descubrimiento realmente significativo. Porque *sí* hay actividades que los futuros padres pueden hacer para ayudar al desarrollo cognitivo de su bebé "en ciernes"; actividades que han sido probadas y evaluadas, con resultados estudiados en la bibliografía científica arbitrada. Para comprender su valor, es importante conocer primero unos cuantos datos acerca del desarrollo del cerebro infantil. En cuanto hayamos echado un vistazo a lo que sucede allí dentro, verá por qué todos esos productos son mucho ruido y pocas nueces.

Manos a la obra

Los protagonistas de la obra de la concepción humana son, sencillamente, un óvulo y un espermatozoide. En cuanto estas dos células se han unido, empiezan a producir montones de células en un espacio pequeño, y al poco tiempo, el embrión parece una mora diminuta. (De hecho, una de las etapas iniciales del desarrollo se conoce como la *mórula*, que significa mora en latín). La primera decisión de la mórula es una cuestión práctica: cuál parte corresponde al cuerpo del bebé y cuál a su refugio. Esto sucede rápidamente. A algunas células se les asigna la construcción del refugio, es decir, la creación de la placenta y la bola de agua en la que flotará el embrión, el saco amniótico. A otras células se les asigna la labor de construir el embrión, es decir, la creación de ese nudo de tejidos internos conocido como la masa celular interna.

Ahora debemos detenernos un momento. En esta etapa, la masa celular interna contiene una célula cuya progenie entera formará el cerebro: el procesador de información más complejo del planeta está en camino, y empieza como una fracción del tamaño del punto que cierra esta oración.

Yo llevo más de veinte años estudiándolo y todavía me resulta alucinante. Como señalara el científico Lewis Thomas en *Las vidas de la célula*: "La mera existencia de esta célula debería producir uno de los mayores asombros del mundo entero. La gente debería andar por ahí, hablando únicamente de esta célula, comentando con asombro infinito, todo el día, a todas horas". Adelante: llame a su vecino. Aquí lo espero.

Y el milagro continúa. Si pudiera ver en acción a este embrión que flota en agua marina, advertiría que la masa celular interna es en realidad un enjambre de células que revolotean alrededor del embrión, cual cocineras de comida rápida. Las células se acomodan en tres capas vivientes, semejantes a una hamburguesa. La parte de abajo, el endodermo, forma la mayoría de los sistemas celulares que cubren los órganos del bebé. La de la mitad, el mesodermo, forma los músculos, los huesos y los sistemas respiratorio y digestivo. La parte de arriba es el ectodermo, que forma la piel, el pelo, las uñas y el sistema nervioso. Y es allí, en el ectodermo, donde reside la célula diminuta y milagrosa del cerebro incipiente.

Al mirar con más detenimiento, podría ver la minúscula línea de células que se está formando en el centro del ectodermo. Por debajo de esa línea empieza a formarse un cilindro con forma de tronco, que se alarga siguiendo la línea superior como guía. Este cilindro es el tubo neural, de donde saldrá la columna. El extremo lejano del tronco se convertirá en el trasero del bebé, el cercano será su cerebro.

Cuando algo sale mal

El correcto desarrollo del tubo neural es fundamental. De lo contrario, el bebé podría desarrollarse con defectos en la médula, como un tumor cerca de la región lumbar, una anomalía conocida como espina bífida. También podría desarrollarse sin la cabeza completa, una anomalía poco común conocida como anencefalia.

Por eso, todos los libros sobre el embarazo recomiendan enérgicamente el consumo suplementario de ácido fólico, que ayuda a la formación adecuada del tubo neural, tanto en el extremo lejano como en el cercano. Las mujeres que lo toman antes y durante las primeras semanas del embarazo tienen un 76 por ciento menos de probabilidades de concebir un feto con defectos del tubo neural que las mujeres que no toman el suplemento. Es lo primero que puede hacer para ayudar al desarrollo cerebral de su bebé.

A lo largo de la historia de la humanidad, los futuros padres se han preocupado siempre por el desarrollo adecuado de todo esto. En 1573, el cirujano francés Ambroise Paré catalogó las cosas ante las que las jóvenes parejas debían estar atentas para prevenir el nacimiento de un hijo con defectos congénitos. "Hay muchas cosas que causan monstruos", escribió en *Monstruos y prodigios*. "La primera es la gloria de Dios. La segunda, su ira. La tercera, demasiada cantidad de semen. La cuarta, muy poca cantidad de semen". Paré planteó la hipótesis de que un defecto congénito podría deberse a una postura indecente de la madre (sentarse demasiado tiempo con las piernas cruzadas), o podía ser ocasionado por la estrechez del útero, por diablos y demonios o por la saliva perversa de los mendigos.

Bien podemos perdonarle a Paré su confusión precientífica sobre el desarrollo del cerebro en el útero, pero no podemos negar que es algo asustador, tremendamente complejo y esencialmente misterioso, incluso para la mente moderna.

De hecho, los investigadores siguen sin poder explicar casi dos tercios de los defectos congénitos, y solo han podido asociar un cuarto de todos estos defectos a un problema de ADN aislable. Una de las razones por las que sabemos tan poco a este respecto es porque el cuerpo de la madre parece tener un componente de seguridad: si algo sale mal durante el desarrollo del feto, su cuerpo suele percibir que hay problemas y producir un aborto espontáneo. Cerca de un 20 por ciento de los embarazos terminan en abortos espontáneos. Las toxinas conocidas (cosas que sí se pueden monitorizar) componen tan solo el 10 por ciento de los defectos congénitos estudiados en el laboratorio.

Una delicada red de células chisporroteantes de electricidad

Por fortuna, la mayoría de los cerebros de los bebés se forma bien. El extremo del tubo neural que corresponde al cerebro continúa su proyecto de construcción creando bultos de células que parecen complejas formaciones coralinas y que, con el tiempo, forman las grandes estructuras del cerebro. Antes del primer mes, la diminuta célula del cerebro incipiente se ha convertido ya en un fornido ejército de millones de células.

El cerebro no se desarrolla aisladamente, por supuesto que no. Hacia la cuarta semana, el embrión inicial despliega temporalmente unos arcos branquiales, muy parecidos a los de los peces, que pronto se convierten en los músculos faciales y las estructuras de la garganta que le permitirán hablar al bebé. El embrión desarrolla después una especie de rabo que pronto revierte su curso y se reabsorbe. Hay unas fuertes raíces evolutivas en nuestro desarrollo, un milagro que compartimos con todos los mamíferos del planeta. Excepto por una cosa.

Esos bultos del extremo cercano del tubo neural se convertirán en ese órgano inteligentísimo y pesadísimo que es el cerebro humano. Y esta gran estructura está compuesta por una delicada telaraña de células que crepitan con minúsculas sacudidas de electricidad. Hay dos tipos de células que son muy importantes aquí. Las primeras, las células gliales, componen el 90 por ciento de las células cerebrales de su bebé; son las que dan su estructura al cerebro y ayudan a las neuronas a procesar correctamente la información. El nombre es acertado, pues viene del griego *glia*, que significa pegamento. El segundo tipo son las neuronas, que si bien se encargan de buena parte del pensamiento de su hijo, componen solo un 10 por ciento del total de sus células cerebrales. A lo mejor de aquí viene el mito de que usamos solo un 10 por ciento de nuestro cerebro.

Una neurona, 15 000 conexiones

¿Cómo hacen las células para convertirse en cerebros? Las células embrionarias se convierten en neuronas mediante un proceso llamado neurogénesis. Y es en esta etapa, durante la primera mitad del embarazo, cuando el bebé quiere que lo dejen en paz. Luego, en la segunda mitad, las neuronas migran a la región que será su hogar y empiezan a conectarse. Esto se conoce como sinaptogénesis.

La migración celular me recuerda ese momento en que el *sheriff* libera a sus sabuesos para encontrar el rastro de un criminal. Las neuronas salen desbocadas de sus cuevas ectodermales, arrastrándose unas encima de otras, olfateando pistas moleculares, deteniéndose, ensayando distintos caminos, deslizándose como por toboganes por entre el cerebro en ciernes. Hasta que se detienen, en algún momento, después de haber llegado a un destino que puede estar preprogramado en sus cabezas celulares. Entonces echan un vistazo a sus nuevas cuevas y tratan de conectarse con sus vecinos. Al hacerlo, se crean unos espacios diminutos entre las células neurales, conocidos como "sinapsis" (de allí el término sinaptogénesis). Las señales eléctricas saltan entre estos espacios desnudos para permitir la comunicación neuronal, que es la verdadera clave del desarrollo cerebral.

La sinaptogénesis es un proceso prolongado, por una razón fácil de comprender: es absurdamente complejo. Una sola célula tiene que establecer unas 15 000 conexiones, en promedio, antes de haber terminado su trabajo de cableado. Algunas neuronas tienen que establecer más de cien mil conexiones. Esto significa que el cerebro de su bebé tiene que establecer una asombrosa cantidad de 1,8 millones de conexiones nuevas por segundo para formarse por completo. Hay muchas neuronas que no completan nunca este proceso y, simplemente, mueren.

Incluso con esta velocidad alucinante, el cerebro de los bebés nunca está listo para la fecha del parto. Un 83 por ciento de la sinaptogénesis sigue produciéndose *después* del nacimiento. Si es una niña, su cerebro no terminará de completar su cableado sino hasta los veintipocos años. El cerebro de los niños tarda aun más. En los humanos, el cerebro es el último órgano en terminar de desarrollarse.

¿Cuándo puede oírnos y olernos nuestro bebé?

El propósito de esa producción tremendamente veloz (y después frustrantemente lenta) es construir un cerebro que pueda recibir y responder. Por tanto, la pregunta de los padres curiosos es: ¿Qué saben los fetos, y cuándo lo saben? ¿Cuándo pueden sentir, por ejemplo, golpecitos en la panza?

El principio por recordar es el siguiente: El cerebro dedica la primera mitad del embarazo a instalar su taller neuroanatómico, *ignorando alegremente casi cualquier intromisión de los padres* (me refiero a las intromisiones bienintencionadas; las drogas, incluidos el alcohol y la nicotina, pueden afectar claramente el desarrollo cerebral del bebé durante el embarazo). La segunda mitad del embarazo es otra historia. A medida que el desarrollo del cerebro pasa de concentrarse en la neurogénesis a la sinaptogénesis, el feto empieza a exhibir una mayor sensibilidad al mundo exterior, y el cableado de las células se hace más susceptible a las influencias externas —usted, entre ellas— que al acto de crearlas.

Los sentidos se desarrollan de manera estratégica

¿Cuál es la estrategia del bebé para construir los sistemas sensoriales del cerebro? Pregúntele a un capitán paracaidista, quien le responderá que librar exitosamente una batalla implica tres pasos: lanzarse con paracaídas al territorio enemigo, apoderarse de propiedades hostiles y comunicarse con la base militar. Este proceso proporciona al comando central información sobre el progreso y "conciencia situacional" sobre el paso siguiente. Algo parecido sucede con los sistemas sensoriales del cerebro que se están desarrollando en el útero.

Al igual que los paracaidistas que se apoderan del territorio enemigo, las neuronas invaden una región determinada del cerebro y establecen diversas bases sensoriales. Las que se conecten a los ojos serán utilizadas para la vista, las de la nariz para el olfato, las de los oídos para la audición. Una vez se hayan apoderado de sus territorios, estas células establecerán vínculos que les ayudarán a comunicarse con las estructuras de comando y control perceptivo que también están desarrollándose en el cerebro. (En el mundo real del cerebro, hay muchos comandos centrales.) Estas estructuras directivas, que nos proporcionan las capacidades perceptivas, se dedican a capturar territorios, tal como los paracaidistas, y son algunas de las últimas regiones en terminar de conectarse adecuadamente durante el desarrollo en el útero. Como consecuencia, las neuronas conectadas a los ojos o los oídos o la nariz pueden recibir una señal de "ocupado" al intentar comunicarse con la base. Debido a esta extraña falta de coordinación, hay partes del cerebro del bebé que pueden responder a la estimulación sensorial antes de que este pueda percibir realmente que está siendo estimulado.

Pero en cuanto pueden percibir señales como sonidos y olores, lo cual sucede hacia la segunda mitad del embarazo, los bebés se sintonizan de una manera muy precisa. Y recuerdan inconscientemente. A veces puede llegar a ser incluso espeluznante, como descubrió el director de orquesta Boris Brott.

Los bebés recuerdan

"¡Simplemente, me llegó!", le dijo Brott a su madre. Había estado en el podio de una orquesta sinfónica dirigiendo una pieza que no había dirigido nunca, y cuando empezó a tocar el violonchelista, de pronto *supo* que ya había oído esa pieza. Pero no era el recuerdo de alguna pieza parecida y olvidada: pudo predecir con exactitud todas las frases musicales y el flujo de toda la obra durante el transcurso del ensayo, incluso supo cómo dirigirla al perderse en la partitura.

Desconcertado, llamó a su madre, una violonchelista profesional. Ella le preguntó cómo se llamaba la pieza, y después soltó la carcajada. *Era la pieza que había estado ensayando cuando estaba esperándolo*. Durante los últimos meses del embarazo, el violonchelo había estado contra su abdomen, una estructura llena de fluidos que conducen el sonido, totalmente capaz de transmitirle información musical a su hijo aún no nacido. El cerebro incipiente del bebé en el útero tenía una sensibilidad suficiente para registrar los recuerdos musicales. "Todas las notas que conocía eran las que ella había tocado mientras estaba embarazada de mí", dijo Brott en una entrevista. Algo increíble para un órgano que no tiene ni cero años.

Este es solo uno de los muchos ejemplos de cómo los bebés pueden percibir información del mundo exterior cuando están en el útero. Lo que coma y huela la madre también puede influir en las percepciones del bebé. Veamos entonces cuándo empiezan a funcionar los sentidos de su pequeño —tacto, vista, audición, olfato, equilibrio, gusto—, a medida que usted transita por el embarazo:

Tacto: 4 semanas

Uno de los primeros sentidos en activarse es el tacto. Los embriones de aproximadamente un mes pueden sentir el tacto en su nariz y labios. Esta capacidad se difunde rápidamente, y a las doce semanas, casi toda la superficie de la piel es sensible al tacto.

Juro que pude notar esto cuando mi esposa estaba en la mitad del tercer trimestre del embarazo de nuestro hijo menor. El niño se movía bastante, y a ratos podía ver lo que parecía la aleta de un tiburón moviéndose por la panza de mi esposa, que sobresalía y después se sumergía. Era escalofriante. Y emocionante. Una mañana, como creía que podía tratarse de un pie, intenté tocarlo..., y el bulto "pateó" de vuelta (¡!), lo que nos hizo gritar a los dos, emocionadísimos.

Si intenta hacer esto en la primera mitad del embarazo, no obtendrá resultados, pues solo a partir del quinto mes pueden experimentar el tacto de la manera como lo percibimos usted o yo. Es entonces cuando el cerebro de su bebé desarrolla "mapas corporales", es decir, diminutas representaciones neurológicas de todo su cuerpo.

Hacia el comienzo del tercer trimestre, el feto demuestra conductas evasivas (como tratar de alejarse cuando una aguja se acerca para hacer una biopsia), de lo cual concluimos que los bebés pueden sentir dolor, aunque es imposible medir esto directamente.

Para este momento, el feto también parece ser sensible a la temperatura. Pero también parece que el cableado de las sensaciones térmicas no está completamente terminado al nacer y que necesita la experiencia del mundo exterior para terminar de desarrollarse. En dos casos de abuso infantil, no relacionados entre sí, un niño francés y una niña estadounidense que fueron mantenidos en aislamiento durante años presentaban una incapacidad espeluznante para distinguir entre el calor y el frío. La niña nunca se vestía apropiadamente para el clima, incluso cuando estaba helando. El niño solía sacar papas de un fuego crepitante con las manos desnudas, ignorando por completo la diferencia de temperatura. No sabemos exactamente por qué. Lo que sí sabemos es que el tacto sigue siendo muy importante en el desarrollo del bebé después del nacimiento.

Vista: 4 semanas

¿Pueden los bebés ver en el útero? Esta es una pregunta difícil de responder, sobre todo porque la vista es nuestro sentido más complejo.

La vista empieza a desarrollarse hacia la cuarta semana, cuando se forman unos puntos minúsculos a ambos lados de la diminuta cabeza del feto. Poco después aparecen unas estructuras en forma de concha que formarán, en parte, el lente del ojo. Luego, los nervios retinianos salen por detrás de estos ojos incipientes hacia la parte posterior de la cabeza para conectarse con las regiones que, con el tiempo, formarán la corteza visual. Por su parte, las células de esta corteza también han estado ocupadas preparándose para recibir a estos viajeros neurales y asociarse con ellos. En estas regiones, el segundo y tercer trimestre están repletos de encuentros neurales masivos, una conectividad crepitante y una buena dosis de muertes celulares. Para estas alturas, el cerebro forma unos diez mil millones de sinapsis al día. ¡Como para producirle migrañas al bebé!

Un resultado de toda esta actividad es que el sistema de circuitos neurales necesarios para controlar el parpadeo, la dilatación de las pupilas o el seguimiento de objetos en movimiento está presente antes del nacimiento. Hay experimentos que demuestran que, en el tercer trimestre, los bebés se mueven o sufren una alteración de la frecuencia cardiaca, o ambas cosas, si se proyecta una luz fuerte sobre el útero. Pero la construcción de circuitos que funcionen adecuadamente requiere tanto tiempo, que los bebés necesitan más de nueve meses para terminar este trabajo, y el cerebro seguirá formando diez mil millones de sinapsis al día durante casi todo el primer año de vida. Durante este intervalo, el cerebro se vale de las experiencias visuales exteriores para terminar los proyectos de construcción interiores.

Audición: 4 semanas

Si usted me hubiera dicho que los investigadores estaban a punto de descubrir un hecho científico importante usando una combinación del acto de chupar y la lectura de *El gato garabato*, mi reacción habría sido decirle que cambiara de marca de cerveza. Pero eso fue lo que sucedió a principios de la década de los ochenta. Durante las últimas seis semanas de embarazo, a las mujeres que participaron en este estudio se les pidió que leyeran el libro del Dr. Seuss en voz alta, dos veces al día (eso es un montón, como unas cinco horas en total). Cuando los bebés nacieron, les dieron un chupo conectado a una máquina que medía la fuerza y la frecuencia con que chupaban, pues los índices de fuerza y frecuencia pueden utilizarse para evaluar si un bebé reconoce algo (es una forma de asociación de patrones). Entonces les pusieron grabaciones de su madre leyendo *El gato garabato*, un cuento distinto o nada, y midieron los índices y patrones de su uso del chupo en todas estas situaciones. Lo que descubrieron fue asombroso: los bebés que habían oído al Dr. Seuss en el útero parecían reconocer, y preferir, la grabación de su madre leyendo *El gato garabato*. Chupaban siguiendo un patrón desencadenado por su lectura de ese libro, lo que no sucedía con un libro distinto o con ninguno. Los bebés reconocían su anterior experiencia auditiva en el útero.

Hoy en día sabemos que la percepción auditiva empieza a desarrollarse a una edad mucho más temprana que la de los bebés estudiados en este asombroso experimento. Los tejidos relacionados con la audición pueden observarse desde las cuatro semanas de embarazo, y empiezan con la aparición de dos estructuras que parecen unos diminutos cactus retoñando a ambos lados de la cabeza del bebé. Son las vesículas auditivas, que formarán buena parte del sistema auditivo de su hijo. Una vez establecido este territorio, las siguientes semanas son dedicadas a la instalación del hogar, desde los pelos internos que parecen unos bigotes diminutos hasta los canales que estos cubren, que parecen unas conchas de caracol.

¿Cuándo se conectan con el resto del cerebro estas estructuras, permitiéndole oír al bebé? La respuesta debería serle conocida: solo hasta el comienzo del tercer trimestre. Hacia el sexto mes de embarazo, usted puede proporcionarle un sonido a un feto en el útero (sobre todo chasquidos) y escuchar con asombro cómo su cerebro produce débilmente una respuesta eléctrica. Un mes después, este fenómeno de llamado y respuesta aumenta no solo en intensidad sino en velocidad de reacción. Otro mes después, o más, todo ha cambiado, pues ahora tenemos a un bebé prematuro que no solo puede oír y responder, sino que además puede distinguir distintos sonidos como "ahhh" de "eeee" o "ba" de "bi". Una vez más, vemos el patrón del paracaidista, de establecer primero el territorio para después conectar con el comando central.

Hacia el final del segundo trimestre, los bebés pueden oír la voz de su madre en el útero, y prefieren esta voz después del nacimiento. También responden con una fuerza especial si la voz de la madre está amortiguada, es decir, recreando el entorno sónico del útero. Los bebés responden incluso a los programas de televisión vistos por su madre durante el embarazo. Un estudio gracioso expuso a unos bebés que estaban a punto de nacer a la melodía publicitaria de una telenovela determinada. Al nacer, los bebés dejaban de llorar en cuanto oían esta canción (los del grupo de control no tenían esta reacción). Los recién nacidos tienen una memoria poderosa para recordar los sonidos que oyeron en el útero durante la última parte de la gestación. Volver a exponerlos a esos sonidos conocidos y reconfortantes después del nacimiento es otra manera de suavizar su transición a la vida en este planeta frío y desconocido.

Olfato: 5 semanas

Lo mismo sucede con los olores. A las cuatro semanas de la fecundación, podemos ver el complejo cableado del cerebro para percibir los olores. Pero tal como sucede con los otros sentidos, el que la maquinaria esté allí no implica que la percepción tenga que estar disponible desde ya. Entre el segundo y el sexto mes de vida en el útero, los bebés sufren de una nariz muy congestionada. Las cavidades nasales están llenas con un tapón gigante de tejidos, probablemente para evitar la percepción de cualquier tipo de olor. Todo esto cambia durante el tercer trimestre. El tapón es reemplazado por las membranas mucosas y montones de neuronas conectadas directamente con las áreas perceptivas del cerebro. La placenta de la madre, a su vez, se vuelve menos quisquillosa al permitir que entren cada vez más moléculas mediadoras del olor (odorantes) en el útero. Debido a estos cambios biológicos, el mundo olfativo de su bebé se enriquece y se hace más complejo después del sexto mes de vida gestacional. Su bebé puede oler el perfume que usted usa y detectar el ajo de la pizza que acaba de comerse.

Después del sexto mes de embarazo, su bebé puede oler el perfume que usted usa y detectar el ajo de la pizza que acaba de comerse.

Al nacer, el bebé preferirá esos olores. Y en esto se basa un consejo extraño: justo después de que nazca, masajee a su bebé con su propio fluido amniótico antes de bañarlo con agua y jabón. Los estudios han demostrado que esto lo calmará. ¿Por qué? Al igual que con los sonidos, los olores les recuerdan la comodidad del hogar que habitaron durante los últimos nueve meses. Y esto sucede porque el olor y ciertos tipos de recuerdo establecen unos vínculos poderosos en el cerebro humano. (De hecho, muchas madres pueden identificar a su recién nacido por su olor.)

Equilibrio: 6 semanas

Si usted tiene ocho semanas de embarazo o tiene un bebé de menos de cinco meses, he aquí algo que puede ensayar en casa. Si ya nació, ponga al bebé de espaldas. Luego álcele ambas piernas, o ambos brazos, delicadamente, y déjelos caer sobre la cama por su propio peso. Lo normal es que los brazos caigan abiertos al lado del cuerpo, con los pulgares contraídos, las palmas hacia arriba y una expresión de sorpresa en el rostro. Es lo que se conoce como el reflejo de Moro.

Este reflejo puede observarse internamente a los ocho meses de embarazo. Adelante: si está leyendo este libro acostada en la cama, échese hacia un lado. Si está sentada, levántese. ¿No siente ningún cambio brusco? Un feto puede mostrar un reflejo de Moro completo en el útero, y estas acciones suelen incitarlo.

El reflejo de Moro suele producirse cuando el bebé se sobresalta, sobre todo si siente que está cayendo. Se cree que es la única reacción de miedo no aprendida que tenemos los humanos, y es importante que el bebé tenga este reflejo, pues su ausencia puede ser señal de un trastorno neurológico. Los bebés deben presentarlo en los primeros cinco meses de vida; pero también tiene su límite, pues su persistencia más allá de los cinco meses también puede ser señal de un trastorno neurológico.

Este reflejo demuestra que muchas de las capacidades motoras (movimiento) y vestibulares (equilibrio) ya se han establecido para los ocho meses de gestación. Las capacidades vestibulares permiten que los músculos estén en comunicación constante con los oídos, todo esto coordinado por el cerebro. Se necesita una sofisticada forma de comunicación de este estilo para producir el reflejo de Moro.

Claro que los bebés no empiezan siendo capaces de hacer piruetas completas desde el principio, pero a las seis semanas de gestación, son capaces de "acelerar", que es una especie de aleteo con las extremidades embrionarias (aunque, por lo general, la madre no podrá sentir nada sino hasta cinco semanas después). Este movimiento también es importante y debe darse; de lo contrario, las articulaciones del bebé no se desarrollarán adecuadamente. Para la mitad del tercer trimestre, el bebé es completamente capaz de ordenarle a su cuerpo que haga una serie de movimientos coordinados.

Gusto: 8 semanas

Los tejidos que actúan como mediadores del gusto ("sensaciones gustativas") no aparecen en la diminuta lengua del embrión sino hasta unas ocho semanas después de la concepción. Pero esto no quiere decir que su bebé adquiera entonces la capacidad de degustar algo, por supuesto que no. Esto no sucede sino hasta en el tercer trimestre. Una vez más, vemos el patrón de "recepción antes de la percepción" del desarrollo sensorial.

Para ese momento, podemos observar ciertas conductas ya conocidas por todos. En el tercer trimestre, los bebés cambian su patrón de deglución cuando la madre come algo dulce: tragan más. Los sabrosos componentes de la dieta de la madre atraviesan la placenta hasta el líquido amniótico, que, para el tercer trimestre, los bebés tragan a un ritmo de un cuarto al día. El efecto es tan poderoso que lo que la madre coma durante las últimas etapas del embarazo puede influir en las preferencias alimentarias del hijo.

En un estudio, los científicos inyectaron jugo de manzana en el útero de ratas embarazadas. Al nacer, las crías mostraron una preferencia drástica por el jugo de manzana. Algo similar sucede con los humanos. Las madres que bebieron mucho jugo de zanahoria en las últimas etapas del embarazo tuvieron bebés que prefirieron el jugo de zanahoria después de nacer. A esto se le conoce como "programación gustativa", y también puede hacerlo poco después del nacimiento de su hijo. Las madres que comen arvejas y duraznos mientras están amamantando, producen bebés destetados con las mismas preferencias. Es posible que cualquier cosa que pueda atravesar la placenta puede generar una preferencia.

Un acto de equilibrio

Desde el tacto y el olfato, hasta la audición y la vista, los bebés tienen una vida mental cada vez más activa en el útero. ¿Qué significa esto para los padres ansiosos por potenciar este desarrollo? Si las capacidades motoras son tan importantes, ¿las futuras madres no deberían hacer volteretas cada diez minutos para inducir el reflejo de Moro en sus pequeños acompañantes? Y si en el útero se establecen preferencias alimentarias, ¿no deberían volverse vegetarianas durante la segunda mitad del embarazo para que sus hijos coman frutas y verduras? ¿Se producirá algún efecto en el cerebro de su retoño —más allá de la creación de posibles preferencias— si le transmite la música de Mozart o los cuentos del Dr. Seuss?

Puesto que es fácil empezar a hacer suposiciones y tender a las sobreinterpretaciones, debo hacerle una advertencia: estamos lidiando con interesantes preguntas de investigación, pero los datos científicos no son lo suficientemente sólidos como para resolver el misterio de la vida mental en el útero. Simplemente son suficientes para demostrar que existe.

Punto medio

La biología del desarrollo cerebral infantil me recuerda el cuento de *Ricitos de Oro y los tres osos*. La versión clásica narra la historia de una niña de pelo rubio que entra en la cabaña de una familia de osos y la destroza, haciendo toda clase de juicios sobre sus tazones de avena, sus asientos y sus camas. A Ricitos no le gustan los materiales de las cosas de Papá Oso o Mamá Osa; sus características físicas son demasiado extremas. Pero las cosas del Osito están justo en "el punto medio", desde la temperatura y la solidez hasta la comodidad de la cama. Como sucede con tantos cuentos infantiles, hay muchas interpretaciones de esta historia. En la primera versión, publicada por el poeta Robert Southey en el siglo XIX, es una mujer vieja y furiosa la que entra en la cabaña y recoge muestras de los utensilios de tres osos masculinos. Algunos historiadores de la literatura sugieren que Southey se basó en la historia de Blancanieves, quien entra en la casa de los enanos, prueba su comida, se sienta en sus taburetes y después se queda dormida en una de sus camas. En otra versión temprana, el intruso es un zorro, no una mujer. Después se convirtió en una niña llamada Cabello de Plata, Rizos de Plata y Cabello de Oro según las distintas versiones; pero el principio del "punto medio" se mantiene en todas.

Esta característica del punto medio es algo tan arraigado en la biología de tantas criaturas, que los científicos decidieron darle un nombre poco científico: el "efecto Ricitos de Oro". Y es tan común porque la supervivencia biológica en este mundo hostil suele exigir un acto de equilibrio entre fuerzas opuestas. Muy poco o demasiado de algo, por ejemplo, demasiado calor o muy poca agua, suele afectar los sistemas biológicos, la mayoría de los cuales están obsesionados con la homeostasis. La descripción completa de muchos procesos biológicos incluye la idea del "punto medio".

4 cosas que se ha comprobado que ayudan al cerebro del bebé

Las conductas que se ha comprobado que ayudan y favorecen al desarrollo del cerebro en el útero —especialmente importantes en la segunda mitad del embarazo— siguen, todas, el principio de Ricitos de Oro. A continuación, estudiaremos cuatro de estos actos de equilibrio:

- peso
- nutrición
- estrés
- ejercicio

No hay ningún *embaráfono* a la vista.

1. Gane solo el peso adecuado

Usted está embarazada, de modo que necesita comer más. Y si no exagera, dará a luz a un bebé más inteligente. ¿Por qué? El CI de su bebé es una función de su volumen cerebral. El tamaño del cerebro predice cerca de un 20 por ciento de la varianza en las puntuaciones del CI (la corteza prefrontal, que está justo detrás de la frente, es particularmente profética). El volumen cerebral está relacionado con el peso al nacer; lo que significa que, hasta cierto punto, los bebés más grandes tienen cerebros más grandes.

El estímulo de la comida ayuda a que el bebé sea más grande. Y entre los cuatro meses de embarazo y el nacimiento, el feto se vuelve muy, pero muy sensible tanto a la cantidad y al tipo de comida que usted consume. Lo sabemos por estudios sobre la desnutrición. Los bebés con una carencia grave de nutrientes tienen menos neuronas, menos conexiones —y más cortas— entre las neuronas existentes, y menos protección a su alrededor en el segundo trimestre. Al crecer, estos niños muestran más problemas de comportamiento, un crecimiento del lenguaje más lento, notas y coeficientes intelectuales más bajos, y no suelen ser buenos deportistas.

El CI aumenta con el peso al nacer, hasta 3,5 kilos

¿Cuánto debería crecer el bebé? He aquí otro acto de equilibrio. El CI del bebé aumenta regularmente con el peso al nacer, hasta unos 3,5 kilos. El trabajo suele hacerse hasta este punto de referencia: solo hay 1 punto de diferencia en el CI entre un bebé de 2,9 y uno de 3,4 kilos. Por encima de los 4 kilos, el CI baja un poco, cerca de 1 punto en promedio. Es probable que esta reducción se deba a que los bebés más grandes tienen más probabilidades de experimentar hipoxia —una restricción de oxígeno— u otras lesiones durante el parto.

¿Cuánto debe comer la madre? Eso depende de qué tan en forma esté al quedar embarazada. La mala noticia es que el 55 por ciento de las mujeres que quedan embarazadas en los Estados Unidos ya están pasadas de peso. Su índice de masa corporal, o IMC, que es una especie de "producto interno bruto" de cuán gordos estamos, está entre 25 y 29,9. Si este es su caso, entonces necesita ganar entre 7 y 11 kilos para que su bebé nazca saludable, según el Instituto de Medicina. Debe aumentar cerca de un cuarto de kilo por semana durante el segundo y el tercer trimestre. Si está por debajo del peso normal, con un IMC de 18,5 o menos, debe ganar entre 13 y 18 kilos para optimizar el desarrollo del cerebro de su bebé. Eso equivale a medio kilo por semana durante la segunda mitad del embarazo. Lo mismo es válido para las mujeres de peso normal.

De modo que la cantidad de combustible es importante. Cada vez hay más evidencias de que el tipo de comida que la madre ingiere durante esta etapa crucial del embarazo también es importante. El siguiente ejercicio de equilibrio está, por tanto, en balancear los alimentos que la futura madre *desea* comer y los alimentos que son óptimos para el desarrollo cerebral de su bebé. Infortunadamente, no siempre son los mismos.

2. Coma solo los alimentos adecuados

Durante el embarazo, las mujeres tienen extrañas preferencias alimentarias, pues de pronto les empiezan a fascinar alimentos que antes odiaban y a odiar unos que antes les encantaban. Y no es solo cuestión de pepinillos y helado, como bien podrá decírselo cualquier mujer embarazada. A una mujer le dieron antojos de burrito bañado en jugo de limón; un antojo que le duró tres meses. A otra le dio antojo de *okra* en vinagre. Una cantidad sorprendente de embarazadas dice tener antojos de hielo picado. Incluso pueden desear cosas que no son comida. Un producto que suele estar entre la lista de los "Diez antojos absurdos de las embarazadas" es el talco para bebés. Y el carbón. Una mujer tuvo antojos de lamer polvo. La pica es un trastorno frecuente: el deseo, que puede durar más de un mes, de comer cosas que no son comida, como tierra y barro.

¿Hay evidencias de que deba prestarles atención a estos antojos? ¿Acaso son un mensaje del bebé para comunicarle sus necesidades nutricionales? No. Hay algunas evidencias de que las deficiencias de hierro pueden detectarse conscientemente, pero los datos son escasos. Es, básicamente, cuestión de la manera como usamos la comida en nuestra vida cotidiana. Una persona ansiosa, a la que los químicos del chocolate le resultan reconfortantes, podría desarrollar antojo de chocolate cada vez que se siente estresada. Y una mujer se sentirá estresada muchas veces durante el embarazo. (El antojo de chocolate refleja una respuesta aprendida, no una necesidad biológica; aunque me temo que mi esposa no estaría de acuerdo con esto.) En todo caso, lo cierto es que no conocemos el porqué de los extraños antojos de las embarazadas.

Claro está que esto no quiere decir que el cuerpo no tenga necesidades nutricionales. La madre embarazada es un barco con dos pasajeros pero una sola cocina. Y lo que queremos es abastecer esa cocina con los ingredientes adecuados para el desarrollo del cerebro. De los 45 nutrientes que se sabe que son necesarios para el crecimiento del cuerpo, 38 han demostrado ser esenciales para el desarrollo neurológico. Y puede encontrar la lista en la etiqueta de la mayoría de los suplementos vitamínicos formulados para el embarazo. También podemos echar un vistazo a nuestra historia evolutiva para encontrar una guía sobre qué comer para obtener estos nutrientes. Teniendo en cuenta que ahora sabemos algo sobre el clima en el que nos desarrollamos durante millones de años —el cual fomentó el crecimiento de una circunferencia cerebral cada vez mayor—, podemos especular acerca del tipo de alimentos que contribuyeron con este desarrollo.

Cocina cavernícola

Una vieja película, *La guerra del fuego*, empieza con nuestros antepasados sentados en torno a una fogata. Grandes insectos zumban a su alrededor. De pronto, uno de estos parientes nuestros estira rápidamente un brazo para atrapar uno de esos insectos en vuelo. Se lo lleva a la boca, mastica con ganas y sigue contemplando el fuego. Más adelante, sus colegas escarban en la tierra en busca de vegetales tuberosos y se trepan en los árboles para bajar frutas. Bienvenido al mundo de la alta cocina pleistocénica. Los investigadores creen que durante cientos de miles de años, nuestra dieta diaria consistía básicamente en hierbas, frutas, vegetales, mamíferos pequeños e insectos. De vez en cuando cazábamos un mamut para atiborrarnos de carne roja durante dos o tres días seguidos, antes de que la presa se pudriera, y una o dos veces al año consumíamos azúcar al encontrarnos con una colmena. Algunos biólogos creen que ahora somos propensos a las caries porque el azúcar no era parte regular de nuestra experiencia evolutiva y nunca desarrollamos una defensa en su contra. Comer de esta manera (bueno, dejando de lado los insectos) es lo que actualmente se conoce como la "paleodieta".

Es una vieja historia, yo sé, y nos la sabemos de memoria: comer una dieta balanceada, con un fuerte énfasis en frutas y verduras, parece que sigue siendo *el* mejor consejo para las mujeres embarazadas. Para las vegetarianas, una fuente de hierro en forma de carne roja es adecuada. El hierro es necesario para el desarrollo correcto y el funcionamiento normal del cerebro, incluso en los adultos, sean o no vegetarianos.

Drogas milagrosas

Hoy en día, hay demasiados mitos sobre lo que debería comer y lo que no, no solo en el embarazo sino durante toda su vida. Un estudiante de pregrado de la Universidad de Washington, de esos que tienen que sentarse en las manos para no responder una pregunta, vino a buscarme un día después de clase. Iba a tomar el examen de admisión a la Facultad de Medicina y acababa de descubrir una droga "milagrosa". "¡Es un neurotónico!", exclamó jadeando. "Mejora la memoria y te hace pensar mejor. ¿Debería tomarla?", preguntó mostrándome un folleto publicitario.

Derivado del árbol ginkgo, el *Ginkgo biloba* se ha promocionado durante décadas como un estimulante cerebral que mejora la memoria tanto en jóvenes como en viejos, incluso para tratar el mal de Alzheimer. Estas afirmaciones pueden ponerse a prueba, y así lo hicieron los investigadores que empezaron a estudiar el ginkgo tal como examinarían cualquier fármaco prometedor. Lo siento, le dije a mi estudiante. El *Ginkgo biloba* no mejora la cognición de ningún tipo en los adultos saludables, ni la memoria ni la construcción visuoespacial ni el lenguaje ni la velocidad psicomotora ni la función ejecutiva. "¿Y en los mayores?", preguntó él. Pues tampoco. No previene ni reduce el Alzheimer ni la demencia. Ni siquiera puede incidir en el deterioro cognitivo normal y relacionado con la edad. Otras hierbas, como la hierba de San Juan (que supuestamente cura la depresión) muestran una impotencia parecida. Mi estudiante se marchó cabizbajo. "¡Lo mejor que puedes hacer es dormir bien todas las noches!", le grité a sus espaldas.

¿Por qué estos mitos de la nutrición pueden engañar incluso a chicos inteligentes como mi estudiante? En primer lugar, la investigación sobre la nutrición es muy, pero muy difícil de realizar, y no hay financiación. El tipo de estudios rigurosos, aleatorios y a largo plazo que se necesitan para establecer los efectos de la comida, suelen quedar inconclusos. Segundo, la mayoría de los alimentos que consumimos son muy complejos a nivel molecular (el vino puede tener más de trescientos ingredientes); por tanto, es difícil discernir qué parte de un producto nos hace bien y cuál nos hace daño.

La manera como nuestro cuerpo maneja la comida es aun más compleja. No todos metabolizamos la comida del mismo modo. Algunas personas pueden absorber calorías de un trozo de papel; otras no ganarían un gramo ni aunque se alimentaran a punta de malteadas. Algunas personas usan la mantequilla de maní como su fuente principal de proteína; otras morirían de una reacción alérgica si llegaran a olerla en un avión. Para la frustración eterna de casi todos los investigadores de este campo, no hay ninguna dieta que funcione igual para todas las personas. Esto se debe a nuestra extraordinaria individualidad. Y es especialmente cierto si usted está embarazada.

Las neuronas necesitan omega-3

Ya puede entender por qué, hasta la fecha, solo hay dos suplementos con suficientes datos científicos que sustenten su influencia en el desarrollo cerebral en el útero. Uno es el ácido fólico tomado alrededor de la fecundación. El otro, los ácidos grasos omega-3. Los omega-3 son componentes fundamentales de las membranas de las neuronas; sin estos, no funcionan bien. Y dado que a los humanos nos cuesta mucho producirlos, tenemos que subcontratar los materiales para transmitírselos a nuestros nervios. Comer pescado, sobre todo los ricos en aceite, es una buena forma de hacerlo. Según los estudios, si no consumimos suficientes ácidos omega-3, corremos el riesgo de padecer dislexia, trastornos de déficit de atención, depresión, trastorno bipolar e incluso esquizofrenia. La mayoría consumimos suficientes ácidos grasos en nuestra dieta cotidiana, por lo que esto no suele ser un problema. Pero los datos evidencian un hecho clave: el cerebro necesita ácidos grasos omega-3 para que sus neuronas funcionen adecuadamente.

Por tanto, si una cantidad moderada de ácidos omega-3 evita que desarrollemos discapacidades mentales, ¿será que una cantidad gigantesca aumenta la potencia cerebral, sobre todo en el bebé? Las evidencias son decididamente desiguales, pero unos pocos estudios indican que la pregunta justifica que se hagan más investigaciones. Un estudio de Harvard examinó a 135 bebés y los hábitos alimentarios de sus madres durante el embarazo. Los investigadores determinaron que las madres que comieron más pescado a partir del segundo trimestre tuvieron bebés más inteligentes. Y con inteligentes quiero decir bebés que obtuvieron puntuaciones más altas en las pruebas cognitivas que miden la memoria, el reconocimiento y la atención a los seis meses de nacidos. Los efectos no eran grandes, pero los había. Como resultado, los investigadores recomiendan que las mujeres embarazadas coman al menos 350 gramos de pescado a la semana.

¿Y el mercurio en el pescado, que puede afectar la cognición? Parece que los beneficios son superiores al daño. En todo caso, los investigadores recomiendan que las mujeres embarazadas consuman esos 350 gramos de fuentes que contengan menos mercurio concentrado (como el salmón, el bacalao, las sardinas y el atún claro en conserva) y no de peces depredadores de vida larga (como el pez espada, la caballa y el atún albacora).

Bien sé yo lo difícil que es comer adecuadamente, ya sea que estemos controlando lo que comemos, cuánto comemos, o ambas cosas. He aquí a Ricitos de Oro una vez más: necesitamos suficiente, pero no demasiado, de los tipos adecuados de comida.

Y el tercer factor no suele ser de gran ayuda.

3. Evitar un estrés exagerado

No era buena idea estar embarazada y vivir en Quebec alrededor del 4 de enero de 1998, cuando una lluvia helada cayó durante más de ochenta horas sobre el este de Canadá, seguida inmediatamente por una caída abrupta de la temperatura superficial. Este doble golpe meteorológico convirtió al este de Canadá en un infierno de hielo. Más de mil estructuras gigantescas del tendido eléctrico se desplomaron bajo el peso de la helada como un dominó. Se derrumbaron los túneles. Treinta personas murieron. El gobierno tuvo que declarar el estado de emergencia y llamar a las fuerzas militares. Así y todo, miles de personas estuvieron sin electricidad durante semanas. Con temperaturas bajo cero. Si usted estaba embarazada y no podía ir al hospital a los controles habituales —y, Dios no lo quiera, dar a luz—, sufriría un estrés monumental. Y el bebé también. Los efectos de esta tormenta en los cerebros de estos niños pudieron verse *años* después.

¿Cómo lo sabemos? Un grupo de investigadores decidió estudiar los efectos de este desastre natural en los fetos, para luego seguir a los niños a medida que crecían y entraban en el sistema de educación canadiense. El resultado es aterrador. Para cuando los niños de la "tormenta de hielo" cumplieron los cinco años, sus conductas eran muy distintas a las de los niños cuyas madres no habían experimentado la tormenta. El desarrollo del lenguaje y del CI verbal parecían atrofiados. ¿El estrés de la madre tenía la culpa? La respuesta resultó ser afirmativa.

El estrés materno puede influir profundamente en el desarrollo prenatal. Antes creíamos que no. Durante un tiempo, no estábamos seguros siquiera de que las hormonas del estrés de la madre pudieran llegar al bebé. Pero resulta que sí, y esto tiene consecuencias en su conducta, sobre todo si la mujer sufre un estrés severo y/o crónico en esos últimos meses mágicos e hipersensibles del embarazo. ¿Qué clase de consecuencias?

El estrés severo durante el embarazo:

- Puede cambiar el temperamento de su hijo: los niños se vuelven más irritables, menos consolables.
- Puede disminuir el CI de su bebé: la disminución promedio es de 8 puntos en ciertos inventarios mentales y motores medidos en el primer año de vida del bebé. Según el esquema de David Wechsler de 1944, esto puede marcar la diferencia entre "promedio" y "normal".
- Puede cohibir las futuras capacidades motoras del bebé, así como sus estados de atención y su capacidad de concentración, diferencias observables aun a los seis años.
- Puede afectar el sistema de respuesta al estrés de su bebé.
- Incluso puede disminuir el tamaño del cerebro de su bebé.

Una reseña de más de cien estudios de diversos países económicamente desarrollados confirma que estos efectos negativos en el desarrollo prenatal del cerebro son interculturales. David Laplante, autor principal del estudio sobre la tormenta de hielo, señaló de una manera relativamente sencilla: "Sospechamos que la exposición a altos niveles de estrés puede haber alterado el neurodesarrollo fetal, influyendo de este modo en la expresión de las capacidades neuroconductuales de los niños en la infancia temprana".

¿Esto la está estresando? Por fortuna, no todos los estreses son iguales. Un estrés moderado y en cantidades pequeñas, el tipo de estrés que suelen experimentar la mayoría de las mujeres durante el embarazo, parece ser bueno para el bebé. (El estrés suele poner a la gente en marcha, y creemos que esto enriquece el entorno del bebé.) El útero es una estructura sorprendentemente resistente, y tanto él como su diminuto pasajero están bien equipados para capear los estresores típicos del embarazo. Para lo que no están preparados es para un asalto sostenido. ¿Cómo distinguir entonces el estrés que afecta al cerebro del estrés típico, benigno e incluso ligeramente positivo?

3 tipos de estrés tóxico

Los investigadores han aislado tres tipos tóxicos de estrés. El común denominador: que nos sentimos descontrolados por las cosas malas que nos pasan. A medida que el estrés pasa de moderado a severo, y de agudo a crónico, esta pérdida del control se vuelve catastrófica y empieza a afectar al bebé. He aquí los tres tipos de estrés tóxico:

- **Demasiado frecuente.** Un estrés crónico e implacable durante el embarazo afecta el desarrollo cerebral del bebé. El veneno está en la exposición sostenida y prolongada a los estresores que usted percibe que están fuera de control, entre los que se cuentan: un trabajo excesivamente exigente, una enfermedad crónica, falta de apoyo social y pobreza.
- **Demasiado severo.** Un acontecimiento realmente grave durante el embarazo puede afectar el desarrollo cerebral del bebé. No tiene que ser una tormenta de hielo, y por lo general tiene que ver con alguna relación: separación conyugal, divorcio, muerte de un ser querido (sobre todo del marido). El estrés severo puede ser ocasionado por la pérdida del trabajo o por un asalto criminal, como una violación. El asunto clave, una vez más, es la pérdida del control.
- **Todo es demasiado para usted.** Hace años que los profesionales de la salud mental son conscientes de que algunas personas son más sensibles que otras a los acontecimientos estresantes. Si usted tiene tendencia a estresarse todo el tiempo, su útero también. Cada vez tenemos más evidencias de que esta sensibilidad al estrés es genética. Y las mujeres que viven bajo esta dictadura biológica deben mantener a raya el estrés durante el embarazo.

¡Que se me caen las ratas!

Se han hecho muchas investigaciones para tratar de entender la manera como el estrés de la madre afecta el desarrollo cerebral del feto. Y hemos empezado a responder esta pregunta en el plano más íntimo posible: el de la célula y la molécula. Esto se lo debemos en gran parte al investigador Hans Selye, fundador del concepto moderno del *estrés*. En su juventud, este científico trituraba "extractos endocrinos", que presumiblemente contenían las hormonas activas del estrés, y se los inyectaba a ratas para ver qué sucedía.

Sin embargo, su técnica de laboratorio era terrible, por decir lo menos. Pues solía dejar caer a los pobres animales cuando iba a inyectarlos y después los perseguía con una escoba para volver a meterlos en sus jaulas. No es de sorprender, entonces, que las ratas se pusieran ansiosas en presencia de Selye, quien observó que podía crear esta respuesta psicológica con el simple hecho de aparecer. Su trabajo principal era inyectarles los extractos endocrinos a algunos animales, y una solución salina a los del grupo de control. Pero se quedó perplejo al descubrir que les salían llagas a los de ambos grupos, además de que dormían menos y se mostraban más propensos a contraer enfermedades infecciosas.

Después de muchas observaciones, Selye concluyó que la ansiedad era la que estaba produciendo el efecto, un concepto sorprendentemente nuevo para aquella época. Si las ratas no podían deshacerse de la fuente de ansiedad o lidiar con ella en cuanto se producía, esta podía acarrearles enfermedades y otras consecuencias. Para describir el fenómeno, Selye acuñó el término "estrés".

Y esto llevó a un descubrimiento excepcional: el vínculo entre las conductas visibles y los procesos moleculares invisibles. El trabajo de Selye dio pie a la comunidad científica para investigar cómo las percepciones estresantes pueden influir en los tejidos biológicos, incluyendo el desarrollo cerebral. Gracias a este descubrimiento pionero, hoy en día sabemos mucho acerca de cómo las hormonas del estrés afectan los tejidos neurales en crecimiento, incluyendo los del bebé. Aunque la mayor parte de la investigación se hizo con ratas, también se han encontrado muchos de los mismos procesos clave en los humanos.

El cortisol es la hormona del estrés más importante. Es la gran estrella de un desagradable equipo de moléculas conocidas como "glucocorticoides", las cuales controlan la mayoría de nuestras respuestas del estrés más conocidas, desde hacer que el corazón nos lata como autos de carreras hasta la necesidad repentina de hacer nuestras necesidades. Estas hormonas son tan poderosas, que el cerebro ha desarrollado un sistema natural de "bloqueo" para aplacarlas tan pronto haya pasado el estrés. El hipotálamo, una pieza de nuestro inmobiliario neural del tamaño de una arveja y ubicada en el centro del cerebro, controla la segregación y el bloqueo de estas hormonas.

En la mira: el sistema de respuesta al estrés del bebé

Las hormonas del estrés de una mujer embarazada afectan al bebé al filtrarse en la placenta y entrar en su cerebro cual misiles de crucero programados para dar en dos blancos. De aquí la base del *principio del cerebro*: Mamá estresada, bebé estresado.

El primer blanco es el sistema límbico, un área profundamente implicada en la regulación emocional y la memoria. Esta región se desarrolla más lentamente cuando hay un exceso de hormonas, una de las razones por las que creemos que la cognición del bebé se ve afectada si la madre sufre un estrés severo o crónico.

El segundo blanco es el sistema de bloqueo del que hablé anteriormente, el encargado de controlar los niveles de glucocorticoides una vez haya pasado el estrés. Un exceso de hormonas del estrés de la madre puede implicarle al bebé dificultades con su propio sistema de respuesta al estrés. El cerebro del bebé queda *adobado* en glucocorticoides, cuyas concentraciones se hacen menos fáciles de controlar.

El niño puede entonces tener dificultades con el sistema de bloqueo al estresarse, y los niveles elevados de glucocorticoides se convierten en una parte habitual de su vida, incluso en su edad adulta. Si es una mujer, y queda en embarazo, adobará al feto en ese exceso de hormonas. El bebé desarrollará un hipotálamo parcialmente confundido, que bombeará más glucocorticoides y, así, el cerebro de la siguiente generación se encogerá aun más. El ciclo vicioso se perpetúa. El estrés excesivo es contagioso: su bebé puede pegárselo usted, y usted puede pegárselo a su bebé.

Recuperar el control

Claramente, demasiado estrés no es bueno para las mujeres embarazadas ni para sus bebés. Para un desarrollo óptimo del cerebro del bebé, la madre debe vivir en un ambiente menos estresado, sobre todo en los últimos meses del embarazo. Y aunque no puede detener su vida por completo (lo cual podría ser estresante de por sí), sí puede reducir el estrés, con el apoyo amoroso de su cónyuge. Hablaremos mucho más de esto en el siguiente capítulo. En todo caso, puede empezar por identificar las áreas de su vida en las que se sienta fuera de control, para luego crear estrategias que le permitan recuperarlo. En algunos casos, esto significa apartarse de la situación que está creando el estrés. Tomar esta decisión puede significar un beneficio de por vida para el cerebro de su bebé.

Hay muchas maneras de reducir el estrés. En la página www.brainrules.net, hemos enumerado una buena cantidad de técnicas. Una muy importante es el ejercicio, que tiene tantos beneficios, que es el objeto de nuestro cuarto y último acto de equilibrio.

4. Haga justo el ejercicio necesario

Algo que me asombra permanentemente es el ciclo vital de los ñus, mejor conocidos por sus espectaculares migraciones anuales por los bosques abiertos y las llanuras de Tanzania y Kenia, al desplazarse en grupos de cientos de miles en un movimiento constante e hipnótico. Lo hacen por dos razones. Antes que nada, en busca de nuevos pastos. Pero también porque son una presa codiciada y muy popular entre los depredadores, por lo que tienen que mantenerse en movimiento.

Dada esta necesidad, la parte más interesante de su ciclo vital es el embarazo y el parto. El embarazo es casi tan largo como el de los humanos (unos 260 días), pero las similitudes terminan en cuanto empieza el parto. La madre da a luz rápidamente, y a no ser que haya complicaciones, también se recupera rápidamente. Al igual que las crías, que suelen ponerse en pie (bueno, en sus pezuñas) una hora después de haber nacido. Y tienen que hacerlo, pues representan el futuro de la manada. Pero también son los más vulnerables, propensos a convertirse en comida de leopardo.

Nosotros también pasamos nuestra adolescencia evolutiva en esas mismas llanuras, y compartimos muchos de los problemas de los ñus en términos de la relación depredador-presa. Pero hay unas diferencias gigantes entre los ñus y los humanos en términos de parto y crianza, como bien se podrá imaginar. Las mujeres tardan mucho tiempo en recuperarse (por nuestro dichoso cerebrote, esa arma secreta de la evolución humana, que tiene que abrirse paso por entre un angosto canal de parto), y sus hijos tardan casi un año en caminar. Sin embargo, los ecos evolutivos hacen suponer que el ejercicio era una parte muy importante de nuestra vida, también durante el embarazo. Los antropólogos creen que caminábamos unos veinte kilómetros diarios.

Las mujeres en buena forma física tienen que pujar menos

¿Esto quiere decir que el ejercicio debería ser parte de los embarazos humanos? Las investigaciones sugieren una respuesta afirmativa. El primer beneficio es práctico, y tiene que ver con el parto. Muchas mujeres dicen que dar a luz es la experiencia más estimulante de su vida y, a la vez, la más dolorosa. Pero a las mujeres que hacen ejercicio con regularidad les duele menos que a las mujeres obesas. Para las mujeres que están en forma, la segunda etapa del parto —esa etapa dolorosa en la que hay que pujar y pujar— dura unos 27 minutos en promedio, mientras que las que no están en forma tienen que pujar casi una hora, algunas mucho más. Y no es de sorprender que las mujeres que están en forma tiendan a percibir esta etapa como menos dolorosa.

Al ser mucho más corta esta etapa, sus bebés tienen menos posibilidades de sufrir daño cerebral por la falta de oxígeno. Si usted le tiene miedo al parto, debería proponerse estar en la mejor forma posible. Las razones provienen simple y llanamente del Serengueti.

El ejercicio amortigua el estrés

Las madres que están en forma también tienden a dar a luz a bebés más inteligentes que las madres obesas. Por dos razones. Una puede tener que ver con los efectos directos del ejercicio —especialmente el ejercicio aeróbico— en el desarrollo del cerebro del bebé. Pero hace falta investigar más esta idea. Los datos que relacionan el ejercicio aeróbico con la reducción del estrés son más poderosos.

Ciertos tipos de ejercicio protegen a la mujer embarazada de las consecuencias negativas del estrés. ¿Recuerda a los tóxicos glucocorticoides, que invaden el tejido neural y producen daño cerebral? El ejercicio aeróbico estimula una molécula del cerebro que puede bloquear precisamente los efectos tóxicos de estas hormonas. Esta heroica molécula se conoce como "factor neurotrófico derivado del cerebro" [BDNF, por su sigla en inglés]. Más BDNF equivale a menos estrés, y esto significa menos glucocorticoides en su útero, lo cual significa un mejor desarrollo del cerebro de su bebé.

Puede que suene extraño, pero una madre que está en buena forma física tiene más posibilidades de dar a luz a un bebé inteligente —o al menos uno más capaz de aprovechar su CI— que una madre que no esté en forma.

Si hace demasiado ejercicio, el bebé se recalienta

Como bien puede imaginar, hay un punto medio. Un bebé puede sentir y reaccionar al movimiento de la madre. Cuando la frecuencia cardiaca de la madre aumenta, también lo hace la del bebé. Cuando la respiración de la madre se acelera, también lo hace la del bebé. Pero solo si se trata de un ejercicio moderado. Durante un ejercicio extenuante, sobre todo en los últimos meses del embarazo, la frecuencia cardiaca del bebé empieza a disminuir, al igual que su respiración. Y un ejercicio demasiado extenuante empieza a bloquear el flujo sanguíneo hacia el útero, restringiendo el suministro de oxígeno del bebé, lo cual no es nada bueno para su cerebro. El útero también puede sobrecalentarse. Y un aumento superior a dos grados centígrados eleva el riesgo de aborto espontáneo y puede afectar el desarrollo del cerebro y de los ojos. Para el tercer trimestre, los niveles de reserva de oxígeno de la madre son muy bajos, de modo que es un buen momento para reducir las actividades agotadoras en preparación para el parto. Nadar es uno de los mejores ejercicios que puede hacer en esta etapa final, pues el agua ayuda a disipar el exceso de calor del útero.

¿Cuál es el equilibrio adecuado entonces? Cuatro palabras: ejercicio aeróbico moderado y regular. Para la mayoría de las mujeres, esto significa mantener la frecuencia cardiaca por debajo del 70 por ciento del máximo (que es 220 pulsaciones por minuto menos su edad), y después tomárselo con calma a medida que la fecha se aproxima. Pero debe hacer ejercicio. Siempre y cuando no tenga ninguna complicación obstétrica o de otro tipo, el Colegio Estadounidense de Obstetras recomienda treinta minutos *diarios* de ejercicio moderado.

Un buen consejo, aun cuando no seamos ñus.

Todo cuenta

Quizá no tenga la costumbre de hacer ejercicio todos los días, o quizás esté sintiéndose culpable por haberse tomado esa segunda taza de café mientras estaba embarazada. Si es su caso, esto podría tranquilizarla: los *Homo sapiens*, en tanto que especie, hemos tenido bebés durante 250 000 años. Y nos fue tan bien sin todos estos conocimientos lujosos, que conquistamos el mundo. De modo que sus mejores intenciones, dejando de lado los golpes en código Morse en la panza, serán suficientes para crear un ambiente maravilloso para su bebé.

Puntos clave

- En la primera mitad del embarazo, los bebés quieren que los dejen en paz.
- No gaste su dinero en productos que dicen mejorar el CI, el temperamento o la personalidad de su bebé aún no nacido. No se ha probado que ninguno de estos funcione.
- En la segunda mitad del embarazo, los bebés empiezan a percibir y procesar una buena cantidad de información sensorial. Pueden oler su perfume y el ajo de la pizza que acaba de comerse.
- La futura madre puede estimular el desarrollo cerebral de su bebé de cuatro formas: ganando el peso adecuado, comiendo una dieta balanceada, haciendo ejercicio regular y moderado, y reduciendo el estrés.

Relación de pareja

Principios del cerebro

Matrimonio feliz, bebé feliz

El cerebro busca la seguridad por encima de todo

Lo que es obvio para usted es obvio para usted

Relación de pareja

Recuerdo sentirme casi completamente abrumado el día en que trajimos a casa a Joshua, nuestro primer hijo. Al salir del hospital y ponerlo en la sillita del auto por primera vez, rezamos por que le hubiera quedado bien puesto el cinturón. Después conduje a la velocidad de una tortuga (algo milagroso en mí); mi esposa iba atrás para estar pendiente. Hasta allí, todo bien.

Cuando el pequeño entró en la casa, su carita adquirió de pronto una expresión de disgusto y empezó a llorar. Entonces le cambiamos el pañal. Seguía gritando. Mi esposa le dio pecho y él tomó uno o dos tragos antes de retomar el llanto e intentar zafarse de los brazos de mi esposa, tratando de escapar. Esto no había sucedido en el hospital. ¿Acaso estábamos haciendo algo mal? Lo cargué yo, después mi esposa. Hasta que finalmente se calmó y pareció quedarse dormido. Entonces nos sentimos aliviados. "Sí podemos", nos decíamos continuamente. Como ya era tarde, decidimos seguir el ejemplo de nuestro pequeño retoño. Pero antes de que hubiéramos puesto la cabeza sobre la almohada, empezó a llorar de nuevo. Mi esposa se levantó, le dio pecho, después me lo pasó. Yo le saqué los gases, le cambié el pañal y volví a acostarlo. Estaba calmado y volvió a dormirse, pero yo no había alcanzado a sentir siquiera la caricia de la sábana cuando ya se había reactivado el llanto. Mi esposa estaba agotada, necesitaba recuperarse de un parto de 21 horas, y no tenía fuerzas para ayudarme. De modo que me puse de pie, cargué al bebé, después volví a acostarlo en su cuna. Y se calmó. ¡Bingo! Volví a la cama, pero apenas había rozado la almohada cuando volvió a revivir el llanto. Entonces escondí la cabeza entre las cobijas, con la esperanza de que parara. Pero no fue así. ¿Qué debía hacer?

Esta rutina desconcertante, y mis reacciones a ella, se repitieron día tras día. Amaba a mi hijo —y lo amaré siempre—, pero en aquella época me preguntaba qué rayos me había llevado a decidir tener un hijo. No tenía idea de que algo tan maravilloso pudiera ser tan difícil. Y aprendí una lección dura pero importante: en cuanto un niño llega al mundo, las matemáticas de la vida cotidiana nos escupen nuevas ecuaciones. Y yo soy bueno para las matemáticas, pero no era bueno para estas. No tenía ni la menor idea de cómo resolver estos problemas.

Para la mayoría de los padres primerizos, el primer *shock* está en la naturaleza abrumadoramente implacable de este nuevo contrato social. El bebé *toma*. Los padres *dan*. Punto. Lo que desconcierta a muchas parejas es la dura cuota que esto implica para su calidad de vida, y sobre todo la del matrimonio. El bebé llora, duerme, vomita, necesita que lo carguen, que lo cambien, que lo alimenten... y todo esto antes de las cuatro de la mañana. Después, usted tiene que irse a trabajar. O su cónyuge. Y esto se repite día tras día tras día, ad náuseam. Los padres quieren solo un centímetro cuadrado de silencio, un mínimo segundo para ellos, pero no se les concede ni lo uno ni lo otro. Ni siquiera pueden ir al baño cuando quieren. No duermen, no se ven con los amigos, las tareas domésticas se triplican, la vida sexual desaparece, y apenas tienen la energía para preguntarse mutuamente cómo ha estado el día.

¿Acaso resulta sorprendente que la relación de la pareja sufra?

Poco se habla de ello, pero es un hecho: las interacciones hostiles entre la pareja aumentan bruscamente en el primer año de vida del bebé. A veces, el bebé trae consigo una luna de miel incentivada por las hormonas. (Una pareja que conozco solía citarse mutuamente a Tagore: "¡Todos los niños vienen con el mensaje de que Dios no ha perdido la fe en los hombres!".) Incluso cuando esto sucede, las cosas se deterioran rápidamente. La hostilidad puede llegar a ser tan fuerte que, en algunos matrimonios, tener un bebé es un factor de riesgo de divorcio.

¿Por qué hablo de esto en un libro sobre el desarrollo cerebral del bebé? Porque es importante para el cerebro del bebé. En el capítulo sobre el embarazo vimos que, cuando está en el útero, el bebé es sumamente sensible a los estímulos exteriores. Al salir de esta incubadora cálida y acuosa, su cerebro se vuelve aun más vulnerable. Una exposición sostenida a la hostilidad puede socavar el CI del bebé y su capacidad de lidiar con el estrés, en algunos casos, de manera drástica. La estabilidad de su cuidador es tan importante para el bebé, que *reprogramará* su incipiente sistema nervioso dependiendo de la turbulencia que perciba. De modo que si quiere que su pequeño retoño disponga del mejor cerebro posible, debe saber esto antes de llevarlo a casa.

Siempre que doy charlas sobre la ciencia del cerebro infantil, los papás (casi siempre son ellos, no ellas) quieren saber qué deben hacer para lograr que sus hijos entren a Harvard, y esta pregunta siempre me pone de mal genio. "¿Quiere que su hijo entre a Harvard? ¿*Realmente* quiere saber lo que dicen los datos científicos? Esto es lo que dicen: ¡Váyase a casa y quiera a su esposa!", les grito. Este capítulo gira en torno a esta respuesta..., por qué se produce la hostilidad conyugal, cómo altera esta el desarrollo del cerebro del bebé, cómo se puede contrarrestar y cómo minimizar sus efectos.

La mayoría de los matrimonios sufren

Al quedar en embarazo, pocas parejas imaginan la turbulencia que se les avecina. Al fin y al cabo, los bebés han de traer una dicha infinita y total. Esa es la visión idealista de la mayoría, sobre todo si sus padres se criaron en los Estados Unidos en la década de los cincuenta; una época marcada por una idea tradicional del matrimonio y la familia. Programas de televisión como *Leave It to Beaver* y *Ozzie and Harriet* representaban a los padres trabajadores como unos sabios y a las madres amas de casa como las más maternales; los hijos eran sorprendentemente obedientes y, cuando no, generadores de unas crisis pequeñas y manejables que se resolvían en 23 minutos. Los protagonistas, en su mayoría, eran de clase media, blancos y —¡oh, sorpresa!— la gran mayoría estaban equivocados.

En 1957, el sociólogo E.E. LeMasters echó un refrescante vasado de agua fría sobre esta precepción eisenhoweriana al publicar una investigación que mostraba que el 83 por ciento de los padres primerizos experimentaba una crisis matrimonial, que oscilaba entre moderada y severa, durante la transición a la maternidad-paternidad. Estos padres se volvían cada vez más hostiles con el otro en el primer año de vida del bebé, y el proceso era difícil para la *mayoría*.

Estos resultados fueron el equivalente sociológico de la afirmación de que la Tierra era redonda, pues el nacimiento del primer hijo no debía implicar un conflicto sino pura felicidad. Antes de estos estudios, muchas personas creían que dar a luz era una experiencia tan poderosa y positiva que podía incluso salvar el matrimonio, pero los estudios de LeMasters sugerían lo contrario. Y lo criticaron duramente al publicar sus datos. Algunos investigadores sospecharon, extraoficialmente, que eran una fabricación suya.

Pero no era así. Esto se demostró con el paso de los años y por medio de metodologías más rigurosas (y muchos estudios longitudinales, con observaciones repetidas durante muchos años). A finales de los ochenta y en los noventa, investigaciones realizadas en diez países industrializados, incluyendo los Estados Unidos, demostraron que la satisfacción conyugal de la mayoría de hombres y mujeres decrecía después de tener al primer hijo, y seguía decreciendo durante los siguiente quince años. Para la mayoría de las parejas, las cosas no mejoraban sino hasta que los hijos se iban de casa.

Hoy en día sabemos que este deterioro a largo plazo es una experiencia habitual de la vida matrimonial, que empieza con la transición a la maternidad-paternidad. La calidad conyugal, que llega a su clímax en el tercer trimestre del primer embarazo, decrece de un 40 a un 67 por ciento durante el primer año de vida del hijo. Estudios más recientes, que plantean otras preguntas, indican una cifra más cercana al 90 por ciento. Los índices de hostilidad —que miden los conflictos conyugales— se disparan durante esos primeros doce meses de vida del primer hijo. El riesgo de depresión clínica, tanto para los padres como para las madres, aumenta. Es más, de un tercio a la mitad de los padres primerizos demostraron tantas dificultades conyugales como las parejas que ya estaban en terapia para salvar su relación. La insatisfacción suele empezar en la madre, para luego migrar al padre. Según un artículo publicado en el *Journal of Family Psychology* [Revista de psicología familiar]: "En suma, la maternidad-paternidad acelera el deterioro conyugal; incluso en parejas relativamente satisfechas que se embarcan voluntariamente en esta transición".

Un abogado especialista en divorcios señaló un caso ilustrativo. El esposo de Emma estaba obsesionado con el fútbol, especialmente con el Manchester United (también conocido como "los rojos"); obsesión que empeoró con la llegada del hijo. Emma lo citó incluso como una causa para el divorcio, a lo que su esposo respondió: "Debo reconocer que, en nueve de cada diez ocasiones, prefería ver un partido de los rojos que hacer el amor, pero esto no es una falta de respeto para con Emma".

Teniendo en cuenta este panorama, parece que cualquier pareja que esté pensando en tener un hijo debería someterse a una evaluación psiquiátrica y luego optar por la esterilización voluntaria. ¿Qué vamos a hacer?

Semillas de esperanza

Hay esperanza. Conocemos cuatro de las fuentes más importantes del conflicto conyugal en la transición a la maternidad-paternidad: falta de sueño, aislamiento social, desigual volumen de trabajo y depresión, las cuales examinaremos más adelante. Las parejas que se hacen conscientes de esto pueden prestar atención a sus conductas, para luego comportarse mejor. También sabemos que no todos los matrimonios siguen la ruta depresiva. Las parejas que llegan al embarazo con fuertes vínculos conyugales soportan mejor el tormentoso primer año del bebé que las que no. Así como las que planean cuidadosamente la llegada de su hijo antes del embarazo. Es más, uno de los mejores predictores de la felicidad conyugal parece ser el estar de acuerdo en tener hijos en un principio. Un estudio grande examinó parejas en las que ambos querían tener hijos frente a parejas en las que solo uno quería. Del grupo de las parejas en las que ambos querían tener hijos, muy pocos se divorciaron y la felicidad conyugal se mantuvo igual o aumentó en el primer año de vida del hijo. *Todas* las parejas en conflicto en las que uno de los dos había cedido (por lo general, el hombre) se separaron o divorciaron antes de los cinco años del hijo.

Estos datos provienen del estudio del *Journal of Family Psychology* [Revista de psicología familiar] mencionado anteriormente. La cita completa es mucho más esperanzadora: "En suma, la maternidad-paternidad acelera el deterioro conyugal —incluso en parejas relativamente satisfechas que se embarcan voluntariamente en esta transición—, *pero la planeación y la satisfacción conyugal antes del embarazo suele proteger al matrimonio de estos deterioros*".

Las parejas tampoco sufren uniformemente; algunas no sufren en absoluto. Pero como demostraron LeMasters y otros investigadores posteriores, esta no es la experiencia de la mayoría. Las consecuencias sociales de estas dificultades fueron lo suficientemente grandes como para justificar la investigación. Los investigadores empezaron a preguntar: ¿Cuáles son los motivos de pelea de las parejas después de que nace el bebé? ¿Y qué implica este conflicto para el bebé?

Los bebés buscan la seguridad por encima de todo

Lo que los investigadores descubrieron es que la ecología emocional en la que nace un bebé puede tener una influencia profunda en el desarrollo de su sistema nervioso. Y para comprender esta interacción, debemos abordar primero el tema de la enorme sensibilidad del bebé frente al entorno en que se cría. Una sensibilidad con fuertes raíces evolutivas.

Las primeras pistas de esta vulnerabilidad provienen del laberinto de Harry Harlow, que estaba observando la conducta de monos bebés en la Universidad de Wisconsin, Madison. El que estas conclusiones puedan aplicarse a los niños humanos ilustra la profundidad de estas raíces evolutivas. Harlow tenía el mismo aspecto de cualquier científico de la década de los cincuenta, con las gafotas y todo. Y si bien él mismo reconoció que le preocupaba el "amor", tenía una extraña manera de mostrarlo, tanto profesional como personalmente. Se casó con su primera esposa, que había sido su alumna, se divorció de ella después de tener dos hijos, luego se casó con una psicóloga, a quien vio morir de cáncer, y luego, en sus últimos años, volvió a casarse con su antigua alumna.

Harlow diseñó una innovadora serie de experimentos con monos rhesus que resultó tan brutal, que algunos estudiosos le atribuyen el haber creado involuntariamente el movimiento por los derechos de los animales. Los experimentos se hacían, entre otras cosas, con cámaras de aislamiento y madres sustitutas hechas de metal. El mismo Harlow usaba un lenguaje colorido para describir su investigación al llamar "pozos de la desesperación" a sus cámaras, y "damas de hierro" a sus madres sustitutas. Pero desentrañó, casi sin ayuda, la idea del apego emocional infantil. Esto, a su vez, sentó las bases para comprender cómo el estrés de los padres influye en la conducta del bebé.

Los experimentos clásicos de Harlow sobre el apego incluían a dos de estas damas de hierro; unas muñecas que actuaban como madres sustitutas. Una estaba hecha de alambre, la otra de felpa. Harlow apartaba de sus madres biológicas a los monos recién nacidos y los ponía en jaulas con ambas muñecas. La fría muñeca de alambre proporcionaba la comida por medio de una botella, al igual que la muñeca de felpa. Y aunque los monos se acercaban a las dos en busca de alimento, pasaban mucho más tiempo con la de felpa. Si se los trasladada a un lugar desconocido, se aferraban con fuerza a la sustituta de felpa hasta que se sentían seguros como para explorar la jaula por su cuenta. Si se los ponía en ese mismo lugar desconocido sin la madre de felpa, los animales quedaban aterrorizados, lloraban y chillaban, corriendo de un objeto a otro, buscando, aparentemente, a su madre perdida.

Esta preferencia se mantenía siempre igual; sin importar cuántas veces se hiciera el experimento o con qué variaciones. Ver estos experimentos es algo desgarrador —he visto grabaciones viejas—, y las conclusiones son inolvidables. No era la presencia de comida la que proporcionaba seguridad a estos pequeños, una idea conductual que prevalecía por aquel entonces. Era la presencia o ausencia de un puerto seguro.

Los bebés humanos, por más complejos que sean, buscan lo mismo.

Lo que hace la mano hace la tras

Aunque no lo parezca, los bebés están muy sintonizados con estas percepciones de la seguridad. A primera vista, parecen más preocupados por procesos biológicos más mundanos, como comer y orinar y vomitar en la camisa de sus padres. Esto llevó a muchos investigadores a creer que los bebés no pensaban en nada en absoluto. Los científicos acuñaron el término "tabula rasa" para describir a estas criaturas "vacías", pues veían a los niños como unas simples e indefensas porciones de potencial humano adorable y controlable.

Las investigaciones modernas han revelado un punto de vista radicalmente diferente. Hoy en día sabemos que la mayor preocupación biológica de un bebé tiene que ver con el órgano sostenido sobre su cuello. Los bebés vienen preprogramados con diversos programas en su disco duro neural, la mayoría de los cuales tiene que ver con el aprendizaje. ¿Le interesan algunos ejemplos sorprendentes?

En 1979, Andy Meltzoff, psicólogo de la Universidad de Washington, le sacó la lengua a un bebé de 42 minutos de nacido y esperó a ver qué sucedía. Después de cierto esfuerzo, el bebé le devolvió el favor y le sacó la lengua lentamente. Meltzoff volvió a sacarle la lengua, y el bebé también. Meltzoff descubrió que los bebés pueden imitar desde el mismísimo comienzo de sus pequeñas vidas (o por lo menos a los 42 minutos del comienzo de sus pequeñas vidas). Un descubrimiento extraordinario, pues la imitación implica varios y sofisticados actos de comprensión, desde descubrir que en el mundo hay otras personas, hasta comprender que su cuerpo está compuesto de partes operantes, iguales a las de esas otras personas. Eso no es ninguna tabla rasa. Es una tabla cognitiva asombrosa y completamente en funcionamiento.

Para sacar provecho de este descubrimiento, Meltzoff diseñó una serie de experimentos que revelaron cuán programados están los bebés para aprender, y cuán sensibles son a las influencias externas en la persecución de esa meta.

En su laboratorio, Meltzoff elaboró una caja de madera cubierta por un panel de plástico naranja, en el cual insertó una luz: si tocaba el panel, la luz se encendía. Entonces puso la caja entre él y una niña de un año, y llevó a cabo el truco inusual. Se inclinó hacia adelante y tocó con la frente la parte superior de la caja, que se iluminó de inmediato. Pero a la niña no le estaba permitido tocar la caja, y tanto a ella como a su madre se les pidió que se fueran. Una semana después, la madre y la niña regresaron al laboratorio. Meltzoff volvió a poner la caja entre él y la bebé, pero esta vez se limitó a observar. Sin titubear, como si le hubieran dado una señal, la niña se inclinó y tocó la caja con la frente. ¡La bebé se acordaba! Había tenido una sola exposición a este hecho, pero lo recordaba perfectamente una semana después. Y esto sucede con todos los bebés en cualquier lugar del mundo.

Estos son solo dos ejemplos que ilustran que los niños vienen equipados con una impresionante selección de capacidades cognitivas..., y bendecidos con muchos artilugios intelectuales capaces de prolongar esas capacidades. Los bebés comprenden que el tamaño sigue siendo el mismo aun cuando la distancia altere su apariencia. Pueden predecir la velocidad. Y comprenden el principio del destino común: la razón por la que las líneas de la pelota de baloncesto se mueven cuando la pelota rebota es porque esas líneas hacen parte de la pelota. Los bebés pueden distinguir los rostros humanos de los no humanos desde el nacimiento, y parecen preferirlos. Desde una perspectiva evolutiva, esto último representa un poderoso rasgo de seguridad. Los humanos vivimos preocupados por los rostros la mayor parte de nuestras vidas.

¿Cómo adquirieron todo este conocimiento los bebés antes de verse expuestos al planeta? Nadie lo sabe, pero lo tienen, y lo usan con una velocidad y perspicacia impresionantes. Los bebés crean hipótesis, las ponen a prueba, y después evalúan sus descubrimientos de una manera implacable y con el vigor de un científico avezado. Esto significa que los bebés son unos estudiantes extraordinariamente encantadores y sorprendentemente enérgicos. Aprenden todo.

He aquí un divertido ejemplo de esto. Una pediatra tenía que llevar a su hija de tres años a la guardería. La buena doctora, que había dejado su estetoscopio en el asiento trasero del auto, advirtió que la niña se había puesto a jugar con él, incluso se había puesto bien las olivas. La pediatra se emocionó... ¡Su hija estaba siguiendo sus pasos! De pronto, la niña tomó la campana del estetoscopio, se la llevó a la boca y anunció en voz alta: "¡Bienvenido a McDonald's!. ¿Qué desea llevar?".

Así es. Los niños nos observan todo el tiempo y quedan profundamente influenciados por todo lo que registran. Y *esto* puede pasar rápidamente de gracioso a grave, sobre todo cuando papá y mamá se ponen a pelear.

Establecer lazos afectivos con usted proporciona seguridad

Si la supervivencia es la prioridad más importante del cerebro, la seguridad es la expresión más importante de esa prioridad. Esta es la lección que nos dejaron las damas de hierro de Harlow. Los bebés están completamente a merced de las personas que los traen al mundo, y esto tiene un radio de acción conductual tan grande en los niños, que empaña cualquier otra prioridad conductual que puedan tener.

¿Cómo manejan los niños estas preocupaciones? Al intentar establecer una relación productiva con las estructuras de poder local —mejor dicho, con usted— lo más pronto posible. A esto lo llamamos apego. Durante el proceso de apego, el cerebro de un bebé observa intensamente el cuidado que recibe, y lo hace preguntándose cosas como: "¿Me tocan? ¿Me alimentan? ¿Con quién estoy seguro?". Si sus necesidades son satisfechas, el cerebro del bebé se desarrolla de un modo; si no, las instrucciones genéticas lo impulsan a desarrollarse de otra manera. Puede resultar un poco desconcertante darse cuenta de esto, pero los niños observan las conductas de sus padres casi desde el momento en que llegan a este mundo. Y esto, por supuesto, sucede por su propio bien evolutivo, que es otra manera de decir que no pueden evitarlo, pues los bebés no tienen a dónde más dirigir su mirada.

Hay un periodo de varios años durante los cuales los bebés luchan por crear estos lazos afectivos y establecer sus percepciones de seguridad. Si esto no sucede, pueden sufrir un daño emocional de largo alcance. En los casos extremos, pueden quedar marcados para siempre.

Esto lo sabemos debido a una historia impactante —y desgarradora— de la Rumania comunista, descubierta hacia 1990 por periodistas occidentales. En 1966, en un esfuerzo por impulsar el bajo índice de natalidad del país, el dictador Nicolae Ceausescu prohibió tanto los métodos anticonceptivos como el aborto y gravó con impuestos a quienes no tuvieran hijos después de los 25 años, tanto casados como solteros, o infértiles. Pero con el índice crecieron también la pobreza y la indigencia. Los niños solían quedar abandonados. La respuesta de Ceausescu fue crear un gulag de orfanatos estatales, donde almacenaban a los niños por millares.

Al poco tiempo, los orfanatos se quedaron sin recursos puesto que Ceausescu empezó a exportar la mayor parte de la comida y la industria del país para pagar la deuda. Las escenas que se veían en estos lugares eran espeluznantes. A los bebés no los cargaban casi nunca y recibían muy poca estimulación sensorial deliberada. A muchos los encontraron atados a su cama, abandonados durante horas o días, con biberones puestos azarosamente en sus bocas. Muchos de estos niños tenían una mirada vacía. Es más, uno podía entrar en algunos de estos orfanatos, donde había cientos de camas, y no oír nada. Las sábanas estaban llenas de orina, heces y piojos. El índice de mortalidad infantil en estas instituciones —denominadas "Auschwitz pediátricos" por algunos occidentales— era escalofriante.

Estas condiciones espantosas, no obstante, crearon una verdadera oportunidad para investigar —y tal vez tratar— a grandes grupos de niños severamente traumatizados. Un estudio extraordinario involucraba a familias canadienses que adoptaron a algunos de estos niños y los criaron en su casa. A medida que los niños adoptados crecieron, los investigadores pudieron dividirlos fácilmente en dos grupos. Uno parecía excepcionalmente estable. La conducta social, las respuestas al estrés, las notas, las enfermedades..., eran iguales a las de los niños canadienses de los grupos de control. El otro grupo, en cambio, parecía excepcionalmente problemático. Tenían más problemas alimentarios, se enfermaban con más frecuencia y exhibían conductas antisociales y agresivas. ¿Cuál era la variable independiente? La edad de adopción.

Si a los niños los habían adoptado antes del cuarto mes de vida, actuaban como cualquier niño feliz que usted conozca. Si los habían adoptado después del octavo mes de vida, actuaban como unos pandilleros. Claramente, la incapacidad de encontrar la seguridad mediante los lazos afectivos hacia una edad específica en la infancia, había producido un estrés enorme en sus sistemas; un estrés que afectaría su conducta posteriormente. Bien podían haberlos sacado de los orfanatos hacía años, pero estos niños no fueron realmente libres nunca.

Cómo responden los bebés al estrés

Lo que el estrés hace es activar la reacción "de atacar o escapar", que en realidad debería llamarse "de escapar". La típica reacción humana al estrés se centra en una sola meta: llevar suficiente sangre a nuestros músculos para escapar del peligro. Por lo general, arremetemos únicamente cuando nos vemos acorralados. E incluso en este caso, atacamos solo lo necesario para poder escapar. Ante una amenaza, el cerebro prescribe la segregación de dos hormonas: epinefrina (conocida también como adrenalina) y cortisol, de un tipo de moléculas llamadas glucocorticoides.

Estas reacciones son lo suficientemente complejas como para necesitar un buen rato para sintonizar adecuadamente todas las conexiones, y para eso está el primer año de vida. Si el niño se conserva en un adobo de seguridad —un hogar emocionalmente estable—, el sistema se cocinará estupendamente. De lo contrario, los procesos para lidiar con el estrés fallan y el niño queda en un estado de alerta máxima o de colapso completo. Si el bebé experimenta habitualmente un entorno social cargado de ira, emocionalmente violento, su pequeño y vulnerable sistema de respuesta al estrés se vuelve hiperactivo, una enfermedad conocida como hipercortisolismo. Si el bebé experimenta un abandono severo, como los huérfanos rumanos, el sistema se vuelve hipoactivo, una enfermedad conocida como hipocortisolismo (de allí las miradas vacías). La vida —citando a Bruce Springsteen— puede parecer una larga emergencia.

Lo que sucede cuando papá y mamá pelean

No hace falta criar niños en condiciones de campo de concentración para ver cambios negativos en el desarrollo del cerebro. Lo único que se necesita es unos padres que suelan despertarse con ganas de darse puños emocionales. El conflicto conyugal puede incidir en el desarrollo cerebral del bebé. Aunque hay cierta polémica al respecto, los efectos pueden ser duraderos y repercutir en la adultez; y esto es muy triste, pues los efectos pueden revertirse por completo. Incluso niños sacados de hogares con traumas severos y reubicados en entornos empáticos y cariñosos, si tienen menos de ocho meses, pueden mostrar una mejora en la regulación de la hormona del estrés en apenas diez semanas. Lo único que los padres tienen que hacer es guardar los guantes de boxeo.

Pero ¿qué puede suceder si no se los quitan?

Todos los padres saben que sus hijos se estresan cuando los ven peleando. Pero la edad a la que pueden reaccionar resultó completamente inesperada para los investigadores. Los niños menores de seis meses suelen detectar cuando algo anda mal, y pueden experimentar cambios fisiológicos —como un aumento de la tensión arterial, la frecuencia cardiaca y las hormonas del estrés—, tal como los adultos. Algunos investigadores dicen que pueden calcular la cantidad de peleas de los padres con el simple hecho de tomarle una muestra de orina de 24 horas del bebé.

El estrés altera la conducta

El estrés también se manifiesta en términos conductuales. Los bebés de hogares emocionalmente inestables tienen menos capacidades para responder positivamente a los nuevos estímulos, calmarse a sí mismos y recuperarse del estrés; en pocas palabras: para regular sus emociones. Incluso hay casos en los que sus piernas no se desarrollan adecuadamente porque las hormonas del estrés pueden interferir en la mineralización de los huesos. Para cuando estos niños cumplen los cuatro años, su nivel de hormona del estrés puede ser el doble del de niños de hogares emocionalmente estables.

Los bebés y los niños pequeños no siempre entienden el contenido de las peleas, pero son muy conscientes de que algo anda mal.

Si la hostilidad conyugal continúa, los niños son más propensos a mostrar una conducta antisocial y agresiva al entrar en el colegio. Y siguen teniendo problemas para regular sus emociones, que se complejizan por la introducción de las relaciones con los pares. No pueden concentrar bien su atención y tienen muy pocas herramientas para calmarse a sí mismos. Estos niños tienen más problemas de salud, especialmente tos y resfriados, y tienen mayor riesgo de depresión pediátrica y trastornos de ansiedad. Estos niños tienen un CI de casi ocho puntos menos que los niños que están siendo criados en hogares estables. Como es de esperar, no terminan el bachillerato con la misma frecuencia que sus compañeros y tienen un rendimiento académico inferior.

Si tomamos el extremo de esta inestabilidad —el divorcio es un blanco conveniente—, vemos que los niños siguen pagando durante años. Los hijos de parejas divorciadas tienen un 25 por ciento más de probabilidades de abusar de las drogas para cuando tengan catorce años. También son más propensos a quedar en embarazo antes del matrimonio y tienen el doble de probabilidades de divorciarse. En el colegio, sacan peores notas que los niños de hogares estables, y tienen muchas menos probabilidades de conseguir ayudas económicas para la universidad. Cuando los padres siguen juntos, 88 por ciento de los niños que van a la universidad reciben ayudas sistemáticas para su educación universitaria. Cuando los padres se separan, la cifra disminuye a un 29 por ciento.

Hasta aquí llegó el sueño de mandar a su hijo a Harvard.

Pero incluso en los hogares emocionalmente estables y sin hostilidades conyugales permanentes, habrá peleas. Por fortuna, las investigaciones indican que la cantidad de peleas que las parejas tienen delante de los hijos es menos perjudicial que la ausencia de reconciliación delante de ellos. Muchas parejas pelean frente a los hijos pero se reconcilian en privado. Esto distorsiona la percepción de los niños, incluso a edades tempranas, pues ven siempre la herida pero nunca la venda. Los padres que se reconcilian voluntaria y explícitamente después de una pelea dan a sus hijos un modelo de cómo pelear *y* cómo reconciliarse.

Las cuatro razones principales de las peleas conyugales

¿Por qué pelean las parejas? Ya mencioné cuatro fuentes permanentes de conflicto conyugal en la transición a la maternidad-paternidad. De por sí, todas pueden influir profundamente en el curso de su matrimonio, y esto hace que puedan afectar el desarrollo del cerebro de su bebé. Las llamaré "las cuatro uvas de la ira":

- falta de sueño
- aislamiento social

- desigual volumen de trabajo
- depresión

Según las estadísticas, todos somos propensos a tropezar con al menos un par de estas cuando el bebé llegue a casa. La batalla empieza en la cama..., pero no, no tiene que ver con el sexo.

1. Falta de sueño

Si conoce a una pareja que acaba de tener un bebé, pregúnteles si esta queja de "Emily" les parece conocida:

> *Siento rencor hacia mi esposo porque puede dormir toda la noche. La bebé tiene 9 meses y todavía se despierta de 2 a 3 veces en la noche. Mi esposo duerme seguido y después se despierta "agotado". No he podido dormir más de 5 o 6 horas en los últimos diez meses, tengo un bebé que ya camina y otra que cuidar todo el día, ¿y ÉL está cansado?*

Más adelante abordaremos la disparidad conyugal expuesta en esta instantánea conductual, pero primero hablemos de lo poco que está durmiendo Emily y lo que esto le está haciendo a su matrimonio.

Es difícil sobrestimar el efecto que la falta de sueño produce en las parejas que están en la transición a la maternidad-paternidad. La mayoría de los futuros padres saben que sus noches van a cambiar, pero no se imaginan la magnitud de ese cambio.

Escríbase lo siguiente en el corazón: *Los bebés no nacen con un horario de sueño establecido*. El hecho de que usted *sí* tenga uno, no implica que ellos lo tengan. El sueño y las horas de comida no tienen un patrón establecido en el cerebro del recién nacido; las conductas están distribuidas aleatoriamente en un periodo de 24 horas. He aquí otra vez el contrato social: ellos toman; usted da.

Esto puede persistir durante meses. Puede que un horario predecible no se haga visible sino hasta el medio año, incluso más tarde. Entre 25 y 40 por ciento de los bebés experimenta problemas de sueño en este periodo, una estadística observable en cualquier lugar del mundo. Con el tiempo, los bebés adquieren un horario de sueño; es más, creemos que está grabado en su ADN. Pero en el seco e incómodo mundo postuterino hay demasiadas alteraciones —algunas internas, otras externas— capaces de mantener a los bebés despiertos durante la noche. Sus inexperimentados cerebros necesitan tiempo para adaptarse, así de sencillo. Incluso después del año, el 50 por ciento sigue necesitando algún tipo de intervención parental durante la noche. Y dado que la mayoría de los adultos necesitan una media hora para volver a dormirse después de atender al bebé, papá y mamá pueden pasar semanas durmiendo solo la mitad de lo necesario.

Esto no es sano para su cuerpo. Ni para su matrimonio.

La gente que no duerme lo suficiente se vuelve irritable —mucho más irritable— que los que sí duermen. Comparados con los grupos de control, los sujetos que no duermen bien suelen sufrir una pérdida del 91 por ciento de su capacidad para regular las emociones fuertes. El deterioro de sus facultades cognitivas generales es igualmente drástico (de allí que las personas con modorra crónica tampoco puedan funcionar igual de bien en el trabajo). La capacidad de resolver problemas se desploma al 10 por ciento de su rendimiento no adormilado, y hasta las facultades motrices se ven afectadas. Solo basta con una semana de sueño moderadamente insuficiente para empezar a presentar estas cifras. Los cambios de ánimo son los primeros en manifestarse, después vienen los cambios cognitivos, seguidos por las perturbaciones en el rendimiento físico.

Si usted no tiene mucha energía y debe atender a su hijo pequeño varias veces por minuto (los niños en edad preescolar exigen alguna forma de atención 180 veces por hora, según señaló una psicóloga conductual), agotará rápidamente su reserva de buena voluntad hacia su cónyuge. La pérdida de sueño, de por sí, puede predecir la mayor parte de las hostilidades entre los padres primerizos.

2. Aislamiento social

Lo siguiente no es nada común en una visita al pediatra, pero debería serlo: El doctor le pregunta por la salud de su pequeño retoño y termina el examen de rutina. Luego, la mira a los ojos y le hace unas preguntas verdaderamente impertinentes sobre su vida social: "¿Tiene muchos amigos? ¿A qué grupos sociales pertenecen usted y su esposo? ¿Qué tan importantes son estos grupos para ustedes? ¿Qué tan diversos? ¿Qué tanto contacto tienen usted y su esposo con ellos?".

El doctor debería hacerle estas preguntas no porque su vida social sea de su incumbencia, sino porque le concierne a su bebé, y mucho. El aislamiento social puede llevar a la depresión clínica de los padres, y esta puede afectar su salud física, lo cual contribuye con un aumento de las enfermedades infecciosas y ataques cardiacos. El aislamiento social es el solitario resultado de la crisis energética que aqueja a la mayoría de los padres. Los estudios muestran que es la queja principal de la mayoría de las parejas en la transición a la maternidad-paternidad. Una madre escribió:

> *Nunca me había sentido tan sola como ahora. Mi hijos no se dan cuenta y mi esposo no me hace caso. Lo único que hago son las tareas domésticas, cocinar, cuidar a los niños... Ya no soy una persona. Nunca tengo ni un solo minuto para mí misma, y así y todo, estoy completamente aislada.*

Hasta un 80 por ciento de los padres primerizos experimenta la dolorosa y omnipresente soledad. Después del nacimiento de un hijo, las parejas tienen apenas un tercio del tiempo que antes compartían juntos. La emoción de tener un hijo se desvanece, pero el trabajo ininterrumpido de la maternidad-paternidad no. Ser papá o mamá se vuelve un deber, luego una tarea. Una noche en blanco tras otra van reduciendo el suministro de energía familiar, y los crecientes conflictos conyugales agotan las reservas.

Todo esto hace que las actividades sociales de la pareja se queden sin gasolina. Les cuesta mantener el contacto con los amigos, y ni hablar de los conocidos, pero además tienen pocas energías para buscar nuevos amigos. Aparte de la interacción con sus cónyuges, los padres primerizos suelen tener menos de noventa minutos de contacto diario con otro adulto; y un impresionante 34 por ciento pasa el día entero en aislamiento. No es de sorprender entonces que se sientan atrapados. "Hay días en que solo quiero encerrarme en mi habitación y pasarme el día entero hablando por teléfono con mi mejor amiga en vez de lidiar con mis hijos. Los adoro, pero esto de ser ama de casa no es como me lo soñaba", dijo una madre. Otra señaló lo siguiente acerca de la soledad: "Lloro en mi auto. Mucho".

Pertenecer a distintos grupos sociales es un parachoques fundamental. Pero esas relaciones tienden a fracasar en la transición a la maternidad-paternidad. Las mujeres experimentan un aislamiento desproporcionado, y hay razones biológicas que explican por qué esto puede ser particularmente tóxico para ellas. He aquí la teoría:

El parto —antes del advenimiento de la medicina moderna— solía implicar la muerte de la madre. Aunque nadie conoce la verdadera cifra, los cálculos ascienden a una de cada ocho. Las tribus con mujeres que podían relacionarse y confiar rápidamente en otras mujeres cercanas tenían más probabilidades de sobrevivir. Las mujeres mayores, con la sabiduría de sus partos anteriores, podían encargarse de las nuevas madres, y las mujeres con hijos podían proporcionarle leche a un recién nacido si la madre había muerto. Las interacciones sociales proporcionaban una ventaja para la supervivencia, según la antropóloga Sarah Hrdy (no, no le falta una "a" al apellido), quien acuñó la expresión "cuidado aloparental" para referirse a este fenómeno. Algo que coincide con esta noción es el descubrimiento de que somos los únicos primates que dejamos que otros cuiden de nuestros hijos.

Una madre resumió así su necesidad de conexiones sociales: "A veces, cuando tengo a mi bebé preciosa en brazos y nos miramos mutuamente con amor, siento un deseo secreto de que se quede dormida para poder revisar mi e-mail".

Pero ¿por qué la camaradería femenina y no masculina? Parte de la explicación puede ser molecular. Las mujeres segregan oxitocina (una hormona que produce una respuesta biológica conocida como "cuidar y entablar amistades") como parte de su respuesta normal al estrés. Los hombres no. La testosterona les proporciona demasiado ruido hormonal, lo cual embota los efectos de su oxitocina endógena. Esta hormona, que además actúa como neurotransmisor en ambos sexos, transmite sentimientos de calma y confianza, lo que viene como anillo al dedo cuando se necesita consolidar relaciones con alguien que podría tener que convertirse en madre sustituta. Algo que coincide de manera asombrosa y conveniente con esta noción es que la oxitocina también está relacionada con la estimulación de la lactancia.

Las relaciones sociales tienen profundas raíces evolutivas, y no podemos escapar de ellas. La psicoterapeuta Ruthellen Josselson, quien ha estudiado las relaciones de "cuidar y entablar amistades", subraya su importancia: "Cada vez que nos ocupamos más de la cuenta con el trabajo y la familia, lo primero que hacemos es descuidar las amistades con otras mujeres. Lo dejamos para más tarde. Y eso es un error, pues las mujeres son una fuente de fuerza muy importante".

3. Desigual volumen de trabajo

La tercera uva de la ira queda claramente ilustrada en el doloroso testimonio de una madre a la que llamaré Melanie.

Si mi esposo vuelve a decirme que necesita descansar porque "trabajó todo el día", tiraré toda su ropa al jardín, pondré su auto en neutro para verlo alejarse y venderé todos sus preciados objetos deportivos por un dólar en eBay. Y después lo mataré. ¡Es que no se da cuenta! Sí, es cierto que trabajó todo el día, pero trabajó con adultos plenamente capaces, que hablan su idioma a la perfección y controlan sus esfínteres.

No tuvo que cambiarles los pañales ni ayudarles a dormir sus siestas ni limpiar su almuerzo regado por toda la pared. No tuvo que contar hasta diez para calmarse, no tuvo que ver Barney 303 243 243 veces y no tuvo que sacarse la teta seis veces para alimentar a un bebé hambriento y SÉ que no almorzó un sándwich de mantequilla de maní. Y ADEMÁS tuvo dos descansos de quince minutos para "darse una vuelta", una hora en el gimnasio y una hora de viaje en tren para leer o descansar.

Así que puede que yo no reciba un sueldo y me pase todo el día en sudadera, puede que solo me duche cada dos o tres días, puede que "juegue" todo el día con los niños... Pero aun así trabajo mucho más duro en una hora que él en todo el día. Así que toma tu sueldo, mételo en el banco y déjame hacerme una infeliz pedicura una vez al mes sin oírte decir: "Tal vez si buscaras trabajo... y tuvieras tu propio dinero".

Uy. Y, añadiría yo, justo en el blanco. Una advertencia: Esta sección no le resultará nada agradable si es un hombre. Pero bien podría ser la parte más importante de este libro para usted.

Junto con la falta de sueño y el aislamiento social, en la transición a la maternidad-paternidad, la persona que se encarga de las tareas domésticas está en una desventaja aterradora. Mejor dicho, las mujeres llevan casi toda la carga. No importa si ella también trabaja o cuántos hijos tengan, incluso con los cambios de actitud del siglo XXI, las mujeres siguen haciendo más en casi todo lo que tiene que ver con lo doméstico. Como dijera alguna vez Florynce Kennedy, activista de los derechos humanos, "cualquier mujer que siga creyendo que el matrimonio es una proposición del cincuenta-cincuenta solo demuestra que no entiende a los hombres o los porcentajes".

La queja de Melanie ilustra que este desequilibrio tiene un efecto corrosivo en la calidad del matrimonio. Y esto significa que puede afectar negativamente el desarrollo cerebral del bebé... Le advertí que esta parte no sería agradable.

He aquí las cifras: Las mujeres con familia hacen el 70 por ciento del trabajo doméstico. Lavar los platos, la ropa, cambiar los pañales, reparaciones secundarias, todo. Y esta cifra suele tomarse como una buena noticia, pues hace treinta años estaba en un 85 por ciento. Pero no necesita haber estudiado matemáticas para saber que no se trata de una cifra equitativa. Con la llegada del bebé, las labores domésticas se triplican tanto para las mujeres como para los hombres.

La falta de contribución es tan grande, que tener al esposo en casa implica siete horas semanales de trabajo *extra* para las mujeres. Pero no es así en el sentido contrario. Una mujer le *ahorra* al marido cerca de una hora de trabajo doméstico a la semana. "A veces sueño con divorciarme solo para poder tener un fin de semana libre cada quince días", dijo una madre joven.

Las mujeres pasan 39 horas semanales dedicadas a las labores domésticas relacionadas con el cuidado de los hijos. Los padres de hoy les dedican casi la mitad: unas 21,7 horas semanas. Y esto también suele presentarse como una buena noticia, pues es el triple del tiempo que los hombres pasaban con los hijos en la década de los sesenta. Pero nadie diría que es equitativo en todo caso. También sigue siendo cierto que cerca del 40 por ciento de los papás pasan dos horas o menos con sus hijos en los días laborales, y el 14 por ciento les dedica menos de una hora.

Este desequilibrio en el volumen de trabajo —junto con los conflictos económicos, que pueden estar relacionados— es una de las fuentes más citadas cuando hay problemas conyugales. Y es un factor fundamental de la opinión que la mujer se forma acerca del hombre con quien se casó, sobre todo si este recurre al "yo soy el que trae el pan", como el marido de Melanie. Lo económico desempeña un papel decisivo. Una típica ama de casa trabaja 94,4 horas por semana. Si le pagaran, ganaría unos 117 000 dólares al año. (Es un cálculo de compensación por horas y tiempo dedicado a cada labor de los diez tipos de trabajo que desempeña la típica madre del hogar estadounidense; entre otros: el trabajo doméstico, cuidar a los hijos, llevarlos y traerlos en auto, velar por el bienestar psicológico de todo el personal y la dirección ejecutiva del hogar). Pocos hombres pasan 94,4 horas semanales en su trabajo. Y el 99 por ciento gana menos de 117.000 dólares al año.

Esto explicaría por qué, en la inmensa mayoría de los casos, el aumento de las hostilidades suele empezar por la mujer, para después extenderse al hombre. Y esto nos lleva a un librito que podría darnos una pista del remedio. Una amiga se lo regaló a mi esposa. Se titula *Porno para mujeres*, y es un libro apto únicamente para mayores, ilustrado con imágenes de hombres fotografiados en su máximo esplendor: con sus torsos desnudos y *jeans* muy ceñidos, el pelo alborotado y ojos chispeantes. Y TODOS están haciendo labores domésticas.

Hay una foto de un Adonis que está metiendo la ropa en la lavadora; el pie de foto reza: "En cuanto termine con la ropa, iré a hacer la compra. Y me llevaré a los niños conmigo para que puedas descansar". En la portada vemos a otro Adonis pasando la aspiradora. Un hombre de apariencia especialmente atlética está leyendo la sección deportiva del periódico y dice: "Mira, hoy es la final de la Liga. Supongo que no tendremos ningún problema para estacionarnos en la feria artesanal".

Porno para mujeres. Disponible en un matrimonio cercano.

4. Depresión

¿Qué podemos pensar entonces de la transición a la maternidad-paternidad? Hasta ahora, hemos esbozado una experiencia que exige una "respuesta" tres veces por minuto, permite la mitad del sueño necesario, deja poca energía para la vida social y convierte hechos como quién saca la basura en un riesgo de divorcio. Si estas no son las condiciones perfectas para fermentar nuestra cuarta uva de la ira, no sé cuáles puedan ser. Nuestro cuarto tema es la depresión. Por fortuna, muy pocos la experimentan, pero es lo suficientemente peligrosa como para que le prestemos atención.

Cerca de la mitad de las mujeres que acaban de tener un bebé experimentan una tristeza pasajera después del parto, que desaparece en un par de horas o días. Esto es completamente normal. Pero hay un 10 a un 20 por ciento de madres que experimentan algo mucho más profundo y muchísimo más preocupante. Estas mujeres se ven aquejadas por sentimientos cada vez más profundos de desesperación, pena e inutilidad, incluso si las cosas van bien en el matrimonio. Estos sentimientos dolorosos y apabullantes duran semanas y meses, y estas madres lloran todo el tiempo o se quedan mirando por la ventana. Algunas dejan de comer, otras comen más de la cuenta. Se trata de una depresión clínica conocida como depresión postparto. Aunque hay una gran polémica respecto a sus fuentes y los criterios utilizados para diagnosticarla, no hay ninguna polémica respecto a la solución.

Las mujeres que experimentan una ansiedad abrumadora, mal humor o tristeza, necesitan tratamiento. De lo contrario, las consecuencias pueden ser trágicas, desde un menoscabo grave de su calidad de vida hasta infanticidio y suicidio. Una depresión postparto no tratada debilita los lazos vitales e interactivos que deben desarrollarse en los primerísimos meses de vida, y el bebé empieza a reflejar las acciones depresivas de la madre, algo que se conoce como abandono recíproco. Estos bebés se vuelven más inseguros, socialmente inhibidos, tímidos, pasivos; en promedio, son el doble de temerosos que los niños criados por madres que no están deprimidas. Y el daño todavía puede observarse a los catorce meses de vida.

Pero no es solo la mujer la que corre el riesgo de deprimirse. Entre 10 y 25 por ciento de los padres primerizos se deprimen cuando nace el bebé. Si la mujer también está deprimida, la cifra sube a un 50 por ciento. Un cuadro nada agradable, ¿no?

Felizmente, el cuadro no está completo.

"Nadie me advirtió que sería tan difícil"

Un comentario común entre los padres primerizos cuando doy charlas sobre el desarrollo cerebral es "Nadie me advirtió que sería tan difícil". Y mi idea no es minimizar las dificultades de la transición a la maternidad-paternidad, pero sí espero poder poner las cosas en perspectiva.

Una de las razones por las que los padres veteranos no se concentran en las dificultades es porque hay mucho más. En realidad, el tiempo que uno pasa con sus hijos es increíblemente corto, y ellos cambian rapidísimo. Al cabo de un tiempo, encuentran un horario de sueño, acuden a sus padres en busca de consuelo y aprenden de ellos lo que deben hacer y lo que no. Después se van y empiezan una vida independiente.

Y lo que nos queda de esta experiencia no es lo difícil que fue tener al bebé sino lo vulnerables que nos hizo. Como señalara la escritora Elizabeth Stone: "Tomar la decisión de tener un hijo es algo trascendental. Es decidir que nuestro corazón camine para siempre fuera de nuestro cuerpo".

Los padres veteranos han experimentado las noches en blanco, pero también la emoción de la primera vez que el hijo monta en bicicleta, la primera graduación y, algunos, el primer nieto. Han experimentado el resto de la historia. Y saben que vale la pena.

Y hay más buenas noticias. Las parejas que son conscientes de las cuatro uvas de la ira y empiezan a prepararse con anticipación, tienen menos probabilidades de toparse con ellas. Y cuando estas parejas tienen problemas, los efectos suelen ser mucho más suaves.

El primer paso está en hacerse consciente

Bien puedo dar fe de ello. Yo crecí en un hogar militar en la década de los cincuenta, y cada vez que salíamos de paseo, mi madre se las arreglaba para organizar a sus dos hijos de menos de tres años para la excursión, empacaba cobijas, biberones, pañales y ropa limpia. Mi padre nunca le ayudaba, es más, se impacientaba si las preparaciones tardaban demasiado. Entonces salía de casa hecho un energúmeno, se dejaba caer en el asiento del conductor y hacía rugir el motor para anunciar su furia. He allí unos sentimientos muy fuertes embotellados, casi tan útiles como un ataque cardiaco.

Pero yo apenas recordaba esta conducta ya de adulto. Hasta que, seis meses después de haberme casado, mi esposa y yo íbamos a cenar con los compañeros de la universidad y estábamos retrasados. Kari estaba tardando más de lo habitual en arreglarse, y me impacienté. Salí de casa hecho un energúmeno, entré en el auto y metí la llave en el encendido. De un momento a otro, me di cuenta de lo que estaba haciendo.

Recuerdo que entonces respiré hondo, asombrado por lo profunda que puede ser la influencia de los padres en los hijos. Después recordé la cita del novelista James Baldwin: “Los niños nunca han sido buenos para escuchar a sus padres, pero nunca han dejado de imitarlos”. Lentamente, saqué las llaves del encendido, regresé adonde mi esposa y le pedí disculpas. Y nunca volví a actuar así.

Años después, estábamos alistándonos para dar un paseo con nuestros dos hijos y yo estaba acomodando al menor en su sillita del auto cuando le explotó el pañal. Entonces sonreí al sentir las llaves del auto en mi bolsillo y regresé al cambiador, tarareando. No habría ningún rugido de motores. Era una lección perdurable, y el cambio, sorprendentemente fácil de mantener.

No hay nada particularmente heroico en esta historia. Lo único que cambió fue una conciencia específica. Pero es precisamente esa conciencia la que quiero compartir, pues su mecanismo interno produce unas consecuencias poderosamente positivas. Los investigadores saben cómo facilitarles la transición a la maternidad-paternidad a las parejas, y yo deseo no solo contarle cómo sino además ser testimonio de que funciona. Siempre y cuando los padres estén dispuestos a hacer un poco de esfuerzo, los bebés no son ninguna especie de enfermedad terminal de la que no se recupera ningún matrimonio. Yo llevo ya treinta años de casado y mis hijos se acercan a la adolescencia. Y han sido los años más felices de mi vida.

Lo que es obvio para usted es obvio para usted

La historia de las llaves del auto implica un cambio de perspectiva, capturado en uno de nuestros *principios del cerebro*: "Lo que es obvio para usted es obvio para usted". Mi padre no veía todo lo que había que hacer para alistar a los niños (y seguramente no habría querido ayudar en caso de verlo). Pero mi madre sí lo veía claramente. Había una "asimetría perceptual" en sus puntos de vista. La consecuencia eran unas peleas muy desagradables.

En 1972, los sociólogos Edward Jones y Richard Nisbett plantearon la hipótesis de que la asimetría perceptual estaba en el corazón de la mayoría de los conflictos, y sugirieron que construir un puente sobre esta asimetría ayudaría a resolver esos conflictos. No se equivocaban. Su observación clave era la siguiente: La gente ve sus propias conductas como originadas de limitaciones situacionales solucionables, pero ve las conductas de los demás como originadas de rasgos de la personalidad inherentes e inmutables. El ejemplo clásico es el del candidato a un puesto de trabajo que llega tarde a la entrevista. El candidato atribuye su tardanza a una situación fuera de su control (el tráfico). El entrevistador se la atribuye a la irresponsabilidad personal (no tener en cuenta el tráfico). Uno apela a una limitación situacional, el otro, a un insulto.

Nisbett y sus colegas llevan décadas catalogando estas asimetrías. Nisbett descubrió que tendemos a tener opiniones exageradas de nosotros mismos y de nuestro futuro. Creemos que tenemos más probabilidades de las reales de volvernos ricos, de tener un futuro profesional más brillante y que somos menos propensos a contraer enfermedades infecciosas (una de las razones por las que enfermedades como el cáncer pueden ser tan devastadoras emocionalmente es porque no creemos que nos vaya a pasar a nosotros, sino al otro). Además, sobreestimamos cuánto podemos aprender sobre los demás en encuentros breves. Al pelear, creemos que no tenemos ningún sesgo en absoluto, que somos totalmente objetivos, mientras que el otro está lleno de prejuicios, es totalmente subjetivo y no tiene idea de nada.

Estas asimetrías se originan en un fenómeno bien establecido en las neurociencias cognitivas. Cualquier conducta humana tiene muchas partes movibles, las cuales pueden dividirse, en líneas generales, en elementos de primer plano y elementos de segundo plano. Los elementos de segundo plano tienen que ver con nuestra historia evolutiva, con la estructura genética y el entorno fetal. Los de primer plano tienen que ver con las hormonas, las experiencias anteriores y los desencadenantes ambientales inmediatos. En nuestra cabeza, todos tenemos un acceso privilegiado a ambos conjuntos de elementos, con información detallada sobre nuestro interior psicológico, nuestras motivaciones e intenciones, lo que se conoce formalmente como "introspección", es decir, que todos sabemos lo que pretendemos decir o comunicar. El problema está en que nadie más tiene este acceso. Nadie puede leernos la mente. La única información que los demás tienen acerca de nuestros estados internos y nuestras motivaciones es lo que dicen nuestras palabras y lo que demuestran nuestros cuerpos y rostros, lo que se conoce formalmente como "extrospección".

Todos padecemos una ceguera impresionante en lo que respecta a los límites de la información extrospectiva, pues sabemos cuándo nuestras acciones no se corresponden con nuestros pensamientos y sentimientos, pero olvidamos que esta información no está disponible para los demás. Como escribiera el poeta Robert Burns: "Ay, si Dios nos diera el regalo / de vernos a nosotros mismos tal como nos ven los demás" .

El choque entre la información introspectiva y la extrospectiva es el Bing Bang de la mayoría de los conflictos humanos, y ha sido observado directamente entre personas que tratan de darle instrucciones a un alma perdida y entre países en proceso de negociar un tratado de paz. Este choque compone la base de la mayoría de los problemas de comunicación, incluyendo los conflictos conyugales.

¿Podría usted ganar un concurso de empatía?

Si la asimetría está en el corazón de la mayoría de los conflictos, se desprendería que, a mayor simetría, menor hostilidad. Cuesta creer que un niño de cuatro años en un concurso de empatía pueda ilustrar la veracidad de esta afirmación. Pero así es. El fallecido escritor Leo Buscaglia cuenta que le pidieron ser juez en un concurso que buscaba encontrar al niño más afectuoso, y el ganador contó una historia acerca de su vecino anciano.

El hombre acababa de perder a su esposa, con quien había estado casado varias décadas. El niño de cuatro años oyó que estaba llorando en el jardín de atrás y decidió ir a investigar. Después de treparse a su regazo, se quedó allí mientras lloraba. Y esto resultó extrañamente consolador para el anciano. Más tarde, la madre del niño le preguntó qué le había dicho al vecino. "Nada", dijo el pequeñín. "Solo le ayudé a llorar".

La empatía funciona tan bien porque no requiere una solución. Solo requiere comprensión.

Esta historia tiene muchas capas, pero podemos destilar la esencia: es una respuesta a una relación asimétrica. El anciano estaba triste. El niño no. Sin embargo, la disposición de este consolador involuntario para entrar en el espacio emocional del anciano, para *empatizar*, cambió el equilibrio de la relación.

Decidirse por la empatía —pues, en realidad, es una cuestión de elección— es tan poderoso que puede influir en el desarrollo del sistema nervioso de niños cuyos padres la practican con regularidad.

Definir la empatía

Yo solía pensar que temas "blandos" como la empatía tenían tan poco respaldo neurocientífico como las líneas telefónicas parapsicológicas, y si hace diez años alguien me hubiera dicho que la empatía sería descrita tan empíricamente como, digamos, el mal de Parkinson, habría soltado la carcajada. Pero no estoy riéndome ahora. La creciente bibliografía sobre la empatía, cada día más sólida, la define con tres ingredientes clave:

- Detección afectiva. Primero, la persona debe detectar un cambio en la disposición emocional del otro. En las ciencias conductuales, esto remite a la expresión externa de una emoción o un estado de ánimo, usualmente asociada con una idea o una acción. Los niños autistas no suelen llegar a este paso; como resultado, raramente manifiestan empatía.
- Transposición imaginativa. Tan pronto una persona detecta un cambio emocional, transpone lo que observa a su propio interior psicológico. "Se prueba" los sentimientos percibidos como si se tratara de ropa, después reflexiona acerca de cómo reaccionaría en circunstancias similares. Para quienes trabajan en el teatro, he aquí la clave del método Stanislavski. Para quienes estén a punto de tener hijos, apenas han empezado a aprender cómo tener una pelea justa con ellos, por no decir con su cónyuge.

- Formación de vínculos. La persona que empatiza siempre es consciente de que la emoción le sucede a la otra persona, nunca al observador. La empatía es poderosa, pero también tiene límites.

La empatía funciona

La parejas que practican la empatía con regularidad ven unos resultados impresionantes. Es la variable independiente que predice un matrimonio exitoso, según John Gottman, que, dejando de lado las críticas a posteriori, pronostica las probabilidades de divorcio con un índice de exactitud de cerca del 90 por ciento. En los estudios de Gottman, si la mujer sentía que su esposo la escuchaba —hasta el punto de aceptar la buena influencia de ella sobre la conducta de él—, el matrimonio resultaba esencialmente "a prueba de divorcio". (Un dato interesante: el que el marido se sintiera escuchado no era un factor en los índices de divorcio.) Si no había tráfico de empatía, el matrimonio se iba a pique.

Las investigaciones muestran que el 70 por ciento de los conflictos conyugales no son solucionables; el desacuerdo se mantiene. Esto no es necesariamente una mala noticia, siempre y cuando los implicados aprendan a convivir con sus diferencias..., uno de los retos más grandes del matrimonio. Pero hay que comprender las diferencias, incluso si no se resuelven los problemas. Una de las razones por las que la empatía funciona tan bien es porque no requiere una solución. Solo requiere comprensión. Es sumamente importante reconocer esto. Con que haya espacio para la negociación durante apenas el 30 por ciento del tiempo, la empatía se convierte en el ejercicio principal en el manejo de conflictos de cualquier pareja. Probablemente por eso su ausencia sea un poderoso predictor del divorcio.

Gottman, entre otros investigadores, descubrió un efecto similar en la crianza de los hijos. "La empatía no solo es importante sino que es la base de la verdadera maternidad-paternidad", dijo.

Hacer de la empatía un reflejo: dos pasos sencillos

¿Qué debe hacer para lograr el éxito conyugal señalado por Gottman? Debe cerrar la brecha de la que he hablado, ese desequilibrio entre lo que usted sabe de sus sentimientos interiores y lo que deduce acerca de los sentimientos del otro. Y la forma de hacerlo es crear un "reflejo de empatía", como primera respuesta a cualquier situación emocional. Los investigadores definieron este reflejo mientras trataban de socializar a niños autistas de alto funcionamiento. Es algo sorprendentemente sencillo y eficaz, algo parecido al niño pequeño que se acurrucó en el regazo del vecino anciano. Cuando se tope por primera vez con los sentimientos "candentes" de alguien, practique dos pasos sencillos:

1. Describa los cambios emocionales que cree ver.
2. Haga una conjetura sobre el origen de esos cambios emocionales.

Después puede asumir cualquiera que sea su actitud reactiva y desagradable de costumbre. Pero le haré una advertencia en todo caso: si el reflejo de empatía se convierte en parte activa de su forma de manejar los conflictos, le costará mantener dicha actitud desagradable y reactiva. He aquí un ejemplo de la vida real, tomado de uno de mis archivos de investigación.

La madre de una quinceañera le permitía salir todos los sábados a su hija, pero era muy estricta con el horario en que debía regresar a casa. Un fin de semana, la hija hizo caso omiso de esta condición y regresó a las dos de la mañana. Al entrar sigilosamente en la casa, la chica vio que la temida lámpara de la sala estaba encendida, con una madre notoriamente enfadada esperando en el sillón de al lado. La chica se llevó un susto de muerte, por supuesto. Pero también parecía inquieta. La madre percibió que había tenido una noche difícil. Normalmente, la escena habría señalado el inicio de una ronda de golpes emocionales, un hecho conocido y agotador para ambas. Pero una amiga de la madre le había hablado del reflejo empático, y decidió practicarlo.

Empezando con una simple descripción afectiva, comentó: "Te ves asustadísima". La chica la miró, asintiendo ligeramente. "No solo pareces asustada", continuó la madre, "pareces alterada. Muy alterada. Es más, parece como que te hubieran humillado". La chica se quedó mirándola. Esto no era lo que esperaba. La madre empleó entonces el paso 2, conjeturando acerca del origen.

"Pasaste un mal rato esta noche, ¿cierto?" La hija abrió los ojos de par en par. Había sido una noche dura, en efecto. Los ojos se le llenaron de lágrimas de pronto. La madre supuso lo que había sucedido y suavizó el tono de su voz. "Te peleaste con tu novio." La chica rompió en llanto. "¡Me terminó! ¡Tuve que pedirle a alguien más que me trajera! ¡Por eso llegué tarde!" La chica se desplomó entre los brazos afectuosos de su madre, y las dos lloraron juntas. Esa noche, no habría ningún combate. Rara vez lo hay cuando nos apoyamos en los brazos del reflejo empático; ya sea tanto en la relación entre padres e hijos como en la relación de pareja.

Pero la historia no termina aquí, por supuesto. La madre no obvió el castigo de su hija; las reglas son las reglas, y la castigó durante una semana. Pero la complexión de la relación cambió. La hija empezó a imitar el reflejo empático, algo que los investigadores suelen descubrir en los hogares donde se practica activamente. A la semana siguiente, la hija vio que la madre estaba sufriendo para preparar una cena tardía, claramente perturbada después de un largo día de trabajo. Y en vez de preguntarle cuál era el menú, dijo: "Te ves muy preocupada, mamá. ¿Es porque ya está tarde y estás cansada y no quieres hacer la comida?".

La madre no podía creerlo.

Prepárense

Las parejas que tienen una relación sólida, definida por la empatía, y se preparan para la transición a la maternidad-paternidad, evitan lo peor de las cuatro uvas de la ira. Esta preparación crea la mejor ecología doméstica para el desarrollo saludable del cerebro del bebé.

Puede que estos padres logren que su hijo entre a Harvard, puede que no, pero en todo caso no lo meterán en una batalla por la custodia. Y estos padres tendrán las mayores probabilidades de criar hijos felices, inteligentes y moralmente conscientes.

Puntos clave

- Más del 80 por ciento de las parejas experimenta un bajonazo en la calidad conyugal durante la transición a la maternidad-paternidad.
- La hostilidad entre los padres puede perjudicar el desarrollo del cerebro y del sistema nervioso del recién nacido.
- La empatía reduce la hostilidad.
- Las cuatro fuentes más comunes de turbulencia conyugal son: falta de sueño, aislamiento social, desigual distribución del trabajo doméstico y depresión.

Encuentre las referencias en la página web:
www.brainrules.net

Bebé inteligente: semillas

Principios del cerebro

Al cerebro le preocupa más la supervivencia que el aprendizaje

La inteligencia es más que el CI

Tiempo cara a cara, no frente a la pantalla

Bebé inteligente: semillas

Nada en la vida temprana del presidente Theodore Roosevelt sugería ni una mínima señal de grandeza. Era un niño enfermizo, nervioso y tímido, y tan asmático, que tenía que dormir sentado en la cama para no asfixiarse. Era demasiado enfermo como para ir a clases formales, lo que obligó a sus padres a educarlo en casa, y debido a un problema cardiaco grave, los médicos sugirieron que buscara un camino profesional que lo mantuviera atado a un escritorio y le evitara cualquier actividad física extenuante.

Por fortuna, la mente de Roosevelt no cooperó ni con su cuerpo ni con su médico. Con un intelecto voraz, una memoria fotográfica y una necesidad incesante de éxito, escribió su primer ensayo científico ("The Natural History of Insects") a los nueve años. Lo aceptaron en Harvard a los dieciséis; se graduó Phi Beta Kappa; se presentó para la legislatura estatal a los veintitrés, y al año siguiente publicó su primer libro académico, una historia de la guerra de 1812. Se ganó la reputación de historiador que hace reflexionar y, con el tiempo, de político talentoso. Y zoólogo. Y filósofo, geógrafo, guerrero y diplomático. Llegó a comandante en jefe de las fuerzas armadas a los 42 años, el más joven de la historia. Sigue siendo el único presidente de los Estados Unidos galardonado con la Medalla de Honor del Congreso, y fue el primer estadounidense en recibir el premio Nobel de la Paz.

¿Qué hizo que Roosevelt fuera tan pero tan inteligente, después de ese comienzo tan poco prometedor? No hay duda de que hubo ayuda de los genes. La naturaleza controla cerca del 50 por ciento de nuestra potencia intelectual; el resto lo determina el entorno. Para los padres, esto significa dos cosas. Primero, por más que su hijo se esfuerce, su cerebro tendrá un límite; segundo, esa es solo la mitad de la historia. Hay aspectos de la inteligencia de su hijo que se verán profundamente influenciados por el entorno, sobre todo por lo que hagan los padres. En este capítulo abordaremos la base biológica de la inteligencia del niño; en el próximo, veremos lo que pueden hacer los padres para optimizarla.

¿Qué aspecto tiene un cerebro inteligente?

Si pudiera echarle un vistazo al cerebro de su bebé, ¿encontraría claves de su futura grandeza intelectual? ¿Qué aspecto tiene la inteligencia en los surcos y pliegues de la intrincada arquitectura cerebral? Una manera obvia, aunque macabra, de responder a esta pregunta es examinar el cerebro de personas inteligentes después de que han muerto y buscar claves de la inteligencia en su arquitectura neural. Los científicos lo han hecho con una variedad de cerebros famosos, desde el matemático alemán Carl Gauss, al ruso, no muy matemático, Vladimir Lenin. También han estudiado el cerebro de Albert Einstein, con resultados sorprendentes.

Tan solo el típico genio

Einstein murió en Nueva Jersey en 1955, y la autopsia la realizó Thomas Stoltz Harvey, que será recordado para siempre como el patólogo más posesivo de la historia. Tras extirparle el cerebro, lo fotografió desde muchos ángulos y luego lo cortó en bloquecitos. Entonces se metió en problemas, pues, al parecer, no había obtenido el permiso de Einstein o de su familia para pixelar el cerebro de este famoso físico. Los administradores del Princeton Hospital le exigieron que entregara el cerebro del genio, pero Harvey se negó, abandonó su trabajo, huyó a Kansas y conservó las muestras durante más de veinte años.

Y solo volvieron a descubrirlas en 1978, cuando el periodista Steven Levy localizó a Harvey. Los trocitos del cerebro de Einstein seguían disponibles, flotando en grandes frascos llenos de alcohol. Levy logró que Harvey se los entregara, y otros científicos empezaron a estudiarlos detenidamente en busca de claves que revelaran la genialidad del científico.

¿Qué descubrieron? El descubrimiento más sorprendente fue que no había nada sorprendente. Einstein tenía un cerebro bastante típico. El órgano tenía una arquitectura interna estándar, con unas cuantas anomalías estructurales. Las zonas responsables de la cognición visuoespacial y el procesamiento matemático eran un poco más grandes (15 por ciento más que el promedio). También le faltaban algunas secciones que tienen los cerebros menos ágiles, y tenía unas cuantas células gliales más que la mayoría de la gente (estas células ayudan a darle estructura al cerebro y al procesamiento de la información). Sin embargo, ninguno de estos resultados es especialmente informativo. La mayoría de los cerebros tienen anormalidades estructurales, con algunas áreas más hundidas que otras, algunas más hinchadas. Debido a esta individualidad, es imposible demostrar que ciertas diferencias físicas en la estructura del cerebro lleven a la genialidad. El cerebro de

Einstein era inteligente, sin la menor duda, pero el porqué no estaba en ninguna de sus piezas cortadas en dados.

¿Y si investigamos en cerebros vivos y en pleno funcionamiento? Hoy en día no hace falta esperar a que alguien se muera para determinar relaciones entre la estructura y el funcionamiento cerebral, pues podemos usar técnicas no invasivas de imaginología para observar el cerebro mientras realiza alguna labor. ¿Esto quiere decir que podemos detectar la inteligencia de la gente al observar este órgano en pleno acto de ser sí mismo? La respuesta, una vez más, es no. O al menos no todavía. Al analizar a genios vivos mientras están resolviendo algún problema difícil, no encontramos semejanzas tranquilizadoras sino individualidades desconcertantes. No hay dos cerebros en los que la resolución de problemas y el procesamiento sensorial se dé de manera idéntica. Y esto ha llevado a una gran confusión y conclusiones contradictorias. Algunos estudios pretenden demostrar que la gente "inteligente" tiene un cerebro más eficiente (usa menos energía para resolver problemas difíciles), pero otros investigadores han encontrado todo lo contrario. La materia gris es más abundante en algunas personas inteligentes, mientras que la blanca es más abundante en otras. Los científicos han encontrado catorce regiones responsables de diversos aspectos de la inteligencia humana, esparcidas por el cerebro como si fueran unos polvos mágicos de la cognición y englobadas en lo que se conoce como "red parietofrontal". Al examinar estas regiones cuando las personas están pensando intensamente, los investigadores han dado, una vez más, con resultados frustrantes: las distintas personas usan distintas combinaciones de estas regiones para resolver problemas complejos. Es probable que estas combinaciones expliquen la amplia variedad de destrezas intelectuales que podemos observar en la gente. Los patrones aglutinantes son muy pocos.

En lo que respecta a la inteligencia del bebé, tenemos aun menos información, pues es muy difícil hacer estos experimentos con la población que anda en pañales. Para realizar una resonancia magnética, por ejemplo, la cabeza debe estar totalmente quieta durante largos periodos. Así que... ¡buena suerte si planea hacerle una a un inquieto bebé de seis meses! E incluso si pudiera, la arquitectura del cerebro no puede predecir exitosamente que su hijo vaya a ser inteligente o no.

En busca del "gen de la inteligencia"

¿Y si buscamos en el plano del ADN? ¿Los investigadores han descubierto un "gen de la inteligencia"? Hay mucha gente buscándolo. Las variantes de un gen famoso, llamado COMT (catecol-O-metiltransferasa, ya que pregunta), parecen estar relacionadas con la obtención de puntuaciones más altas en pruebas de memoria de corto plazo en algunas personas, pero no en otras. Otro gen, cathepsin D, también parece estar relacionado con una inteligencia mayor, así como una variante de un gen receptor de dopamina, de una familia de genes que suele estar involucrada en la sensación del placer. El problema con la mayoría de estos descubrimientos es que ha sido difícil replicarlos. E incluso en los casos en que han sido confirmados con éxito, la presencia de la variante suele dar cuenta de un aumento de solo 3 o 4 puntos en el CI. Hasta el momento, no se ha aislado ningún gen de la inteligencia. Y dada la complejidad de la inteligencia, dudo mucho que lo haya.

Test del CI del bebé

¿Y si investigamos el comportamiento? Los investigadores encontraron aquí una mina de oro, y hoy en día contamos con una serie de pruebas para predecir el CI que un bebé tendrá al ser adulto. En uno de los test, a niños preverbales se les permite palpar un objeto que no pueden ver (está en una caja). Si los niños pueden reconocer el objeto al verlo —lo que se conoce como transferencia intermodal— obtendrán puntuaciones más altas en los test de CI que los niños que no pueden reconocerlo. En otro test, en el que se mide algo que los investigadores llaman memoria de reconocimiento visual, se pone a los niños frente a un tablero de ajedrez. Estoy simplificando al máximo, pero el caso es que cuanto más se queden mirándolo, más probabilidades hay de que su CI sea mayor. ¿Le suena improbable? Estas medidas, tomadas entre los dos y los ocho meses de edad, ¡pronosticaron correctamente las puntuaciones de CI obtenidas a los dieciocho años!

Pero ¿qué significa esto en realidad? En primer lugar, que cuando estos niños lleguen a la edad escolar obtendrán buenos resultados en los test de CI.

La inteligencia del CI

El CI les importa a muchas personas, como los encargados de las oficinas de admisiones de jardines de infancia exclusivos y escuelas privadas, que suelen exigir que los niños presenten test de inteligencia. La escala de inteligencia de Wechsler para niños, versión IV [WISC-IV, por su sigla en inglés], es muy común. Hay muchas escuelas que aceptan únicamente a los niños que están en el percentil absurdamente alto de 97, y estas costosísimas pruebas se practican a veces con niños de seis años, incluso menores, ¡como examen de admisión al jardín de infancia! A continuación, dos preguntas típicas de estos test:

> 1. *¿Cuál de estos cinco se parece menos a los otros cuatro? Vaca, tigre, culebra, oso, perro.*

¿Dijo culebra? Felicitaciones. Quienes diseñaron la pregunta están de acuerdo con usted (todos los demás animales tienen patas; todos los demás son mamíferos).

> 2. *Tome 1000 y súmele 40. Ahora súmele otros 1000. Ahora súmele 30. Y súmele otros 1000. Ahora otros 30. Y otros 1000. ¿Cuánto da?*

¿Su respuesta es 5000? Si es así, no está solo. Las investigaciones muestran que el 98 por ciento de las personas que resuelven este problema obtienen ese resultado. Pero la respuesta correcta es 4100.

Sería inteligente rechazar la idea de una cifra "que sirve para todos" como la última palabra sobre la potencia cerebral de su bebé.

Los test de CI están llenos de preguntas como estas. Si responde bien, ¿quiere decir que es inteligente? Puede que sí. Pero puede que no. Algunos investigadores creen que las pruebas de CI no miden más que la capacidad de resolver esas pruebas. Y lo cierto es que aún no se han puesto de acuerdo respecto a *qué* mide un test de CI. Dada la amplia gama de habilidades intelectuales del ser humano, puede que sea inteligente rechazar la idea de una cifra "que sirve para todos" como la última palabra sobre la potencia cerebral de su bebé. Y si conoce un poco la historia de estos inventarios, bien puede decidir por su cuenta.

El nacimiento del test de CI

Muchos personajes ilustres han investigado la definición de la inteligencia humana, con frecuencia en un intento por comprender sus propios dones especiales. Uno de los primeros fue Francis Galton (1822-1911), medio primo de Charles Darwin. Sir Francis, de enormes patillas y prominente calva, era un hombre adusto, brillante y quizás un poco loco, proveniente de un famoso linaje de cuáqueros cuyo negocio familiar, por extraño que parezca, era la fabricación de armas. Galton era un prodigio que ya leía y citaba a Shakespeare a los seis años, y aprendió latín y griego a una edad muy temprana. Era un hombre al que todo parecía interesarle, y en su edad adulta hizo aportaciones a la meteorología, la psicología, la fotografía e incluso a la justicia criminal (propugnó por el análisis científico de las huellas dactilares para identificar a los criminales). Por el camino, inventó los conceptos estadísticos de la desviación estándar y la regresión lineal, y los utilizó para estudiar el comportamiento humano.

Una de sus fascinaciones principales tenía que ver con los motores que potencian el intelecto humano, sobre todo lo relacionado con la herencia. Y fue el primero en comprender que la inteligencia tenía características hereditarias y, al mismo tiempo, estaba fuertemente influenciada por el entorno. Fue él quien acuñó la expresión "naturaleza *versus* crianza". Gracias a estos descubrimientos, puede que haya sido el responsable principal de inspirar a los científicos a estudiar las raíces de la inteligencia humana. Pero a medida que los científicos empezaron a investigar el tema sistemáticamente, desarrollaron una curiosa compulsión por describir la inteligencia humana con una sola cifra. Empezaron entonces a usar test —que todavía se usan— para producir estas cifras. El primero es nuestro muy mencionado test de CI, es decir, de coeficiente intelectual.

Los test de CI fueron diseñados originalmente por un grupo de psicólogos franceses, entre ellos Alfred Binet, con la inocente pretensión de identificar a los niños con necesidades especiales que requerían ayuda en la escuela. El grupo concibió treinta tareas que iban desde tocarse la nariz a establecer patrones de memoria. El diseño de estos test contaba con muy poco respaldo empírico del mundo real, y Binet advertía constantemente en contra de una interpretación literal de los mismos. Con una intuición clarividente, sentía que la inteligencia era bastante moldeable y que sus test tenían verdaderos márgenes de error. Pero el psicólogo alemán William Stern empezó a usar los test para medir la inteligencia de los niños, cuantificando las puntuaciones con el término de "CI". El resultado era la proporción de la edad mental del niño dividida por su edad cronológica y multiplicada por cien. Por tanto, un niño de diez años que podía resolver problemas que normalmente resuelve uno de quince tenía un CI de 150: (15/10) x 100. Los test se volvieron muy populares en Europa, después cruzaron el Atlántico.

En 1916, el profesor de Stanford Lewis Terman quitó algunas preguntas y añadió otras; pero también sin muchas razones empíricas para hacerlo. Desde entonces, esta configuración se ha conocido como el test Stanford-Binet. Con el tiempo, la proporción se cambió por una cifra distribuida sobre una curva de distribución normal, con el promedio en 100. Un segundo test, desarrollado en 1923 por el oficial del ejército británico Charles Spearman, que después se convirtió en psicólogo, medía lo que él llamó "cognición general", hoy en día conocido simplemente como "factor g". Spearman observó que las personas que obtenían puntuaciones por encima del promedio en una subcategoría de test de "papel y lápiz" tendían a obtener buenas puntuaciones en el resto. Este test mide la tendencia del desempeño en una cantidad de tareas cognitivas que deben ser interrelacionadas.

Durante décadas se ha discutido sobre lo que se mide con estos test y cómo deberían ser utilizados. Y esto es bueno, pues las medidas de la inteligencia son menos estables de lo que mucha gente cree.

Ganar y perder un kilo de CI

Recuerdo la primera vez que vi en la pantalla a la actriz Kristie Alley, interpretando un personaje inteligente y sexy en una película de *Star Trek*. A partir de allí, esta ex porrista protagonizó una cantidad de programas de televisión, incluyendo el papel por el que ganó dos Emmys en la legendaria comedia *Cheers*. Pero es probable que esta actriz sea más conocida por sus problemas de peso. En 2005, según se dijo, Kristie pesaba más de noventa kilos, principalmente debido a sus malos hábitos alimentarios. Entonces se convirtió en vocera de un programa para perder peso y en algún momento protagonizó un programa de televisión sobre una actriz con sobrepeso que intenta conseguir trabajo en Hollywood. Con el tiempo, adelgazó 35 kilos, pero su peso ha seguido oscilando desde entonces.

¿Qué tiene que ver la inestabilidad del peso de esta actriz con nuestra discusión sobre la inteligencia? Pues que al igual que la talla de ropa de Kristie Alley, el CI es maleable. Se ha demostrado que el CI de una persona varía a lo largo de su vida, además de ser sorprendentemente vulnerable a las influencias de su entorno. Puede cambiar si estamos estresados, viejos o viviendo en una cultura diferente a la de la mayoría que presenta el test. El CI de un niño está influenciado por su familia. Crecer en una misma familia tiende a incrementar las semejanzas en el CI de unos hermanos, por ejemplo. Las personas pobres tienden a tener CI mucho más bajos que los ricos. Y si usted está por debajo de cierto nivel salarial, los factores económicos influirán mucho más en el CI de su hijo que si estuviera en la clase media. Un niño que nace pobre pero es adoptado por una familia de clase media ganará, en promedio, de 12 a 18 puntos en el CI.

Hay personas a las que les cuesta creer que el CI sea tan maleable. Creen que cifras como el CI o el "factor g" son algo permanente como la fecha de nacimiento, y no algo fluctuante como la talla de ropa. Los medios de comunicación también suelen plantear nuestras capacidades intelectuales en términos permanentes, y nuestra propia experiencia parece estar de acuerdo: Algunas personas nacen inteligentes, como Theodore Roosevelt, otras no. Esta suposición es demasiado simplista. Pero la inteligencia no es sencilla, ni tampoco nuestra capacidad de medirla.

Más inteligentes con los años

Una prueba irrefutable es el hecho de que, de alguna manera, los CI han ido aumentando con los años. De 1947 a 2002, el CI colectivo de los niños estadounidenses aumentó dieciocho puntos. James Flynn, un viejo filósofo australiano, despelucado y malhumorado, descubrió este fenómeno (un polémico descubrimiento, alegremente bautizado como el "efecto Flynn"). Flynn diseñó el siguiente experimento de pensamiento: tomó el CI estadounidense promedio de 100 e hizo los cálculos hacia atrás a partir del año 2009 con el índice observado. Y resultó que, para 1900, el CI promedio de los estadounidenses habría estado entre 50 y 70. Esta es la puntuación de la mayoría de personas con síndrome de Down, una clasificación conocida como "ligero retraso mental". Pero la mayoría de nuestros conciudadanos del cambio de siglo no tenían síndrome de Down. ¿Hay algún problema con las personas o con la medición? Claramente, hay que actualizar la noción de la permanencia del CI.

Yo sí creo en el concepto de la inteligencia, y creo que el CI y el factor g evalúan ciertos aspectos de la misma. En esto coincido con muchos de mis colegas, que firmaron el editorial de 1997 de la revista de investigaciones *Intelligence*, en el que se afirma que "el CI está fuertemente relacionado —probablemente más que cualquier otro rasgo humano mensurable— con muchos e importantes resultados educativos, ocupacionales, económicos y sociales". De acuerdo. Pero me gustaría saber qué es lo que se mide en realidad.

¿Qué quiere decir ser inteligente?

La variabilidad de estos test de CI puede resultar frustrante. Los padres quieren saber si su hijo es inteligente, y quieren que lo *sea*. Teniendo en cuenta que la economía actual se basa en el conocimiento, esto tiene sentido. No obstante, al ahondar en el asunto, lo que muchos de los padres desean es que sus hijos sean exitosos académicamente, lo cual es una mejor garantía para su futuro. ¿El promedio de inteligencia y el de las notas están relacionados? Lo están, pero no son lo mismo. Y la relación no es tan fuerte como uno pensaría.

Las cifras solas —e incluso correlaciones entre las cifras solas— no son lo suficientemente flexibles para describir las muchas complejidades de la inteligencia humana. Así lo expresó Howard Gardner, psicólogo de Harvard, que publicó su teoría de las inteligencias múltiples en 1993: "Hay evidencias sólidas de que la mente es un instrumento multifacético y multicomponente que no puede ser capturado, de ninguna manera legítima, por un solo instrumento de tipo lápiz y papel". ¿Está a punto de tirar la toalla? ¿Acaso la inteligencia ha de convertirse en objetivo de comentarios como "No sé qué es, pero la reconozco al verla"?. Pues no, pero para poder ver más claramente el asunto tendremos que reemplazar esta noción de "cifra que sirve para todos".

La inteligencia humana se parece más a los ingredientes de un estofado que a unos números desperdigados en una hoja de cálculo.

El estofado de mamá: 7 ingredientes de la inteligencia

El olor del estofado de mi madre cociéndose en la cocina en una fría noche de invierno es, fácilmente, uno de los mejores recuerdos de comida casera que pueda tener. El borboteo de la carne hirviendo a fuego lento, el olor dulce y picante de las cebollas picadas, la deliciosa imagen de los trozos de zanahoria flotando en la olla. El estofado de mamá era como un cálido abrazo servido en un tazón.

En una ocasión, me llevó a la cocina para enseñarme a prepararlo. Una tarea nada fácil, pues tenía la dichosa costumbre de cambiar la receta cada vez que lo hacía. "Depende de quién vaya a venir a comer", me explicó. "O de lo que tengamos en la nevera". Según ella, solo había dos ingredientes decisivos para lograr la obra maestra. Uno era la calidad de la carne. El otro era la calidad del *roux*, es decir de la salsa, que rodeaba la carne. Con estos dos ingredientes garantizados, el estofado sería un éxito, sin importar qué más se echara en la olla.

2 elementos esenciales: memoria e improvisación

Como el estofado de mamá, la inteligencia humana tiene dos ingredientes esenciales, y ambos están fundamentalmente vinculados con nuestra necesidad evolutiva de sobrevivir. Uno de ellos es la capacidad de registrar información, lo que se conoce a veces como "inteligencia cristalizada" y abarca los diversos sistemas de memoria del cerebro, los cuales se combinan para crear una base de datos suntuosamente estructurada. El otro es la capacidad de adaptar esa información a situaciones únicas, la cual implica la capacidad de improvisar, basada en parte en la capacidad de recordar y recombinar partes específicas de la base de datos. Esta capacidad de razonar y resolver problemas se conoce como "inteligencia fluida". Desde una perspectiva evolutiva, esta potente combinación de memorización e improvisación nos confirió dos conductas claves para la supervivencia: la capacidad de aprender rápidamente de nuestros errores y la capacidad de aplicar ese aprendizaje en combinaciones únicas en el mundo brutal y siempre cambiante de nuestra cuna africana.

La inteligencia, vista a través de este lente evolutivo, es, sencillamente, la capacidad de hacer estas actividades mejor que nadie.

No obstante, por más obligatorias que sean la memoria y la inteligencia fluida, no son los únicos ingredientes de la inteligencia humana. Tal como la receta cambiante de mi madre, en las ollas cerebrales de las distintas familias se cuecen distintas combinaciones de talentos. Puede que un hijo tenga mala memoria pero unas destrezas cuantitativas impresionantes. Una hija puede tener una facilidad extraordinaria para los idiomas pero quedarse perpleja ante las divisiones. ¿Cómo decir que el uno es más inteligente que la otra?

El estofado de la inteligencia humana tiene muchos más ingredientes, y a continuación describiré los cinco que creo que los padres harían bien en considerar al contemplar los dones intelectuales de su hijo:

- El deseo de explorar
- Autocontrol
- Creatividad
- Comunicación verbal
- Decodificación de la comunicación no verbal

La mayoría de estas características caen por fuera del espectro de los sospechosos usuales del CI. Creemos que muchos de ellos tienen raíces genéticas, y la mayoría pueden verse en los recién nacidos. Pero por más enraizados que puedan estar en nuestra historia evolutiva estos cinco ingredientes, no están aislados del mundo que nos rodea. La crianza —incluso para Teddy Roosevelt— cumple un papel importante en el que un niño pueda maximizar su inteligencia.

1. El deseo de explorar

Este es uno de mis ejemplos favoritos del deseo de explorar de los niños. Sucedió en el bautismo presbiteriano de un bebé de nueve meses. En un principio, todo iba bien. El bebé reposaba tranquilamente en los brazos de su padre, esperando su turno para que lo rociaran delante de toda la congregación. Cuando los padres se giraron hacia el pastor, el bebé descubrió el micrófono de mano y enseguida trató de quitárselo, sacando la lengua para lamer la rejilla. El pequeñín, que al parecer creía que era una especie de helado, decidió poner a prueba esta hipótesis.

Este era un comportamiento sumamente inapropiado para la ocasión, de modo que el pastor apartó el micrófono del alcance del niño, y entonces se dio cuenta de su error inmediatamente. El bebé se puso a chillar, tratando de zafarse para apoderarse del micrófono, lamiendo el aire todo el tiempo. Estaba explorando, ¡maldición!, y no le agradaba que lo interrumpiesen en su búsqueda del conocimiento. Sobre todo si tenía que ver con azúcar.

No sé los padres, pero yo estaba encantado de ver un ejemplo tan selecto del entusiasmo investigativo infantil. Los padres han sabido que los niños son científicos por naturaleza desde mucho antes de la aparición de los micrófonos, pero no fue sino hasta la segunda mitad del siglo XX cuando pudimos aislar los componentes de sus maravillosas conductas exploratorias.

Miles de experimentos confirman que los bebés aprenden acerca de su entorno mediante una serie de autocorrecciones sucesivas. Experimentan observaciones sensoriales, hacen predicciones sobre lo que observan, diseñan y emplean experimentos para poner a prueba sus predicciones, evalúan sus propios test y añaden ese conocimiento a una creciente base de datos generada por ellos mismos. El estilo es dinámico por naturaleza, maravillosamente flexible y de una persistencia irritante. Los pequeños usan la inteligencia fluida para extraer información, después la cristalizan en la memoria. Nadie les enseña a hacer esto, y sin embargo, así lo hacen todos los niños de todas partes del mundo. Esto es un indicio de las fuertes raíces evolutivas del comportamiento humano. Los bebés son *científicos*, tal como los padres lo han sospechado todo el tiempo. Y su laboratorio es el mundo entero, incluyendo los micrófonos de la iglesia.

El ADN de un innovador

El comportamiento exploratorio —la disposición a experimentar, a plantear preguntas extraordinarias sobre cosas ordinarias— es un talento muy apreciado en el mundo laboral. Las buenas ideas suelen pagarse bien. Y este rasgo parece ser una estrategia de supervivencia tan valiosa hoy como en los días del Serengueti. ¿Qué rasgos diferencian a las personas creativas y visionarias, que inventan sistemáticamente ideas económicamente exitosas, de las menos imaginativas y de tipo gerencial que las implementan? Dos investigadores de empresas estudiaron esta pregunta sencilla y realizaron un estudio gigantesco de seis años con más de tres mil ejecutivos innovadores, que iban desde químicos hasta ingenieros informáticos. Tras su publicación en el año 2009, el estudio ganó un premio del *Harvard Business Review*.

Los visionarios tenían cinco características en común, a las que los investigadores denominaron "el ADN del innovador". He aquí las tres primeras:

- **La capacidad de asociar creativamente.** Podían ver conexiones entre conceptos, problemas o preguntas aparentemente carentes de relación.
- **La molesta costumbre de preguntar constantemente** "y qué tal si". Y "por qué no" y "por qué lo haces así". Estos visionarios exploraban los límites del statu quo, hurgándolo, aguijoneándolo, elevándose hasta una perspectiva de diez mil metros de altura para ver si algo tenía sentido y después bajar a la Tierra a toda velocidad con sus sugerencias.
- **El deseo insaciable de jugar y experimentar.** Los empresarios emprendedores pueden dar con una idea, pero su inclinación inicial es la de desmenuzarla, aun cuando la idea sea de ellos. Mostraban una incesante necesidad de ponerlo todo a prueba: encontrar los límites de las cosas, la superficie de un área, la tolerancia, los perímetros de las ideas..., las de ellos, las mías, las de usted, *las de cualquiera*. Estaban en una misión: misión descubrimiento.

¿Cuál es el común denominador de estas características? Una disposición a explorar. ¿Y el mayor enemigo? El sistema basado en la no exploración, en el que solían encontrarse los innovadores. Hal Gregersen, uno de los autores principales del estudio, señaló en el *Harvard Business Review*: "Se pueden resumir todas las capacidades que hemos señalado con una sola palabra: '*inquisitividad*'. Llevo veinte años estudiando a los grandes líderes globales, y ese fue el común denominador principal". Después se refería a los niños:

"Si observamos a los niños de cuatro años, están preguntando cosas todo el tiempo. Pero para cuando tienen seis años y medio, dejan de hacer preguntas, pues han aprendido que los profesores valoran más las respuestas correctas que las preguntas que hacen reflexionar. Son pocos los estudiantes de bachillerato que demuestran ser inquisitivos. Y para cuando se han convertido en adultos y están en un entorno corporativo, ya les han extirpado la curiosidad. El 80 por ciento de los ejecutivos pasa menos del 20 por ciento de su tiempo descubriendo ideas nuevas".

Esto es descorazonador. Y nunca he podido entender por qué hemos diseñado nuestros colegios y oficinas de este modo. Pero hay cosas que usted, en su calidad de padre o madre, puede hacer para estimular el deseo natural de su hijo de explorar, empezando por comprender cómo la inquisitividad contribuye al éxito intelectual.

2. Autocontrol

Un niño saludable y equilibrado está sentado ante una mesa sobre la cual reposan dos galletas gigantescas, recién salidas del horno. Pero no es la mesa de una cocina..., es el laboratorio de Walter Mischel en Stanford, a finales de la década de los sesenta. Huelen delicioso. "¿Ves esas galletas?", dice Mischel. "Puedes comerte una ahora mismo, si quieres, pero si esperas, puedes comerte las dos. Tengo que irme cinco minutos. Si cuando vuelva no te has comido ninguna, te permitiré comerte *ambas*. Pero si te comes una mientras no estoy, no puedes comerte la segunda. ¿Trato?" El niño asiente. El investigador se marcha.

¿Qué hace el niño? Mischel tiene los videos más graciosos y encantadores de las reacciones de los niños. Se retuercen en su silla. Le dan la espalda a las galletas (o malvaviscos o cualquiera que sea la tentación calórica, dependiendo del día). Se sientan sobre las manos. Cierran un ojo, luego los dos, después echan un vistazo. Quieren comerse las dos galletas, pero no es fácil. Si son niños en edad preescolar, el 72 por ciento sucumbe y devora la galleta. Sin embargo, si están en cuarto grado, solo el 49 por ciento sucumbe a la tentación. En sexto, la cifra disminuye al 38 por ciento, casi la mitad del porcentaje de los preescolares.

Bienvenido al interesante mundo del control de los impulsos. Este hace parte de una serie de conductas agrupadas bajo el término colectivo de "función ejecutiva". La función ejecutiva controla la planificación, la previsión, la resolución de problemas y la formulación de metas, e implica varias partes del cerebro, incluyendo una forma de memoria a corto plazo conocida como memoria de trabajo. Mischel y sus colegas descubrieron que la función ejecutiva del niño es un componente clave de su capacidad intelectual.

Ahora sabemos que incluso es un *mejor* predictor del éxito académico que el CI. Y con una diferencia nada pequeña: Mischel descubrió que los niños podían postergar la gratificación durante quince minutos obtenían 210 puntos más en sus exámenes estatales que los que solo podían postergarla un minuto.

¿Por qué? La función ejecutiva depende de la capacidad de filtrar pensamientos distractores (tentadores en este caso), lo cual es crítico en entornos sobresaturados de estímulos sensoriales y multitudes de opciones. Así es nuestro mundo, como habrá podido notar, y así será el mundo de sus hijos. Tan pronto el cerebro ha escogido los estímulos relevantes dentro de una ruidosa pila de opciones irrelevantes, la función ejecutiva le permite concentrarse en la tarea y cerrarles las puertas a las distracciones improductivas.

En el plano neurobiológico, el autocontrol proviene de "señales de valor común" (medidas de la actividad neuronal), generadas por un área específica del cerebro que está detrás de la frente y que se llama —alerta: jerga cerebral a la vista—: corteza prefrontal ventromedial. Otra área del cerebro, la corteza prefrontal dorsolateral, le lanza corrientazos a su prima ventromedial; y cuanto mayor sea la práctica que el niño tenga en postergar la gratificación, mejor apuntará el corrientazo y mayor será el control que pueda ejercer sobre el comportamiento. Inicialmente, los investigadores descubrieron esto mientras les pedían a adultos sanos y conscientes de su dieta que miraran fotos de unas zanahorias para luego mostrarles fotos de

En realidad, la función ejecutiva es incluso un mejor predictor del éxito académico que el CI.

unos chocolates, ante las cuales sus cerebros ejercían unas poderosas señales de "no-importa-que-sea-azúcar-no-puedes-comértelo".

El cerebro de un niño puede entrenarse para ejercer el autocontrol y otros aspectos de la función ejecutiva. Pero los genes, sin duda, ponen de su parte. Parece haber un horario innato de desarrollo, lo cual explica por qué el experimento de las galletas muestra una diferencia entre los niños de preescolar y los de sexto grado. Algunos muestran estas conductas temprano, otros más tarde. Algunos luchan contra ellas durante toda su vida. Es otra expresión más de la individualidad del cableado de cada cerebro. Pero a los niños que son capaces de filtrar las distracciones, según los datos científicos, les va mucho mejor en el colegio.

3. Creatividad

Rembrandt era el artista preferido de mi madre. Le encantaba su uso de la luz y el espacio, que la transportaba sin ningún esfuerzo a su mundo del siglo XVII. El arte del siglo XX, en cambio, casi no le gustaba. Recuerdo cómo renegaba de que pusieran la *Fontana* de Marcel Duchamp —un simple orinal— en el mismo firmamento de su amadísimo Van Rijn. ¿Un orinal como obra de arte? ¿Y ella lo *odiaba*? Para mí, un niño de once años, ¡era el paraíso artístico!

Mi madre, a quien le debo cada átomo de curiosidad que tengo, reaccionó con su típica intuición y gracia materna: dejó a un lado sus preferencias para dar cuerda a mi curiosidad. Y, un día, trajo a casa dos afiches envueltos en papel cartón. "Imagina", empezó con los ojos ligeramente entornados, "que trataras de expresar en dos dimensiones toda la información de un objeto tridimensional. ¿Cómo lo harías?" Traté de encontrar la respuesta correcta, o cualquier respuesta, pero en vano. "¡A lo mejor se te ocurriría algo así!". Con la elegancia de una actriz (lo cual había sido brevemente), mamá abrió la bolsa y sacó dos obras maestras de Picasso: *Los tres músicos* y *Violín y guitarra*. Fue amor a primer cubo.

No es por demeritar a Rembrandt, pero *Los tres músicos* fue toda una revelación para mí, así como la mente creativa que lo concibió. ¿Por qué pensé eso? ¿Cómo reconocemos la creatividad? Es una pregunta difícil, empapada de subjetividad cultural y experiencia individual, como lo mostraban las diferencias entre mi madre y yo. Sin embargo, los investigadores creen que la creatividad tiene unos cuantos componentes esenciales; entre ellos, la capacidad de percibir nuevas relaciones entre cosas viejas, de inventar ideas o cosas o *lo que sea* que no existe actualmente. (El intento de retratar lo tridimensional en un mundo bidimensional se me viene a la cabeza en este momento.) La creatividad también debe suscitar emociones, sean positivas o negativas, en el otro. Algo —un producto, un resultado— debe surgir del proceso. E implica una buena dosis de riesgo. Se necesitaba tener muchas agallas para pintar un cuadro de músicos que parecía como si hubieran explotado. Y para poner un orinal en una exposición en Nueva York en 1917 y decir que era arte.

La creatividad humana implica muchos grupos de artilugios cognitivos, desde la memoria episódica hasta la autobiográfica. Como un TiVo que graba una comedia, estos sistemas permiten que el cerebro les siga la pista a los acontecimientos que suceden en nuestra vida, proporcionándonos así una referencia a nuestras experiencias personales tanto en el tiempo como en el espacio. Gracias a estos sistemas de memoria episódica, usted puede recordar que fue a la tienda y qué compró, por no mencionar al idiota que le pegó en el tobillo con el carrito de la compra. Son unos sistemas distintos a los sistemas que le permiten calcular el IVA de su compra, o incluso recordar qué es el IVA. Pero esto no es lo único que hacen los sistemas episódicos.

La científica Nancy Andreasen descubrió que estos TiVos son llamados a filas cuando las personas innovadoras empiezan a asociar *conectivamente*, estableciendo conexiones perspicaces entre cosas que aparentan no tener relación alguna y que les permiten *crear*. Estos TiVos residen en regiones cerebrales llamadas cortezas asociativas, que son enormes en los humanos y que se extienden como telarañas por los lóbulos frontales, parietales y temporales.

Otro conjunto de descubrimientos asocia la creatividad con la toma de riesgos. Pero no estoy hablando de la insensatez del universitario que se come dieciséis trozos de pizza de una sola sentada porque alguien llamado Tom-Tom lo retó (no me pregunte nada). La toma de riesgos anormal, que está relacionada con el abuso de drogas y la manía bipolar, no nos hace más creativos. Pero hay una toma de riesgos que sí, y es lo que en la comunidad científica se conoce como "impulsividad funcional". Los investigadores revelaron dos sistemas de procesamiento neural que manejan la impulsividad funcional. Uno gobierna las conductas de toma de decisiones de bajo riesgo, o frías; el otro gobierna las conductas de toma de decisiones de alto riesgo, o calientes. Una decisión fría puede ser la que toma un niño al ir a su restaurante favorito con un amigo. Una caliente puede ser pedir una pizza con picante diabólico porque el amigo lo reta.

Con todas las cosas absurdas que hacen los niños, ¿cómo podemos distinguir la impulsividad funcional de la toma anormal de riesgos? Infortunadamente, no hay ningún test que pueda diferenciar el riesgo "productivo" del "estúpido" en los niños (o en los adultos).

Las investigaciones sobre los riesgos muestran unas diferencias basadas en el sexo, como, por ejemplo, que los niños son menos cautelosos que las niñas. Una diferencia que empieza a hacerse evidente en el segundo año de vida, para luego dispararse: entre el nacimiento y la pubertad, los niños varones tienen un 73 por ciento más de probabilidades de morir por un accidente, y rompen las reglas con mayor frecuencia. Sin embargo, en las últimas décadas, las diferencias según el sexo han empezado a disminuir, quizá por el cambio en las expectativas. En cuestiones como esta, separar la naturaleza de la crianza es muy pero muy difícil.

Sea cual sea su sexo, los emprendedores creativos tienen los instintos de la impulsividad funcional por cantidades. Obtienen puntuaciones altísimas en los test que miden la toma de riesgos y tienen una sólida capacidad para lidiar con la ambigüedad. Al estudiar mediante resonancia magnética el cerebro de estas personas en pleno acto de creatividad, los sectores medial y orbitario de la corteza prefrontal, que están justo detrás de los ojos, se activan como locos. Las personas de un estilo más "gerencial" (así las llaman los investigadores) no tienen estos resultados... ni estas actividades neuronales.

¿Se puede predecir la creatividad de los niños? El psicólogo Paul Torrance creó un examen de noventa minutos llamado Test de Torrance de pensamiento creativo, compuesto de problemas realmente deliciosos. Por ejemplo, a los niños se les presenta la foto de un conejo de peluche y luego se les dice que tienen tres minutos para mejorar el diseño y hacerlo más divertido. O se les presenta un garabato y se les pide que hagan un relato a partir de este, también en un lapso de tres minutos. Torrance realizó el examen por primera vez en 1958, con varios cientos de niños, para después seguirlos en su adultez, evaluando su creatividad todo el tiempo (en cosas como patentes presentadas, libros escritos, artículos publicados, becas recibidas y negocios desarrollados). El estudio aún sigue en marcha, y a los participantes se les conoce como "los niños de Torrance". Puesto que Torrance murió en 2003, sus colegas supervisan ahora el estudio.

Como herramienta de investigación, este examen ha sido evaluado formalmente muchas veces. Y aunque se le han hecho críticas, su conclusión más asombrosa es lo bien que el puntaje de un niño pronostica su rendimiento creativo en la vida, en una correlación tres veces más firme de lo que puede predecir el CI. El test se ha traducido a cincuenta idiomas y lo han tomado millones de personas. Es el estándar de referencia para evaluar la creatividad en los niños.

4. Comunicación verbal

La experiencia más memorable de mi año de novato en la crianza de nuestro hijo menor, Noah, fue el momento en que dijo su primera palabra de varias sílabas. Los primeros seis meses de Noah habían sido un manantial de alegría para la familia. Tenía una sonrisa tan efervescente como una gaseosa y una risa borboteante como un baño de espuma, y se enfrentó al desarrollo del lenguaje con la misma alegría. También tenía un interés especial por las criaturas marinas, de lo que culpo por igual a *Buscando a Nemo* y la *National Geographic*. En el techo, encima de su cambiador, habíamos puesto unas imágenes de animales marinos y una caricatura de un pulpo rojo gigante. No había dicho ninguna palabra completa aún, pero estaba a punto de hacerlo.

Una mañana, estaba cambiándole el pañal justo antes de irme a trabajar, cuando Noah dejó de sonreír y se quedó mirando el techo mientras yo lo limpiaba. Lenta, deliberadamente, señaló con el dedo hacia arriba, luego bajó los ojos, me miró fijamente y dijo con voz clara: "Oct-o-pus" [pulpo]. Después se rió sonoramente. Volvió a señalarlo y dijo con voz más fuerte: "¡OCT-O-PUS!", y volvió a reírse. Casi me da un ataque cardiaco. "¡Sí!", grité, "¡OCTOPUS!" "Octo, octo, octopus", respondió, riéndose. A mí se me olvidó lo que tenía que hacer esa mañana —creo que llamé al trabajo para decir que estaba en enfermo— y los dos bailamos y cantamos todo el día, celebrando a los octópodos. Más palabras se sucedieron rápidamente en los días siguientes. (Al igual que mi absentismo.)

Es imposible discutir el hecho de que las destrezas verbales son importantes para la inteligencia humana. Incluso entran en los test de CI. Una de las alegrías principales de cualquier padre es ver a un hijo forcejeando con este talento en sus primeros años de vida. ¿Qué sucedió en el cerebro de Noah que hizo que tantas cosas se juntaran de pronto en ese cambiador, o qué sucede en el cerebro de cualquier niño cuando el lenguaje aterriza en ellos como una sorpresa? La verdad es que no lo sabemos. Hay muchísimas teorías acerca de cómo adquirimos el lenguaje. El famoso lingüista Noam Chomsky cree que nacemos con un software preprogramado en nuestra cabeza, al que él llama "gramática universal".

En cuanto se pone en marcha, el lenguaje tiende a desarrollarse rápidamente. En cuestión de año y medio, la mayoría de los niños pueden pronunciar cincuenta palabras y comprender unas cien más. Para los 36 meses, la cifra asciende a mil palabras, y llega a las seis mil justo antes del sexto cumpleaños. Calculando desde el nacimiento, adquirimos nuevas palabras a una velocidad de tres al día. Este proyecto tarda un buen tiempo en terminar, pues es bastante complejo. Además del vocabulario, los niños tienen que aprender los sonidos del idioma (fonemas) y el significado social de las palabras (intención afectiva).

Los niños empiezan a seguirle la pista a estas características del lenguaje a una edad asombrosamente temprana. Al nacer, su bebé puede distinguir los sonidos de todos los idiomas que existan. La profesora Patricia Kuhl, codirectora del Instituto para el Aprendizaje y las Ciencias del Cerebro de la Universidad de Washington, quien descubrió este fenómeno, llama "ciudadanos del mundo" a los niños de esta edad. Así lo plantea Chomsky: no nacemos con la capacidad de hablar un idioma específico. Nacemos con la capacidad de hablar cualquier idioma.

Los ciudadanos del mundo se convierten en ciudadanos de la nación

Las cosas cambian, infortunadamente. Kuhl descubrió que, para el primer cumpleaños, los bebés ya no pueden distinguir los sonidos de cualquier idioma del planeta, sino de los idiomas a los que hayan estado expuestos durante los últimos seis meses. Hay excepciones, como siempre. Con entrenamiento, los adultos podemos aprender a distinguir los sonidos de otros idiomas. Pero, en general, el cerebro parece tener una ventana de oportunidad limitada en un espacio de tiempo asombrosamente temprano. Las puertas cognitivas empiezan a cerrarse hacia los seis meses, y a no ser que algo las sostenga abiertas, estas se cierran. Para los doce meses, el cerebro del bebé ha tomado decisiones que lo marcarán para el resto de su vida.

¿Qué puede ser lo suficientemente fuerte para evitar que estas puertas se cierren? Es una pregunta que se han planteado Kuhl y otros investigadores. Digamos que, durante ese periodo crítico, usted expone a su bebé a la grabación de alguien hablando un idioma extranjero. ¿Esto mantendrá abiertas las puertas? No. ¿Y si le pone un DVD de alguien hablando un idioma extranjero? Las puertas se cierran de todos modos. Solo hay una cosa que mantiene estas puertas abiertas a otro idioma: las palabras deben llegarle mediante una interacción social. Una persona de carne y hueso debe entrar en la habitación y hablarle el idioma directamente. Si el cerebro del bebé detecta esta interacción social, sus neuronas empezarán a registrar el segundo idioma, con sus fonemas y todo. Para ejecutar estas tareas cognitivas, el cerebro necesita una estimulación interactiva, rica en información, provista por otro ser humano.

Enclavada en estas conclusiones hay una idea explosiva, que cuenta con el respaldo empírico de las ciencias del desarrollo: *El aprendizaje humano, en su fase más primaria, es principalmente un ejercicio relacional*. La inteligencia no se desarrolla en los crisoles electrónicos de unas máquinas inertes y frías, sino en los brazos cálidos de personas afectuosas. Usted puede, literalmente, recablear el cerebro de su hijo mediante la exposición a las *relaciones*.

¿Oye esa risa? Es mi hijo Noah, demostrándole a su viejo padre lo importante que es la crianza activa para enseñarle algo tan maravilloso, y tan humano, como el lenguaje.

La inteligencia no se desarrolla en los crisoles electrónicos de unas máquinas inertes y frías, sino en los brazos cálidos de personas afectuosas.

5. Decodificación de la comunicación no verbal

Aunque el habla es un rasgo único de los seres humanos, está enclavado en un inmenso mundo de conductas comunicativas, muchas de las cuales son utilizadas por otros animales. Pero no siempre comunicamos lo mismo, como lo descubrió un niño de dos años un soleado día californiano. Esta confusión lo hizo pasar una semana en el hospital.

El pequeño había salido a pasear por el barrio con su madre, que paró para charlar con un amigo. Mientras tanto, el niño se adentró un poco en el jardín de un vecino. O más bien debería decir el jardín del Doberman del vecino. Desconocedor de la conducta territorial canina, el niño de dos años vislumbró una monedita brillante en el césped del vecino y se apresuró a recogerla. El perro lo fulminó con la mirada, soltó varios ladridos de advertencia, bajó la cabeza para cubrirse la yugular y emitió un gruñido amenazante. Desconcertado, el niño alzó la mirada e hizo contacto visual. Esto equivaldría a una declaración de guerra canina... y a una larga estadía en urgencias. El perro se abalanzó sobre el cuello del niño, pero le mordió el brazo. Veinte puntos después, un juzgado ordenó practicarle la eutanasia al animal. Pero este solo había actuado por un antiguo reflejo conductual que implica una reacción a nada más y nada menos que el rostro de alguien.

La comunicación cara a cara tiene muchos significados en el mundo animal, la mayoría de los cuales no son muy agradables en realidad. Examinar un rostro para extraer información social compone una poderosa rebanada de la historia evolutiva de los mamíferos. Pero los humanos usamos nuestras caras, incluido el contacto visual, por muchas razones distintas a comunicar una amenaza. Tenemos el sistema de mensajes no verbales más sofisticado del planeta. Desde pequeños, vivimos comunicando información social a través de nuestro cuerpo, en coordinación con las sonrisas y los ceños fruncidos, los cuales constituyen las joyas de la corona de la información extrospectiva (¿recuerda este término?), que es una forma poderosa de comunicar algo rápidamente.

Aunque hoy en día hay muchos mitos en torno al lenguaje corporal (a veces cruzamos y descruzamos las piernas simplemente porque estamos cansados), su estudio ha desvelado verdaderos descubrimientos, algunos de los cuales son relevantes para la crianza. Dos de los estudios más intrigantes tienen que ver con cómo el lenguaje corporal y los gestos interactúan con el habla humana.

Aprender el lenguaje de señas puede estimular la cognición en un 50 por ciento

A medida que se desarrollaban en nuestra historia evolutiva, los gestos y el habla usaron circuitos neuronales similares. David McNeill, psicolingüista de la Universidad de Chicago, fue el primero en sugerirlo, al proponer que las destrezas verbales y no verbales podían mantener unos vínculos fuertes pese a su separación en distintas esferas del comportamiento. Y no se equivocaba. Los estudios lo confirmarían con un descubrimiento desconcertante: personas que no podían mover las extremidades después de sufrir una lesión cerebral también perdían cada vez más su capacidad de comunicarse verbalmente. Estudios con bebés demostrarían la misma asociación directa. Ahora sabemos que los niños no adquieren un vocabulario más sofisticado sino hasta haber mejorado la motricidad fina de sus dedos, un descubrimiento extraordinario. Los gestos son "ventanas a los procesos de pensamiento", señala McNeill.

¿Aprender gestos físicos podría mejorar otras facultades cognitivas? Así lo sugiere un estudio, pero hace falta investigar más. A niños de primer grado con audición normal se les dio una clase de lenguaje de señas durante nueve meses, después presentaron una serie de test. Los puntajes obtenidos por estos niños en las pruebas de concentración de la atención, capacidades espaciales, memoria y discriminación visual resultaron drásticamente mejores —hasta un 50 por ciento— comparados con los del grupo de control que no había recibido la clase.

Los bebés necesitan tiempo cara a cara

Como se imaginará, las expresiones faciales componen un importante subconjunto de los gestos. A los bebés les encanta contemplar rostros humanos. Y si bien el de mamá es el gran favorito, prefieren cualquier cara humana ante la de un mono, una llama, un gato o un perro. ¿Qué buscan? Información emocional. ¿Está usted feliz? ¿Triste? ¿Preocupado?

Todos pasamos mucho tiempo leyendo rostros. La comunicación no verbal de una persona puede confirmar su comunicación verbal, socavarla o incluso contradecirla, y nuestras relaciones dependen de nuestra capacidad de interpretarla. Los humanos leemos los rostros por acto reflejo, y esto podemos verlo incluso a la edad más temprana del bebé. Es una destreza que se desarrolla con el tiempo. Algunas personas son mejores que otras, y a veces nos equivocamos al interpretarla. Es lo que los investigadores denominan "el error de Otelo".

En la tragedia de Shakespeare, el moro cree que su esposa está engañándolo, y se enfurece al confrontarla en su dormitorio. Ella, por supuesto, se lleva un susto de muerte. Y al ver su cara de espanto, él interpreta el miedo como culpa, la única prueba que necesita para confirmar su infidelidad. Antes de estrangularla en la cama, pronuncia estas famosas palabras de amor y odio:

> *¡Sí, que se pudra! ¡Que perezca y baje al infierno esta noche! ¡Porque no vivirá! ¡No; mi corazón se ha vuelto de piedra! ¡Lo golpeo, y me hiere la mano!... ¡Oh! ¡El mundo no contiene más adorable criatura!. ¡Podría yacer al lado de un emperador y dictarle órdenes!*

Pueden necesitarse años de experiencia para descodificar competentemente el rostro de otra persona; y al igual que Otelo, a veces cometemos errores. La única manera de mejorar es interactuando con otras personas. Por eso los bebés necesitan pasar tiempo con otras personas en sus primeros años. No con el computador. Ni con la televisión. El cerebro de su bebé necesita interactuar con usted, en persona, con regularidad.

Eso, o un entrenamiento con el psicólogo Paul Ekman.

Qué hay en un rostro

Paul Ekman, profesor emérito de la Universidad de California-San Francisco, no suele equivocarse al interpretar el rostro de las personas. Ha catalogado más de diez mil posibles combinaciones de expresiones faciales para crear el inventario llamado Sistema de Codificación de la Acción Facial [FACS, por su sigla en inglés]; una herramienta de investigación que le permite al observador avezado diseccionar una expresión en términos de todas las acciones musculares que la produjeron.

Con estas herramientas, Ekman ha descubierto varias cosas sorprendentes acerca del reconocimiento de rostros humanos. Primero, en cualquier lugar del mundo, las personas expresan emociones semejantes usando músculos faciales semejantes. Estas emociones universales básicas son: felicidad, tristeza, sorpresa, asco, ira y temor. Segundo, el control consciente que podemos ejercer sobre nuestros propios rasgos faciales es limitado, lo que significa que delatamos mucha información. Los músculos que rodean los ojos, por ejemplo, no están bajo una administración consciente, y puede ser por esto que tendemos a creerles más.

Uno de los videos de las investigaciones de Ekman muestra la interacción entre un psiquiatra y "Jane", una paciente que había sufrido una depresión tan severa que estaba hospitalizada y bajo vigilancia por riesgo de suicidio. Pero cuando empezó a mostrar verdaderas señas de mejoría, le rogó al médico que la dejara pasar el fin de semana en casa. La cámara está enfocada en el rostro de Jane, en pantalla completa, en el momento en que el médico le da permiso de irse. Cuando Ekman pone el video en cámara lenta, un ramalazo de desesperación profunda cruza el rostro de la chica. No parece poder controlarlo. Pues resulta que Jane planeaba suicidarse al llegar a casa, lo cual reconoció antes de que le dieran de alta, afortunadamente. Ekman usa este video para entrenar agentes de policía y profesionales de la salud mental, y les pregunta si pueden ver el ramalazo de desesperación, que dura más o menos una quinta parte de un segundo. En cuanto sus estudiantes saben qué tienen que buscar, lo reconocen.

Estos ramalazos se conocen como "microexpresiones", gestos faciales que duran una fracción de segundo pero tienden a revelar nuestros sentimientos más verdaderos en respuesta a preguntas formuladas a quemarropa. Ekman descubrió que algunas personas podían detectar e interpretar estas microexpresiones mejor que otras. La gente dice muchas mentiras, y quienes podían captar estas microexpresiones eran buenísimos para detectar falsedades. (La serie de televisión *Lie to Me* está basada en esta premisa.) Ekman descubrió igualmente que podía entrenar gente que leyera estas micro expresiones al mejorar su capacidad de captar señas no verbales.

Prosopagnosia

¿Por qué sabemos que la habilidad de leer rostros es tan fundamental? Por un lado, porque el cerebro dedica buena parte de su inmobiliario neural, incluyendo una importante región llamada giro fusiforme, en la sola tarea de procesar rostros. Un área neural de este tamaño es costosa; y el cerebro no limita un terreno así para una función tan restringida si no es por una muy buena razón.

Sabemos que el cerebro tiene regiones específicas para el reconocimiento de las caras porque una persona puede sufrir una lesión en ellas y perder la capacidad de reconocer a las personas a quienes pertenecen esas caras, lo que se conoce como *prosopagnosia*. Los padres de niños con este trastorno tienen que darles instrucciones como: "Recuerda, Drew es el de la camiseta naranja; Madison es la que lleva el vestido rojo". De lo contrario, no saben quiénes son los niños con los que están jugando. Estos niños no tienen ningún problema en los ojos, el problema está en su cerebro.

Jugar en equipo

Poder interpretar correctamente los gestos y las expresiones faciales es algo que debe hacer sido muy valorado en el despiadado Serengueti. Y esto se debe a que la coordinación social es una gran habilidad de la supervivencia, que resulta útil tanto si está cazando animales más grandes que usted como si está tratando de entenderse con sus vecinos. Entre muchos otros dones, la coordinación social da paso al concepto de trabajo en equipo. La mayoría de los investigadores cree que la capacidad de trabajar en equipo nos permitió dar un salto con pértiga por encima de nuestra debilidad física.

¿Y cómo contribuye la interpretación de rostros con el trabajo en equipo? La capacidad de cooperar en un escenario de alto riesgo requiere un conocimiento íntimo, minuto a minuto, de las intenciones y motivaciones del otro. Conocer los avances del interior psicológico de una persona permite una predicción de su comportamiento, y leer la información emocional reflejada en su rostro es una de formas más rápidas de hacerlo. De modo que quienes podían hacer esto acertadamente funcionaban mejor en el equipo Serengueti. Actualmente, la dificultad de leer la información emocional grabada en las caras se conoce como autismo. El trabajo en equipo es difícil para estas personas.

Los innovadores son expertos en lo no verbal

¿La capacidad de su hijo de leer rostros y gestos podría predecir su éxito en la fuerza laboral del siglo XXI? Así lo creen los investigadores que estudiaron a los emprendedores exitosos. Hemos explorado ya tres de las cinco características del estudio del ADN del innovador. Las otras dos son tremendamente sociales en su origen:

- **Eran muy buenos en una forma específica de conectividad social**. Los empresarios emprendedores y exitosos se sentían atraídos por personas inteligentes cuyos antecedentes educativos eran muy distintos a los suyos, lo cual les permitía adquirir conocimiento sobre cosas que, de otro modo, no conocerían. Desde una perspectiva social, esta pirueta conductual no es fácil de ejecutar. ¿Cómo lograban hacerlo sistemáticamente? Usando información generada por el último rasgo común.
- **Observaban con detenimiento los detalles de la conducta de los demás.** Los empresarios emprendedores eran expertos por naturaleza en el arte de interpretar las señas extrospectivas, es decir, gestos y expresiones faciales. Probablemente, interpretar sistemática y acertadamente estas señales no verbales es lo que les permitía extraer información de fuentes cuyos recursos académicos eran muy distintos de los suyos.

¿Quiere que su bebé se convierta en un innovador exitoso cuando crezca? Asegúrese de que domine las destrezas no verbales, emparejadas con una buena dosis de inquisitividad.

No está en los test de CI

Desde la exploración, el autocontrol y la creatividad, hasta las capacidades verbales y no verbales, está claro que el estofado de la inteligencia tiene muchos ingredientes. Elementos que, en su mayoría, no pueden ser medidos por los test estándar del CI, si bien desempeñan un papel clave en el futuro éxito de sus hijos. Lo cual no es de extrañar, dada su unicidad. Algunos son tan inesperados que cuesta creerlo...

¿Las probabilidades de que su hijo sea un gran empresario están relacionadas con su capacidad de descodificar *rostros*? De modo que no debe desanimarse si su hijo no está en el percentil 97 de algún test. Puede que tenga muchas otras facultades intelectuales que esas pruebas son incapaces de detectar.

Esto no quiere decir que todos los niños sean unos Einsteins en potencia. Estos dones son espolvoreados irregularmente sobre nuestros hijos, y la mayoría tienen componentes genéticos. Por ejemplo, es probable que su hijo autista nunca tenga la calidez de un pastor, por más que lo intente. Sin embargo, como usted bien sabe, la inteligencia no está solo en las semillas. Y ya es hora de ensuciarnos las manos y ponernos a labrar unos datos realmente extraordinarios acerca del suelo que hace que nuestros hijos sean tan inteligentes como sus semillas se lo permitan.

Puntos clave

- Hay aspectos de la inteligencia de su hijo respecto a los cuales usted no puede hacer nada; la contribución genética es de un 50 por ciento aproximadamente.
- El CI está relacionado con muchos e importantes resultados de la infancia, pero es solo una medida de la capacidad intelectual.
- La inteligencia tiene muchos ingredientes; entre ellos, el deseo de explorar, el autocontrol, la creatividad y las destrezas comunicativas.

Bebé inteligente: suelo

Principios del cerebro

Bebé seguro, bebé inteligente

Elogie el esfuerzo, no el CI

Juego guiado, todos los días

Emociones, no emoticones

Bebé inteligente: suelo

Theodore Roosevelt estaba tan enfermo cuando era niño, que sus padres tuvieron que educarlo en casa. Y eso fue probablemente lo mejor que le pudo pasar, pues su enfermedad lo puso en contacto permanente con el padre más amoroso que podría haber tenido un futuro presidente. Si alguna vez llegara a haber un *hall* de la fama de padres de niños vulnerables, Theodore padre debería ser su miembro fundador. En su diario, el presidente Roosevelt recuerda cómo lo cargaba en sus enormes brazos. Papá Roosevelt recorría los pasillos de arriba abajo, cargando a su hijo durante horas para asegurarse de que podía respirar. Exploraban juntos el mundo exterior cuando el clima lo permitía, y cuando no, las librerías. Poco a poco, el hijo se fue fortaleciendo. En importantes momentos determinados, Papá Roosevelt alentaba a Teddy a esforzarse. Más. Y aun más. Años después, el presidente escribiría en su diario:

> *No solo me cuidó intensa e incansablemente..., también se negó sabiamente a mimarme, y me hizo sentir que debía esforzarme*

a ser yo mismo ante los otros niños y a prepararme para el duro trabajo del mundo.

Roosevelt padre no podía saberlo, pero estaba ejercitando una sólida dosis de neurociencia cognitiva en la crianza su famoso hijo. Teddy nació inteligente y rico, dos factores que no todos los padres pueden proveer. Pero también nació en un mundo de amor y guía atenta, dos cosas que *todos* los padres pueden proveer. De hecho, hay muchas conductas sobre las cuales usted, como Papá Roosevelt, puede ejercer una gran autoridad. Independientemente de los genes, usted puede ayudarles a sus hijos a aprovechar su inteligencia tan plenamente como Theodore Roosevelt, Albert Einstein o los innovadores más exitosos de hoy. Pero ¿cómo criar a un bebé inteligente?

Como estamos pensando en términos del suelo, tiene sentido formularle un fertilizante. Lo que le ponga es tan importante como lo que deja por fuera. Hay cuatro nutrientes que no pueden faltar en su fórmula conductual y que deberá ir ajustando a medida que su bebé crezca: amamantar, hablarle a su bebé, juego guiado y elogiar los esfuerzos más que los logros. La investigación sobre el cerebro nos dice que también hay muchas toxinas: forzar a su hijo a desempeñar labores que su cerebro todavía no está preparado para asumir; presionarlo hasta un estado psicológico conocido como "impotencia aprendida"; y para los menores de dos años, la televisión. Unos cuantos aditivos, pregonados por el mercadeo, oscilan entre opcionales e irrelevantes. Lo que descubriremos es la profunda necesidad de encontrar el equilibrio entre la libertad intelectual y el rigor disciplinado.

El trabajo principal del cerebro no es aprender

Primero, debo corregir un error generalizado. Muchos papás y mamás bienintencionados creen que al cerebro de su hijo le interesa aprender.

Pero no es así. Lo que le interesa es *sobrevivir*. Todas las capacidades de nuestra caja de herramientas intelectuales se desarrollaron para escapar a la extinción, y el aprendizaje existe únicamente para servir a las necesidades de esta meta primaria. Es una feliz coincidencia que nuestras herramientas intelectuales puedan cumplir un doble oficio en el salón de clases, al conferirnos la capacidad de crear hojas de cálculo y hablar francés, pero ese no es el trabajo del cerebro, sino una consecuencia secundaria de una fuerza mucho más profunda: el deseo persistente y acuciante de llegar al día siguiente. No sobrevivimos para aprender. Aprendemos para sobrevivir.

Esta meta predice muchas cosas, y he aquí la más importante: si usted quiere tener un hijo bien educado, debe crear un ambiente de seguridad. Cuando se satisfacen las necesidades de seguridad del cerebro, sus neuronas desempeñan el segundo empleo de aprender en clase de álgebra. De lo contrario, el álgebra se va al traste. El papá de Roosevelt lo cargaba primero, y esto lo hacía sentirse seguro, lo cual significó que el futuro presidente pudiera regocijarse con la geografía.

La seguridad ante todo

Un ejemplo sencillo de la obsesión del cerebro con la seguridad ocurre durante un asalto. Por lo general, las víctimas de un asalto suelen sufrir de amnesia o confusión, y aunque no pueden recordar los rasgos faciales del criminal, con frecuencia pueden recordar detalles de su arma: "Era una pistola barata, con mango de madera, sostenida en la mano izquierda". ¿Por qué recordar el arma del asaltante, lo que no suele ser muy útil para la policía, y no su rostro, que sí lo es casi siempre? La respuesta revela la prioridad del cerebro: la seguridad. El arma tiene el mayor potencial de amenaza, y el cerebro se enfoca en ella porque está diseñado para concentrarse en la supervivencia. El cerebro está aprendiendo bajo estas condiciones hostiles (el estrés puede concentrar la mente maravillosamente), concentrándose en la fuente de la amenaza.

Un ex piloto de combate que trabajaba como profesor en una escuela de aeronáutica descubrió cómo funciona esto en el salón de clases. Una de sus estudiantes había sido excelente en la escuela en tierra, pero estaba teniendo problemas en el aire. Durante un vuelo de entrenamiento, se confundió en la lectura de un instrumento y él le gritó, creyendo que esto la obligaría a concentrarse. Sin embargo, la estudiante se puso a llorar, y aunque trató de seguir leyendo los instrumentos, no podía concentrarse. Él aterrizó el avión. Clase terminada. ¿Qué fue lo que pasó? Desde la perspectiva del cerebro, no había pasado nada. La mente de la estudiante se había concentrado en la fuente de la amenaza, tal como había sido preparada para hacerlo a lo largo de unos cuantos millones de años de evolución. La furia del profesor no podía hacerla concentrarse en el instrumento que debía aprender porque no era la fuente de amenaza. El profesor era la fuente de amenaza.

Lo mismo sucede si usted está criando a un hijo más que enseñándole a un alumno. El cerebro nunca superará su preocupación por la supervivencia.

4 ingredientes indispensables

Ahora podemos escarbar en nuestro fertilizante, empezando por los cuatro ingredientes que debe poner en su suelo del desarrollo.

1. La lactancia es un estimulante cerebral

Recuerdo un día en que me reuní con una vieja amiga que acababa de dar a luz. En cuanto entramos en el restaurante, mi amiga insistió en que nos sentáramos en una cabina privada. Unos pocos minutos después, entendí por qué. Sabía que cuando el bebé oliera comida, le daría hambre. Y cuando esto sucedió, ella se desabotonó la blusa discretamente, se acomodó el sostén y empezó a amamantarlo. El bebé se aferró con todas sus fuerzas, y la mamá tuvo que hacer toda clase de contorsiones para ocultar esta actividad. "Ya me han echado de otros lugares por hacer esto", me explicó. Y aunque estaba envuelta en un suéter gigante, se puso notoriamente nerviosa cuando el camarero vino a anotar su pedido.

Si los estadounidenses supieran lo que la leche materna significa para el cerebro de sus ciudadanos más jóvenes, deberían venerar a las madres que amamantan en lugar de hacerlas sentir avergonzadas. Aunque se trata de un tema muy debatido, en la comunidad científica hay poca polémica al respecto. La leche materna como una bala mágica para el desarrollo del bebé. Tiene sales importantes y vitaminas aun más importantes. Sus propiedades inmunes previenen las infecciones del oído, respiratorias y gastrointestinales. En un resultado que sorprendió a casi todo el mundo, estudios realizados en el mundo entero confirmaron que la lactancia hace más inteligentes a los bebés. En los Estados Unidos, los bebés amamantados obtienen puntuaciones superiores a las de los niños alimentados con leche de fórmula al presentar test cognitivos; un efecto que puede observarse casi una década después de haber terminado la lactancia. También obtienen mejores notas, sobre todo en escritura y lectura.

¿Cómo funciona esto? No estamos seguros, pero sí tenemos algunas ideas. La leche materna contiene ingredientes que el cerebro del bebé necesita para crecer después del nacimiento y que no puede producir por sí mismo. Uno de estos es la taurina, un aminoácido esencial para el desarrollo neuronal. También contiene ácidos omega-3, cuyos beneficios en la cognición infantil discutimos en el capítulo sobre el embarazo ("Coma solo los alimentos adecuados"). La Academia Estadounidense de Pediatría recomienda que todas las madres alimenten a sus bebés únicamente con leche materna durante los seis primeros meses de vida, sigan amamantándolos cuando empiezan a comer sólidos y los desteten después del año. Si, como país, quisiéramos una población más inteligente, pondríamos salas de lactancia en todos los establecimientos públicos y colgaríamos este letrero en sus puertas: "Silencio, por favor. Desarrollo cerebral en proceso".

2. Háblele a su bebé, y mucho

Durante muchísimo tiempo, a mi esposa y a mí nos costó entender las palabras que decía nuestro hijo de nueve meses. Cada vez que lo llevábamos en el auto, se ponía a decir la palabra "dah", y la repetía una y otra y otra vez mientras lo asegurábamos en su sillita. "Dah dah dah, gú, dah dah, gan-dah, gan-dah". Con frecuencia sonaba como una versión infantil de una vieja canción de The Police. No podíamos descifrarlo, y nos limitábamos a preguntar con cierta timidez: "¿Dah?", a lo que él respondía enfáticamente: "Dah". Nuestra reacción lo hacía feliz a veces. Otras, no le producía absolutamente nada. Hasta que un día soleado en que íbamos por la autopista, con el techo del auto abierto, lo entendimos.

Josh vio un avión que volaba por encima de nosotros y gritó emocionado: "¡Elo-dah! ¡Elo-dah!". Mi esposa entendió de repente. "¡Creo que quiere decir avión!", exclamó. Y le preguntó, señalando hacia el cielo: "¿*Cielo*-dah?" Josh contestó emocionado: "¡Elo-dah!". En ese momento, un camión ruidoso pasó a nuestro lado y Josh lo señaló con preocupación. "Gan-dah, gan-dah", dijo. Mi esposa señaló también al camión, que ahora se encogía en la distancia. "¿*Gran*-dah?", le preguntó, y él respondió emocionado: "¡Gan-dah!". Y luego "dah-dah-dah". ¡Bingo! No sabemos por qué, pero "dah" era su palabra para "vehículo". Más tarde, Josh y yo vimos un barco que cruzaba el Estrecho de Puget. Lo señalé y aventuré: "¿*Agua*-dah?". Él se incorporó, mirándome como si fuera un marciano. "*Mar*-Dah", anunció, como un profesor ligeramente impaciente dirigiéndose a un estudiante lento.

Pocas interacciones con los niños son tan divertidas como cuando están aprendiendo a hablar su idioma. A medida que aprenden a hablar nuestro idioma, llenarles la cabeza con montones de palabras es una de las cosas más saludables que los padres pueden hacer por su cerebro. Hábleles a sus hijos con la mayor frecuencia posible. Es una de las conclusiones más sólidas de toda la bibliografía sobre el desarrollo.

El vínculo entre las palabras y la inteligencia fue descubierto mediante investigaciones bastante invasivas. En un estudio, los investigadores se aparecían en la casa de una familia todos los meses, durante tres años, y anotaban todos y cada uno de los aspectos de la comunicación verbal de los padres con sus hijos. Evaluaban el tamaño del vocabulario, la diversidad y velocidad de crecimiento del mismo, la frecuencia de la interacción verbal, y el contenido emocional del habla. Y justo antes de que las visitas acabaran, los investigadores realizaban test de CI. El estudio contó con más de cuarenta familias, a las que se les hizo seguimiento años después. Mediante análisis exhaustivos de este trabajo asombrosamente difícil, surgieron dos conclusiones claras:

La variedad y la cantidad son importantes

Cuanto más les hablen los padres a sus hijos, incluso en los primerísimos momentos de su vida, mejores serán las capacidades lingüísticas de los niños y más rápido alcanzarán esa superioridad. El estándar estrella es de 2100 palabras por hora. La variedad de las palabras habladas (sustantivos, verbos y adjetivos usados, junto con la longitud y la complejidad de las frases y oraciones) es casi tan importante como la cantidad. Al igual que la cantidad de retroalimentación positiva. Usted puede reafirmar las facultades del habla a través de la interacción: mirando a su bebé; imitando su vocalización, su risa y sus expresiones faciales; premiando sus intentos lingüísticos con una atención acentuada. Los niños a quienes los padres les hablaban positiva, sustanciosa y regularmente, sabían el doble de palabras que los niños cuyos padres les hablaban lo mínimo. Y al entrar en el sistema escolar, las habilidades de lectura, escritura y ortografía de estos niños eran superiores a las de los niños de hogares menos verbales. Aun cuando los niños no responden como los adultos, están *escuchando*, y esto es bueno para ellos.

Hablarles aumenta el CI

Según un estudio, hablarles a los niños a edad temprana también aumenta su CI, incluso teniendo en cuenta variables importantes como el salario de sus padres. Hacia los tres años, los niños a los que los padres les hablaron con regularidad (el "grupo conversador") obtenían puntuaciones 1½ veces más altas que las de los niños a los que los padres les hablaban lo mínimo (el "grupo taciturno"). Se cree que esta diferencia en el CI es la responsable de la superioridad de las notas del grupo conversador.

Pero recuerde que para que el cerebro de su bebé se beneficie, se necesita que sea una persona de carne y hueso la que le hable, de modo que prepárese para ejercitar sus cuerdas vocales. No los bafles del reproductor del DVD ni los del televisor, sino *sus* cuerdas vocales.

Qué decir y cómo decirlo

Aunque 2100 palabras por minuto puede parecer mucho, en realidad representa un índice moderado de conversación. Fuera del trabajo, una persona común y corriente oye o ve unas 100 000 palabras al día. De modo que no tiene que parlotearle a su bebé en una maratón de veinticuatro horas los siete días de la semana. La hiperestimulación puede ser tan peligrosa para el desarrollo cerebral como la hipoestimulación (recuerde a Ricitos de Oro), y es importante estar alerta a los signos de cansancio. Pero no hay ninguna exposición al habla que sea demasiado tonta. "Ahora vamos a cambiarte el pañal". "¡Mira qué árbol más bonito!" "¿Qué es eso?" Puede contar escalones en voz alta mientras sube las escaleras. Lo importante es desarrollar la costumbre de hablar.

La manera como diga esas palabras también es importante. Imagine la siguiente escena de un video instructivo, desarrollado en el Instituto Talaris cuando yo era su director:

Un grupo de hombres grandes y rudos están viendo un partido de fútbol americano; están todos sentados en un sofá, pasándose el tazón de papas fritas, con los ojos pegados a la pantalla. Un bebé está explorando felizmente en un corralito ubicado hacia un lado del salón. En un momento crítico del juego, uno de los tipos le grita al mariscal: "¡Vamos, tú puedes! ¡Hazlo por mí! ¡Lo necesito!". Hay una gran jugada, los hombres saltan y gritan todos al tiempo, y el ruido perturba al bebé, que se pone a llorar. El más grande de todos resulta ser el padre, que corre hacia el pequeño, lo alza y lo sostiene entre sus brazos, grandes como troncos. "Hola, grandulón", le dice con voz aguda. "¿Quieres unirte a la fiesta?". Los tipos que están en el sofá se miran mutuamente, con las cejas alzadas. "¿Quién es el niño de papá?", el padre sigue hablándole con tono cantarín. "¿Cómo está el niño de paaapááá? ¿Tienes haaambreee?". Parece haberse olvidado del partido por completo. "Vamos a comer espagueeetiiis", dice al alejarse hacia la cocina. Los amigos lo miran desconcertados. El juego continúa, y vemos al papá en segundo plano, dándole espaguetis a su hijo.

Acabamos de presenciar los efectos hipnóticos que los bebés pueden tener sobre los padres atentos. ¿Pero qué le pasa a la voz del papá? Resulta que todos los padres, en cualquier lugar del mundo, les hablan así a sus hijos, una forma de hablar conocida como "parentés", o "maternés".

Esta forma de hablar se caracteriza por un tono agudo y una voz cantarina con vocales alargadas. Aunque los padres no siempre se dan cuenta de que están hablando así, este tipo de habla le ayuda al cerebro del bebé a aprender. ¿Por qué? Para empezar, es mucho más fácil entenderle a un hablante que habla lento. Y además, esto hace que el sonido de cada vocal sea más claro, pues la exageración permite oír las palabras como entidades diferenciadas y distinguirlas mejor. El ritmo melódico les ayuda a separar los sonidos en categorías contrastables, y el tono agudo puede ayudarles a imitar las características del habla. Al fin y al cabo, con un tracto vocal que es la cuarta parte del nuestro, los bebés pueden producir menos sonidos, y al principio solo en tonos más agudos.

¿Cuándo debería empezar la conversadera? La verdad es que nadie lo sabe, pero tenemos indicios sólidos de que la respuesta será "desde que nacen". Como vimos con el recién nacido que le sacó la lengua a Andy Meltzoff, sabemos que los bebés son capaces de interactuar con los adultos a los 42 minutos de nacidos. Y aunque no lo parezca, los niños preverbales procesan una buena cantidad de información verbal. Incluso puede que sea bueno leerle a un bebé de tres meses, sobre todo si lo sostiene cerca y le permite interactuar con usted.

William Fowler, psicólogo de la educación, entrenó a un grupo de padres para que les hablaran a sus hijos de una manera en particular, siguiendo algunas de las pautas descritas anteriormente. Los niños dijeron sus primeras palabras entre los siete y los nueve meses, algunos dijeron incluso frases a los diez meses. Para los dos años, estos niños habían conquistado la mayoría de las reglas gramaticales básicas, mientras que los del grupo de control alcanzaron un dominio similar hacia los cuatro años. Estudios a largo plazo mostraron que les fue muy bien en la primaria, incluyendo matemáticas y ciencias, y para cuando entraron en la secundaria, el 62 por ciento se inscribió en programas especiales o acelerados. Hay partes críticas del estudio de Fowler que deben ser examinadas más a fondo, pero su trabajo es maravilloso. Y se suma a las abrumadoras evidencias de que hablarles mucho a los bebés es como un fertilizante para las neuronas.

No hay duda de que el habla es un muy buen suelo para el desarrollo de la mente de su bebé. Y a medida que crece, hay otros elementos que se vuelven igualmente importantes. El siguiente nutriente de nuestro abono es el juego creado por ellos mismos, de lo cual encontré un ejemplo fabuloso cuando mis hijos tenían menos de cuatro años.

3. ¡Que viva el juego!

Era la mañana de Navidad, y envuelta a los pies del árbol había una pista de carreras para los dos chicos. Yo esperaba emocionado a que la abrieran. Sabía que habría montones de *oohs* y *aahs* cuando descubrieran el regalo. Pero abrieron la caja... y se hizo un silencio desconcertante. Pasó un minuto. Entonces dejaron a un lado la pista y se pusieron la caja sobre la cabeza. Y el entusiasmo volvió de inmediato.

"¡Ya sé!", gritó uno de ellos. "¡Es un avión!" "No", gritó el otro, "¡es una nave espacial!" "Sí, una nave *espacial*", asintió el otro enseguida, y los dos tomaron unas crayolas que había en el suelo. Poco después, estaban dibujando figuras sobre la caja de la pista, unos pequeños círculos crípticos, líneas, cuadrados, haciendo caso omiso de las partes de la pista que estaban regadas a su alrededor. Y yo me quedé pensando por qué me había gastado el dinero.

El hijo mayor, que había subido al segundo piso en busca de más crayolas, emitió de pronto un grito sonoro. Había encontrado la gran caja de cartón en la que habíamos traído una silla que habíamos comprado mi esposa y yo. "¡Yupi!", exclamó, esforzándose, con éxito, para bajar la caja. "¡Nuestra *cabina de mando*!" Las siguientes dos horas estuvieron dedicados a hacer toda clase de garabatos con crayolas y pinturas y a pegar con cinta la caja de la pista con la de cartón. "Para guardar a los extraterrestres", explicó solemnemente uno de ellos. Dibujaron unos cuadrantes diminutos. Elaboraron cañones láser con los tubos de papel regalo. Dibujaron algo que podía cocinar papas fritas. Se pasaron todo el día volando en su nave espacial, inventando enemigos con nombres tan diversos como el Castor de la Montaña Diabólica y la Reina Kelp. Ya no estaban en Seattle. Estaban en el Cuadrante Alfa, y eran el Capitán Pequeñote y el Chiquitín en Pañales en el Mundo del Mañana.

Mi esposa y yo lloramos de la risa observándolos. Su creatividad era un placer para cualquier padre. Pero había algo mucho más profundo: esta clase de juego abierto e indefinido estaba fertilizando sus neuronas con el equivalente conductual del mejor abono. Esta oración puede parecerle extraña.

¿*Juego* abierto e indefinido? ¿No querrá decir "compra abierta e indefinida de juguetes electrónicos educativos"? ¿O clases de francés seguidas por horas de ejercicios realizados con disciplina militar? La verdad es que yo sí creo en una forma de repetición disciplinada cuando los niños empiezan la enseñanza escolar formal. Pero muchos padres están tan preocupados por el futuro de sus pequeños, que transforman cada paso de este viaje en una especie de desarrollo de producto, rehuyendo *todo lo que sea* abierto e indefinido. De 1981 a 1997, la cantidad de tiempo libre que los padres dedicaban a sus hijos disminuyó casi a una cuarta parte. La industria de los productos-que-hacen-inteligentes-a-los-bebés —y que elabora juguetes que son el opuesto de lo abierto e indefinido (¿hay algo más claustrofóbico que un DVD para *niños*?)— es una industria multimillonaria.

Hoy en día sabemos que las actividades abiertas e indefinidas son tan importantes para el crecimiento neuronal de los niños como las proteínas. Es más, es probable que la caja en la que vienen las tarjetas de vocabulario sea más beneficiosa para el cerebro del niño que las tarjetas. Dependiendo de lo que se estudie y cómo se mida, los beneficios pueden ser impresionantes. Los estudios demuestran que, comparados con el grupo de control, los niños a los que se les permitía algún tipo de juego abierto e indefinido eran:

- **Más creativos.** En promedio, se les ocurrían el triple de usos creativos y no estándar para objetos específicos (una medida estándar de laboratorio) que los del grupo de control.
- **Mejores con el lenguaje.** Tenían más facilidad para el lenguaje. Usaban una reserva de vocabulario más rica y un vocabulario más variado.

- **Mejores para la resolución de problemas.** Esta es la inteligencia fluida, uno de los ingredientes básicos del estofado de la inteligencia.
- **Menos estresados.** Los niños expuestos al estrés presentaban la mitad del nivel de ansiedad de los del grupo de control. Esto podría ayudar a explicar su ventaja en la resolución de problemas, ya que estas destrezas son notoriamente sensibles a la ansiedad.
- **Mejores en cuestiones de memoria.** Las situaciones lúdicas mejoraban los puntajes que tenían que ver con la memoria; por ejemplo, los niños que simulaban estar en el supermercado recordaban el doble de palabras de una lista de compras.
- **Más hábiles socialmente.** Las ventajas sociales producidas por el juego se veían reflejadas en las estadísticas criminales de los niños de las zonas marginales. Si los niños de familias de bajos ingresos habían estado expuestos a preescolares basados en el juego en sus primeros años, menos del 7 por ciento había sido arrestado por un delito grave antes de los 23 años. Para los niños expuestos a preescolares basados en las órdenes, la cifra era del 33 por ciento.

Estos datos generan montones de preguntas del estilo de "¿qué fue primero, el huevo o la gallina?", por lo que debemos mantener nuestro factor gruñón al máximo. Por ejemplo: ¿El juego es el método para aprender algo, o es la manera de practicar y consolidar destrezas que ya se estaban desarrollando? Afortunadamente, estas controversias desencadenaron algo muy apreciado por cualquier científico: nuevas rondas de financiación para la investigación. Y los nuevos estudios preguntaban: ¿Eran las conductas específicas arraigadas en el juego abierto e indefinido las que producían el beneficio? La respuesta resultó ser afirmativa, inequívocamente.

Claro está que no cualquier tipo de juego abierto e indefinido proporciona resultados extraordinarios. La salsa secreta no es cualquier juego sin estructura. Quienes apoyan este modelo de no intervención dan mucha importancia a la vieja noción de que los niños nacen con una imaginación efervescente y perfectamente formada, así como con un instinto infalible para inventar mundos. La idea es que si permitiéramos que los niños nos guiaran, entonces todo estaría bien, y yo concuerdo profundamente con partes de esta idea. Los niños son ingeniosos y curiosos, y he aprendido muchísimo sobre la imaginación gracias a mis hijos más que a cualquier otra fuente. Pero a los niños también les falta experiencia. La mayoría carece de las llaves que pueden abrir su potencial; por eso necesitan padres.

Por tanto, el tipo de juego que proporciona todos los beneficios cognitivos es el que se concentra en el control de los impulsos y la autorregulación —esas conductas de la función ejecutiva de las que hablamos en el capítulo anterior—. Los datos son tan claros, que podría usarlos para diseñar el cuarto de juegos de su hogar.

Herramientas de la mente

Se trata del "juego dramático maduro", o JDM, y para obtener los beneficios, deben dedicársele muchas horas diarias. El JDM ha sido codificado en un programa escolar llamado "herramientas de la mente", uno de los pocos programas de su estilo que haya sido estudiado en pruebas aleatorizadas.

Las ideas de las herramientas de la mente provienen del psicólogo ruso Lev Vygotsky, una fuente de inspiración para todos los genios en ciernes que no logran decidirse respecto a lo que quieren hacer cuando sean grandes. Este apuesto erudito empezó por el análisis literario, con un famoso ensayo sobre Hamlet que escribió a los dieciocho años. Después decidió matricularse en la Facultad de Medicina de la Universidad de Moscú, pero cambió de idea rápidamente y se pasó a la Facultad de Derecho, para inscribirse, inmediata y simultáneamente, en una universidad privada para estudiar literatura. Insatisfecho aún, hizo un doctorado en psicología. Y pocos años después, a la edad madura de 38 años, estaba muerto. Pero los diez años en que se dedicó activamente a la psicología fueron muy productivos y, para la época, innovadores.

Vygostky fue uno de los pocos investigadores de esta era en estudiar el juego dramático en los niños, y pronosticó que la capacidad de los niños menores de cinco años de comprometerse en actividades imaginativas sería un mejor indicador del éxito académico que cualquier otra actividad, incluyendo las competencias cuantitativas y verbales. Creía que esto les permitía aprender a regular sus comportamientos sociales.

Muy distinta a la idea de la actividad despreocupada que tenemos en los Estados Unidos, el juego imaginativo era para Vygotsky una de las conductas más restrictivas que los niños podían experimentar. Si la pequeña Sasha quería jugar a ser chef, debía asumir las reglas, expectativas y limitaciones de ser chef. Si este ejercicio imaginativo era con amigos, estos debían seguir las reglas igualmente. Podían discutir y discrepar unos con otros, pero debían llegar a un acuerdo acerca de las reglas y cómo debían cumplirse. Según Vygotsky, así se desarrolló el autocontrol. En un grupo, esta tarea implica una exigencia intelectual enorme, incluso para los adultos. Y si esto le suena como a un preludio de la noción moderna de la función ejecutiva, está en lo cierto. Los seguidores de Vygotsky demostraron que al representar escenas imaginativas, los niños controlaban sus impulsos mucho mejor que en otras situaciones de juego no dramático. Mientras que otras partes del trabajo de Vygotsky están empezando a mostrar cierta artritis intelectual, sus ideas sobre la autorregulación siguen siendo muy valiosas.

La cascada de investigaciones confirmatorias que siguieron a estas conclusiones llevó directamente al programa de herramientas de la mente. El programa está compuesto por varias partes, pero las tres más relevantes para nuestra discusión incluyen: la planeación del juego, las instrucciones directas sobre lo simulado y el tipo de entorno donde tiene lugar la instrucción. Esto es lo que sucede en un salón de herramientas de la mente:

Un plan de juego

Antes de que los niños se sumerjan en un día de juego imaginativo, se les dan unos colores para que llenen un formato impreso llamado plan de juego. Aquí se anuncia en términos explícitos cuál será la actividad del día. "Voy a tomar el té con mis muñecas en el zoológico" o "Voy a hacer un castillo de Lego y jugar a que soy un caballero". Los niños llevan consigo el formato con las actividades escritas en él.

Practicar la simulación

A los niños se les entrena para el juego dramático con una técnica llamada "práctica de juego simulado". ¡Los niños reciben instrucciones directas y abiertas sobre la mecánica de la simulación! He aquí una oración sacada del manual de entrenamiento: "Estoy jugando a que mi bebé llora. ¿El tuyo también está llorando? ¿Qué deberíamos decirles a nuestros bebés?".

Después, los pequeños pueden dar rienda suelta a su imaginación. Al final de cada semana, asisten a un breve "congreso de aprendizaje" con el instructor, en el que dan un informe de lo que experimentaron y aprendieron durante ese periodo. También tienen reuniones de grupo. Y cualquier intervención disciplinaria suele convertirse en una discusión de grupo centrada en la resolución de conflictos.

Un gran salón de juegos

La mayoría de los salones de las herramientas de la mente son como un salón familiar al final de la mañana de Navidad. Hay Legos regados por todas partes. Cajas de arena espolvoreadas por toda la habitación. Rompecabezas por terminar. Bloques con los cuales construir mundos enteros. Prendas para disfrazarse. ¡Y cajas! Y muchísimo tiempo —y espacio— para interactuar con otros niños. Las combinaciones de situaciones en las que los niños podrían emplear su imaginación y creatividad individual parecen infinitas.

Muchas otras actividades tienen lugar en el transcurso de un día de herramientas de la mente, y aún no sabemos qué combinación funciona mejor. Tampoco conocemos los efectos de este programa a largo plazo. Mientras escribo estas líneas, hay cuatro estudios a gran escala y a largo plazo que están en proceso de responder estas preguntas. He aquí lo que sabemos de este programa: que *funciona*. Los niños de este programa suelen desempeñarse de un 30 a un 100 por ciento mejor que el del grupo de control en casi cualquier prueba de la función ejecutiva. Esto significa también mejores notas, ya que una buena función ejecutiva es uno de los dos mejores predictores del éxito académico según la bibliografía científica. Y eso significa muchos de los beneficios que describimos anteriormente, la mayoría de los cuales provienen de estudios de este programa.

Estos datos irradian una luz que puede herir los ojos no acostumbrados porque desafían la noción de que el aprendizaje de memoria equivale siempre a un mejor rendimiento, y plantean, con rotundidad, que la regulación *emocional* —refrenar los impulsos— predice un mejor rendimiento *cognitivo*. Es una idea explosiva que vincula directamente la potencia intelectual con el procesamiento emocional. No estoy rechazando el aprendizaje de memoria, pues una base de datos memorizada es una parte sumamente importante del aprendizaje humano. Pero está claro que Vygotsky estaba en la pista correcta.

4. Elogiar el esfuerzo, no el CI

Aunque sus vidas están separadas por muchos años, creo que a Vygotsky le habría encantado conocer a Evelyn Elizabeth Ann Glennie, la percusionista más importante del mundo y posiblemente la más versátil.

Glennie también es una amante del juego imaginativo, pero sus amigos van de orquestas sinfónicas, como la Filarmónica de Nueva York, a grupos de *rock* como Genesis y la cantante Björk. Estudió en Eaton y en la Real Academia de Música de Londres, y ganó un Grammy en 1989. Y si bien es una música maravillosa y poderosa, su talento musical no es su rasgo más extraordinario.

Glennie es sorda, y el esfuerzo que debe poner en su oficio es algo inimaginable. Después de perder el oído, a los doce años, ponía las manos contra la pared del salón para sentir las vibraciones cuando sus profesores de música tocaban algún instrumento. Y como había nacido con oído absoluto, podía traducir lo que entonces eran apenas unos sonidos roncos, los cuales sentía en el cuerpo. Cuando está en el escenario, Glennie suele tocar con los pies descalzos porque esto le ayuda a sentir la música. Y su genialidad se revela en su determinación, una resolución perceptible en la respuesta que algún día le diera a un periodista que insistía molestamente en su pérdida de la audición: "Si quiere averiguar sobre la sordera", replicó, "debería entrevistar a un fonoaudiólogo. Mi especialidad es la música".

Sabemos que un éxito como este proviene de un gran esfuerzo, no necesariamente de un CI alto. Y como bien puede entender cualquier padre experimentado, la inteligencia innata de su hijo no le garantizará la entrada a Harvard. Ni siquiera le garantizará un excelente en el examen de matemáticas. Pues si bien es un predictor confiable de un alto rendimiento académico, el CI tiene una relación de amor y odio con el promedio individual de un estudiante, y una relación ambigua incluso con otras actividades ricas intelectualmente (el ajedrez es un ejemplo sorprendente).

Lo que separa a los sujetos con un alto rendimiento y a los sujetos con un bajo rendimiento no es ninguna chispa divina. Según los hallazgos más recientes, se trata de un factor mucho más aburrido pero controlable, que es, en igualdad de condiciones, el esfuerzo..., el clásico y mismísimo esfuerzo de toda la vida. Desde una perspectiva psicológica, el esfuerzo es, en parte, la disposición a concentrar la atención y sostenerla. También implica el control de los impulsos y la capacidad persistente de postergar la gratificación. Suena parecido a la función ejecutiva, sazonada con unos cuantos ingredientes únicos.

¿Cómo lograr ese tipo de esfuerzo en sus hijos? Sorprendentemente, está en la manera como los *elogie*. Lo que los padres elogian define lo que los hijos perciben como exitoso. Y es aquí donde los padres cometen un error muy común —un error que suele dar pie a una de las imágenes más tristes que un profesor pueda observar: un chico inteligente que odia estudiar—. Como Ethan, hijo de un importante profesor de Seattle.

Los padres de Ethan solían decirle que era muy listo. "¡Qué inteligente eres! Puedes hacer cualquier cosa, Ethan. Estamos muy orgullosos de ti", le decían cada vez que aprobaba sin problemas un examen de matemáticas. O de ortografía. O de cualquier cosa. Con la mejor de las intenciones, los padres conectaban sistemáticamente los logros de Ethan con una característica innata de su capacidad intelectual. Esto es lo que los investigadores denominan "apelar a una mentalidad fija". Estos padres no tenían idea de que este tipo de elogio era tóxico.

Rápidamente, el pequeño Ethan aprendió que cualquier logro académico *que no requiriera ningún esfuerzo* era la conducta que definía sus dotes. Y al llegar al bachillerato, se encontró con materias que requerían esfuerzo. Ya no podía aprobar sin problemas, y, por primera vez, empezó a cometer errores. Pero no veía estos erros como oportunidades para mejorar. Al fin y al cabo, era inteligente porque podía captar las cosas rápidamente. Y si ya no podía captar las cosas rápidamente, ¿qué implicaba eso? Que ya no era inteligente. Como no sabía cuáles eran los ingredientes de su inteligencia, no sabía qué hacer cuando fallaba. Y no hace falta chocarse muchas veces contra esa pared para desanimarse, y luego deprimirse. Entonces Ethan dejó de intentarlo, así de sencillo. Su notas cayeron en picada.

Lo que sucede cuando decimos "¡Qué inteligente eres!"

Las investigaciones han demostrado que el infortunado caso de Ethan es típico de los niños que suelen ser elogiados por alguna característica fija. Si usted elogia así a su hijo, existe la probabilidad estadística de que sucedan tres cosas:

Primero, su hijo empezará a percibir los errores como fallos. Puesto que usted le ha dicho que su éxito se debe a alguna capacidad estática sobre la cual no tiene ningún control, su hijo empezará a ver los fallos (una mala nota, por ejemplo) como algo igualmente estático, percibido en este caso como una ausencia de aptitud. Los éxitos son vistos como un don más que como el producto manejable del esfuerzo.

Segundo, y quizá como reacción a lo primero, su hijo se preocupará más por parecer inteligente que por aprender algo en realidad. (Aunque Ethan era inteligente, estaba más preocupado por aprobar fácilmente y parecer inteligente ante la gente que le importaba, y desarrolló poco respeto por el estudio.)

Tercero, se mostrará menos dispuesto a confrontar las razones que subyacen a cualquier deficiencia y hacer un esfuerzo. A estos niños les cuesta reconocer sus errores. Fallar implica demasiado.

Lo que hay que decir en cambio: "Te has esforzado mucho"

¿Qué deberían haber hecho los padres de Ethan? Las investigaciones muestran una solución sencilla. En vez de elogiarlo por ser inteligente, deberían haberlo elogiado por trabajar duro. Ante el éxito en un examen, no deberían haberle dicho: "Estoy muy orgulloso de ti. Eres tan inteligente", sino: "Estoy muy orgulloso de ti. Debes de haber estudiado mucho". Esto apela al esfuerzo controlable más que al talento incambiable, lo que se conoce como elogio de "mentalidad de crecimiento".

Más de treinta años de estudio demuestran que los niños criados en hogares con mentalidad de crecimiento obtienen mejores puntuaciones que sus pares de mentalidad fija, en términos del éxito académico. También les va mejor en la vida adulta, lo cual no es sorprendente. Los niños con mentalidad de crecimiento tienden a tener una actitud refrescante ante los fallos. No se quedan rumiando sus errores, sino que los perciben como problemas por resolver y después se ponen a trabajar. Tanto en el laboratorio como en la escuela, pasan mucho más tiempo que los estudiantes de mentalidad fija dedicados a las labores más difíciles. Y también solucionan esos problemas con más frecuencia. Los niños que reciben un elogio consistente por sus esfuerzos solucionan exitosamente un 50 a un 60 por ciento más de problemas difíciles de matemáticas que los niños elogiados por su inteligencia. Carol Dweck, una reconocida investigadora de este campo, iba a ver cómo les estaba yendo a los estudiantes que estaban presentando estas pruebas. Comentarios del estilo de "Debería tomármelo con calma y tratar de entender esto" eran comunes, así como el maravilloso "Me encantan los retos". Puesto que creen que los errores se deben a una falta de esfuerzo, y no de aptitud, estos niños se dan cuenta de que los errores pueden remediarse al aplicar un mayor esfuerzo cognitivo.

Los niños que reciben un elogio consistente por sus esfuerzos solucionan un 50 por ciento más de problemas de matemáticas que los niños elogiados por su inteligencia.

Si usted se ha encaminado ya por la ruta del elogio de mentalidad fija, ¿será demasiado tarde para cambiar? Esta pregunta requiere más estudio, pero las investigaciones han demostrado que incluso una exposición limitada al elogio de mentalidad de crecimiento tiene efectos positivos.

El elogio no es el único factor, por supuesto que no. Estamos empezando a ver que es probable que los genes también influyan en el esfuerzo. Un grupo de investigadores de Londres estudió las capacidades autopercibidas (CAP) de cerca de cuatro mil gemelos. Las CAP miden la capacidad percibida por el niño de manejar los desafíos académicos difíciles. El entorno familiar compartido, donde se suponía que las conductas de mentalidad de crecimiento debían ser un factor, dio cuenta de tan solo un 2 por ciento de variación en las CAP. Los investigadores concluyeron que había una probabilidad de más del 50 por ciento de poder aislar un gen CAP. Pero estas observaciones requieren mucha más investigación, e incluso si se pudiera caracterizar un gen tal, los padres no se librarían en todo caso; simplemente cambiarían las estrategias necesarias para criar a ciertos niños. Algunos no necesitarían muchas instrucciones; otros necesitarían una supervisión constante, y esto ya lo sabíamos.

Tal vez el esfuerzo simplemente les permite a los niños aprovechar la inteligencia con la que nacieron. Sea como sea, el esfuerzo debe ser el cuarto nutriente de su fertilizante.

Y, como decía anteriormente, también hay cosas que usted debe limitar.

La era digital: TV, juegos de video e Internet

Acababa de darle a un grupo de padres y educadores una charla sobre el procesamiento visual y la gran prioridad que el cerebro da a este mismo. En la ronda de preguntas, una madre de edad mediana espetó: "Entonces, ¿la televisión es buena para el cerebro?" Se oyeron varios gruñidos entre el público. Un hombre mayor se unió: "¿Y todos esos videojuegos modernillos? (Así dijo, *modernillos*.) ¿Y el Internet?" Un joven se puso de pie, un poco a la defensiva: "Los videojuegos no tienen nada de malo, tampoco Internet". La cosa se fue caldeando; los mayores a un lado, los jóvenes al otro. Hasta que alguien exclamó con fuerza: "Preguntémosle al científico del cerebro... ¿Usted qué opina?", dijo volviéndose hacia mí.

"A mí me gusta citar a mi viejo amigo del siglo XIX, J. Watson", empecé, un poco reacio a entrar en la discusión, echando mano de una cita a la que recurro siempre que hay polémica. "Era un miembro del Congreso bastante diplomático. En alguna ocasión, cuando le preguntaron cuál sería su voto en alguna legislación controversial, su respuesta fue muy inteligente: 'Tengo amigos en ambos bandos, y a mí me gusta apoyar a mis amigos'". Todos se rieron, y esto pareció distender los ánimos. Y evadir la pregunta.

Pero no es una pregunta que deba evadirse. Desde los televisores inteligentes hasta los celulares aun más inteligentes, la era digital ha afectado a casi todos y cada uno de los estudiantes del planeta, y el tiempo pasado frente a una pantalla hoy en día es parte habitual de la experiencia de desarrollo de todos los niños. ¿Los padres deberían estar preocupados por la televisión? ¿El Internet? Se lo diré así, sin más: aparte de los estudios sobre la televisión de los que hablaremos más adelante, nunca he visto una bibliografía más deficiente, sobre todo en lo que tiene que ver con el cerebro, la conducta y los videojuegos. Una simple revisión superficial de lo que hay revela diseños chapuceros, propuestas sesgadas, ausencia de grupos de control, conjuntos no aleatorizados, muy pocos experimentos, muy pocas muestras... y muchas opiniones escandalosas e incluso furiosas. Apenas están empezando a realizarse estudios prometedores sobre los videojuegos e Internet, pero, como sucede con cualquier nuevo esfuerzo investigativo, los primeros hallazgos muestran resultados heterogéneos. Lo que significa que hay suficiente para que todo el mundo, y nadie, esté feliz.

La pequeña en la arenera del gato

Al pensar en exponer a sus hijos al Mundo de la Pantalla, lo que debe considerar es, principalmente, el contenido de lo que estarán consumiendo, por dos razones.

La primera es que los niños son muy buenos para imitar. (¿Recuerda la caja con luz y el bebé que la toca con la frente?.) Esta capacidad de reproducir una conducta después de haberla presenciado una sola vez se llama imitación diferida. La imitación diferida es una capacidad asombrosa que se desarrolla rápidamente. Un niño de trece meses puede recordar un suceso una semana después de una sola exposición. Para cuando tiene casi un año y medio, puede imitar un suceso *cuatro meses* después de una sola exposición. Es una aptitud que no desaparece nunca, algo que la industria publicitaria ha sabido desde hace décadas. Y esto tiene unas implicaciones poderosas, pues si los niños pueden grabar en su memoria una compleja serie de sucesos a partir de una sola exposición, imagine lo que pueden absorber en las horas pasadas en Internet y viendo televisión. (Sin mencionar todo lo que absorben al ver el comportamiento de sus padres las 24 horas del día, los 365 días del año. La imitación diferida ayuda a explicar por qué seguimos siendo tan propensos a imitar la conducta de nuestros padres años después de haber abandonado el nido, como estaba haciendo yo con mi esposa y las llaves del auto.)

Con los niños, la imitación diferida puede revelarse de maneras inesperadas, como lo demuestra la siguiente historia de una madre joven.

> *Tuvimos una Navidad maravillosa. En un momento dado, me di cuenta de que mi hija de tres años había desaparecido. Fui a buscarla y la encontré en el baño de mi habitación. Al preguntarle por qué estaba usando mi baño y no el de ella, me dijo que "era una gatita". Entonces miré la arenera y, en efecto, ¡había hecho popó en ella! Me quedé muda...*

Esta historia revela mucho acerca de cómo los niños adquieren información. La niña había asimilado la idea general de los "lugares para hacer popó" y había creado una expectativa, y un plan, para su propia conducta resultante.

La segunda razón por la que el contenido es tan importante es porque nuestras expectativas y suposiciones influyen profundamente en nuestras percepciones de la realidad. Y esto se debe a la disposición ansiosa del cerebro a insertar su opinión directamente en lo que estamos experimentando, para luego engañarnos y hacernos creer que ese híbrido es la realidad. Puede que esto le resulte perturbador, pero la percepción de la realidad no es como una videocámara que graba información de manera literal en una especie de disco duro celular. Nuestra percepción de la realidad es un acuerdo entre lo que nuestros sentidos le transmiten al cerebro y lo que el cerebro piensa que debe haber allí afuera. *Y lo que esperamos que haya allí afuera está atado directamente a lo que permitimos que entrara en nuestro cerebro en primer lugar.*

Las experiencias se transforman en expectativas, y estas, a su vez, pueden influir en nuestra conducta. John Bargh, psicólogo de Yale, realizó un experimento que ilustra esta exquisita sensibilidad. Les dijo a un montón de estudiantes universitarios que iba a examinar sus aptitudes con el idioma. Les presentó un conjunto de palabras y les pidió que crearan una oración coherente con ellas. Usted puede intentarlo ahora mismo. Construya una oración con este revoltijo:

SOLITARIO EL ARRUGADA VIEJO LA AMARGAMENTE DE CARA ESPERABA

¿Fácil? Claro. "El viejo solitario de la cara arrugada esperaba amargamente" es una posibilidad. Pero no era un examen de lingüística. Fíjese en cuántas de las palabras del revoltijo están relacionadas con la vejez. A Bargh no le interesaba el uso creativo de la gramática de los sujetos, sino cuánto tardarían en salir del salón y recorrer el pasillo después de haberse visto expuestos a esas palabras.

Y descubrió algo extraordinario. Los estudiantes que habían estado expuestos al revoltijo "viejo" tardaron casi un 40 por ciento más en recorrer el pasillo que aquellos que habían estado expuestos a palabras "aleatorias". Algunos salían incluso encorvados y arrastrando los pies, como si tuvieran cincuenta años más. Citando la observación clínica de Bargh, estas palabras "activaban el estereotipo de la vejez en la memoria, y los participantes actuaban de maneras consecuentes con el estereotipo activado".

El resultado de Bargh es solo uno en una larga línea de datos que demuestran lo poderosa que puede ser la fuerza ejercida por las influencias externas e inmediatas sobre la conducta interna. Lo que permitimos que entre en el cerebro de nuestros hijos influye no solo en lo que perciben sino también en su comportamiento. Y esto vale tanto para los bebés de un mes como para los universitarios de veinte años.

¿Cómo se manifiestan la imitación diferida y las expectativas en el mundo digital? La mejor investigación es sobre la televisión.

Nada de televisión antes de los dos años

El tema de la exposición de los niños a la televisión ya no echa tantas chispas como antes, pues hay un acuerdo general en que la exposición de un niño a cualquier tipo de programa debe ser limitado. También hay un acuerdo general en que no le estamos haciendo ni el menor caso a este consejo.

Recuerdo que, de pequeño, esperaba todos los domingos por la noche para ver el *Maravilloso mundo a color* de Walt Disney, y me encantaba. También recuerdo que mis padre apagaban el televisor cuando se terminaba. Pero ya no hacemos esto. Hoy en día, los niños estadounidenses de dos años de edad, y mayores, pasan una media de cuatro horas y 49 minutos *diarios* frente a la televisión; 20 por ciento más que hace diez años. Y encontramos esta exposición en edades cada vez menores, lo cual se hace aún más complejo debido a la enorme variedad de mundos digitales disponibles. En 2003, el 77 por ciento de los niños menores de seis años veía televisión todos los días. Y los menores de dos años experimentaban dos horas y cinco minutos de "tiempo frente a la pantalla" (televisión y computadores) al día. Anteriormente señalé que el estadounidense promedio está expuesto a unas 100 000 palabras al día por fuera del trabajo. El 45 por ciento de esas palabras viene de la televisión.

El hecho es que, antes de los dos años, los niños no deberían ver televisión.

La televisión puede generar hostilidad y dificultades para concentrarse

Hace años que sabemos de la conexión existente entre "las interacciones hostiles entre pares" y "la cantidad de horas de exposición de los niños a la televisión". El vínculo solía ser controversial (¿quizá la gente agresiva ve más televisión que los demás?), pero ahora sabemos que tiene que ver con la capacidad de imitación diferida emparejada con una pérdida del control de impulsos. Un ejemplo personal:

Cuando estaba en el jardín de infancia, mi mejor amigo y yo solíamos ver *Los tres chiflados*, un programa de televisión de la década de los cincuenta. Era un programa con mucho contenido cómico físico, entre otros, personas que les metían los dedos en los ojos a los demás. Un día, al terminar el programa, mi amigo formó una "V" con el índice y el corazón y me los metió en ambos ojos. Yo no pude ver nada durante la hora siguiente y tuvieron que llevarme a urgencias. Diagnóstico: córneas rasgadas y un músculo ocular desgarrado.

Otro ejemplo proviene de un estudio que examinó el matoneo. Por cada hora de televisión vista al día por niños menores de cuatro años, el riesgo de que asumieran un comportamiento agresivo al entrar en el colegio aumentaba en un 9 por ciento. Esto es una regulación emocional deficiente. Incluso tomando en consideración las incertidumbres del huevo o la gallina, la Asociación Estadounidense de Pediatría calcula que del 10 al 20 por ciento de la violencia de la vida real puede atribuírsele a la exposición a la violencia de los medios.

La televisión también afecta la capacidad de concentración y de mantener la atención, unos de los distintivos clásicos de la función ejecutiva. Por cada hora adicional de televisión vista por un niño menor de tres años, la probabilidad de desarrollar un problema de atención hacia los siete años aumenta en cerca de un 10 por ciento. De modo que un niño en edad preescolar que ve tres horas diarias de televisión, tiene un 30 por ciento más de probabilidades de tener problemas de atención que un niño que no ve televisión.

El simple hecho de tener la televisión encendida aunque nadie esté viéndola —exposición de segunda mano— también parece tener efectos negativos, posiblemente debido a la distracción. En pruebas hechas en laboratorios, mostrar imágenes y una banda sonora retumbante distraía continuamente a los niños de la actividad que estuvieran realizando, incluso de ese maravilloso juego imaginativo del que hablamos anteriormente. Los efectos eran tan tóxicos para la población en pañales, que la Asociación Estadounidense de Pediatría publicó una recomendación que sigue vigente hoy en día:

> *Los pediatras deberían exhortar a los padres a evitar la exposición de niños menores de dos años a la televisión. Aunque se promueven algunos programas de televisión para esta edad, las investigaciones sobre el desarrollo temprano del cerebro demuestran que los bebés y los niños pequeños tienen una necesidad fundamental de experimentar interacciones directas con sus padres y demás cuidadores para el buen crecimiento del cerebro y el desarrollo de destrezas sociales, emocionales y cognitivas adecuadas.*

Los proyectos actuales de investigación abordan el efecto potencial de la televisión en las notas escolares, y los resultados preliminares sugieren que afecta tanto a la lectura como a la adquisición del lenguaje. Después de los dos años, los peores efectos pueden deberse a que la televisión los aleja del ejercicio, un tema que examinaremos cuando lleguemos a los videojuegos.

La televisión dirigida a los bebés no tan listos

¿Y qué me dice de todos esos estantes de las tiendas llenos de DVD y videos educativos, esos que aseguran potenciar el rendimiento cognitivo en las poblaciones preescolares? Tales presunciones inspiraron a un grupo de investigadores de la Universidad de Washington a hacer su propio estudio. Recuerdo haber leído una serie de comunicados de prensa sobre este trabajo. Era un día soleado (algo inusual en Seattle), y al principio me reí con ganas, pero después me puse serio. El presidente de nuestra universidad acababa de recibir una llamada telefónica nada más y nada menos que de Robert Iger, presidente de la Compañía Disney. El ratón no estaba nada contento. Los científicos de la Universidad de Washington acababan de publicar una investigación que evaluaba un producto de Disney, los DVD del Bebé Einstein, y los resultados eran condenatorios.

Después de todo lo que hemos discutido hasta ahora, esto no le resultará sorprendente: los productos no servían. No tenían un efecto positivo en el vocabulario del público objetivo, es decir, bebés de 17 a 24 meses. Algunos resultaban incluso perjudiciales. Por cada hora diaria que pasaban viendo ciertos DVD y videos, entendían una media de seis a ocho palabas menos que los que no los habían visto.

Disney exigió una retractación, citando deficiencias en el estudio. Tras consultar con los investigadores, la Universidad mantuvo su posición y publicó un comunicado de prensa anunciando esta determinación. Y después de esta oleada inicial de agitación... Silencio. Dos años después, en octubre de 2009, Disney recurrió a lo que equivaldría a una retirada del producto al ofrecerles un reembolso a todas las personas que hubieran comprado los videos del Bebé Einstein. Y en un acto de responsabilidad, la empresa eliminó del paquete la palabra "educativo".

Después de los cinco años, no hay acuerdo sobre el veredicto

Desde los primeros estudios sobre la televisión, los investigadores han descubierto que no todo es negativo. Depende del contenido del programa, la edad del niño y hasta de sus genes.

Antes de los dos años, lo mejor es evitar la televisión por completo. Pero después de los cinco, el jurado no se ha puesto de acuerdo respecto a este difícil veredicto. Algunos programas *mejoran* el rendimiento cerebral a esta edad; y no es extraño que estos resulten ser del tipo interactivo (*Dora la exploradora*, bueno; *Barney y sus amigos*, malo). De modo que, si bien es un hecho que la exposición a la televisión debería ser limitada, tampoco podemos representarla con una pincelada monolítica. He aquí algunas recomendaciones sugeridas por los datos científicos:

1. Mantenga la televisión apagada hasta que su hijo cumpla dos años. Sé que esto es difícil para los padres que necesitan un descanso. Si no puede apagarla —si no ha creado esas redes sociales que pueden permitirle este descanso—, por lo menos limite la exposición de su hijo. En todo caso, vivimos en el mundo real, y un padre irritado y sobreexigido puede ser tan perjudicial para el desarrollo del bebé como un molesto dinosaurio rosado.
2. Después de los dos años, ayúdele a su hijo a escoger los programas de televisión (y demás medios digitales) que vaya a experimentar. Preste mucha atención a cualquier medio que permita una interacción inteligente.
3. Vea los programas con su hijo e interactúe con el medio, ayudándole a analizar y pensar críticamente sobre lo que acaban de experimentar. Y piénselo dos veces antes de poner un televisor en el cuarto de los niños. Los niños que tienen su propio televisor obtienen 8 puntos menos en los test de matemáticas y artes del lenguaje que aquellos que viven en casas en las que el televisor está en la sala.

Videojuegos: el problema de quedarse allí sentados

Primero que todo: un descargo de responsabilidad. Soy un amante de *Myst*, un viejo juego de video por computador. Fui artista gráfico y animador profesional antes de dedicarme a la ciencia, y *Myst* fue amor a primer *byte*. Era un mundo hermosamente presentado, retratado elegantemente con pintura digital, rebosante de lo que podría describir únicamente como "amor mapeado en bits". Pasé muchas horas en este mundo digital, explorando, resolviendo problemas, *leyendo* (¡en este juego hay libros!), examinando mapas celestes, manipulando tecnologías visualmente inspiradas por partes iguales en Leonardo da Vinci, Julio Verne y Gene Roddenberry. Incluso ahora, el sonido de olas que lamen una playa me devuelve al ensoñado mundo digital donde conocí por primera vez el verdadero poder de los computadores. Si sueno como un enamorado, entonces me estoy comunicando bien. Y esto es peligroso para un científico, sobre todo si uno está a punto de hablar de los juegos de video.

Por fortuna, hay cabezas más serenas por ahí. Y al fin y al cabo, para eso existe la bibliografía evaluada por expertos. ¿Y qué dice esa bibliografía acerca de los videojuegos y el desarrollo del cerebro del bebé? La verdad es que no hay mucho, y lo que hay, pinta un cuadro decididamente variopinto. Lo cual es entendible, pues es un tema demasiado nuevo, y la tecnología que lo respalda cambia demasiado rápido. En todo caso, lo que los padres de recién nacidos y niños pequeños deberían saber sobre los videojuegos no proviene de datos científicos sobre el efecto de estos en el cerebro, sino en el cuerpo.

Al igual que la televisión, la mayoría de los videojuegos se consume en una posición sedentaria. Las consolas basadas en el movimiento, como el Wii, que apareció en 2006, parecen ser una excepción, pero no parecen haber hecho mucha mella: el peso de los niños sigue aumentando precipitadamente. La tendencia del aumento de peso es tan marcada, que nuestros niños están empezando a padecer enfermedades usualmente asociadas con la edad mediana y la vejez. Y la obesidad infantil es tres veces más frecuente en los jugadores que en los no jugadores.

Al cerebro le encanta el ejercicio

Este aumento de la obesidad infantil es algo que nos duele oír a los científicos del cerebro, sobre todo por lo mucho que sabemos sobre la relación entre la actividad física y la agudeza mental. El ejercicio —especialmente el aeróbico— es maravilloso para el cerebro, pues aumenta los puntajes de la función ejecutiva entre un 50 y un 100 por ciento. Y esto aplica para cualquier momento de la vida, desde la infancia hasta la vejez. Los ejercicios de fortalecimiento no producen estas cifras (pero hay muchas otras razones para practicarlos).

Los padres que crían a sus hijos con un vigoroso horario de ejercicio tienen más probabilidades de tener hijos para quienes el ejercicio se convierta en una costumbre fija, incluso de por vida. Los niños que están en forma obtienen mejores puntuaciones en los test que evalúan la función ejecutiva que los niños sedentarios de los grupos de control, y esas puntuaciones se mantienen todo el tiempo que se mantenga el ejercicio. Por cierto, los mejores resultados se acumulan si los padres practican el ejercicio *con* sus hijos. ¿Recuerda aquello de la imitación diferida? Alentar un estilo de vida activo es uno de los mejores regalos que puede darles a sus hijos. Tal vez signifique dejar de lado su World of Warcraft, mover el trasero y dar un buen ejemplo. Y esto no hace que *Myst* sea menos hermoso, simplemente da una perspectiva más matizada al mundo de los videojuegos. Yo sigo amando al género, y lo amaré siempre, pero cada día estoy más convencido de que los juegos electrónicos deberían venir con una advertencia.

Un cuento sobre los mensajes de texto, con moraleja

¿Y el Internet y sus satélites de comunicación digital? Una vez más: hay muy pocos datos científicos. En todo caso, lo poco que hay sugiere ciertos motivos para preocuparse, como lo ilustra la siguiente historia:

Una niña de nueve años decidió invitar a cinco o seis de sus amigas más cercanas a dormir en su casa por primera vez. La madre de la niña, que había estudiado sociología, estaba encantada. Recordando sus propias historias de infancia, supuso charlas infinitas, peleas de almohada, secretos susurrados en la oscuridad y risitas a la madrugada. Pero esto nunca sucedió. Cuando las hijas de su amiga se reunieron, la madre notó cosas que alertaron inmediatamente sus instintos de socióloga. La conversación no parecía la de unas niñas de nueve años, cuyos intercambios sociales pueden ser sorprendentemente sofisticados; era más emocionalmente inmadura, como de niñas de cuatro años. La culpa parecía estar en que malinterpretaban las señas no verbales de las otras. La madre vio también que, a los treinta minutos de haberse reunido, casi todas habían sacado sus teléfonos celulares y estaban dedicadas a mandarles mensajes a las que no estaban allí, tomando fotos y enviándoselas. Y así transcurrió el día. Tarde en la noche, hacia las dos de la mañana, había un silencio absoluto. La madre echó un vistazo para asegurarse de que todo estaba bien. La mitad de las niñas se habían dormido. Las otras seguían con sus celulares, las pequeñas pantallas brillaban bajo las cobijas.

¿Los mensajes de texto estarían relacionados con su inmadurez social? No es un asunto trivial. Según las estadísticas, en 2008, un joven promedio envió y recibió 2272 mensajes al mes, es decir, unos ochenta al día. Para 2009, el 27 por ciento de las palabras con las que se toparon venían directamente de un computador.

¿Qué tiene esto de malo? No lo sabemos todavía. Lo que sí sabemos tiene que ver con la naturaleza del medio en sí. El Internet y los medios asociados incitan un consumo privado, lo que lleva a la extraña condición, como lo ilustra la historia de la madre socióloga, de que incluso cuando estamos juntos, podemos estar lejísimos. A no ser que todas sus interacciones digitales incluyan una cámara de video, esto hace que los niños no tengan mucha práctica para aprender a interpretar las señas no verbales. Y, por cierto, ese es el mundo en el que viven los niños autistas.

Perfeccionar las habilidades de la comunicación no-verbal requiere años de práctica, y como vimos en el capítulo anterior, es algo fundamental para los niños. Las experiencias de la vida real son mucho más caóticas que la vida en Internet, y no son anónimas en absoluto. Las personas de carne y hueso se tocan, se sacan de quicio, se telegrafían información mutua y constantemente, de maneras que no pueden traducirse en emoticones y abreviaturas. Recuerde que, desde la vida en pareja a la de la oficina, la mayor fuente de conflicto es la asimetría entre la información introspectiva y la extrospectiva; y buena parte de esta asimetría puede evitarse mediante la correcta interpretación de las señas no verbales. Cuanto menos práctica tengamos, más inmaduras serán nuestras interacciones sociales. Esto tiene implicaciones que van desde los futuros índices de divorcio hasta la erosión de la productividad en la fuerza laboral.

La observación anecdótica de la madre socióloga podría ser un llamado de alerta. No hay duda de que es un terreno fértil para la investigación, y en vista de todo lo que está en juego, puede que lo mejor sea conservar un escepticismo saludable ante un mundo únicamente digital. Puede que el mejor consejo sea mantener esos aparatos apagados durante el mayor tiempo posible.

Para bien o para mal, somos animales sociales. Probablemente esté programado en nuestro ADN. Y no hace falta escarbar demasiado para ver que las relaciones humanas son el ingrediente principal del futuro éxito de un bebé. Una cultura adobada en la tecnología podría fácilmente acusar a los investigadores de estar en el bando equivocado de la historia. Los investigadores, por su parte, podrían acusar a esta cultura de estar en el bando equivocado de la humanidad.

Mi bebé es mejor que el suyo

Hace poco, en la sala de embarque de un aeropuerto, oí por casualidad esta conversación telefónica: "¿Stephanie ya camina? ¿No? ¡Brandon ya caminaba a los nueve meses!" Y luego: "¿Stephanie todavía usa pañales? ¡Brandon los dejó antes de cumplir los dos años!" La conversación siguió girando en torno a los diversos hitos del Súperniño Brandon frente a la Patética Stephanie.

Adondequiera que vaya, suelo oír distintas versiones de esta competencia parental. Son un elemento de la híper maternidad-paternidad; otro ingrediente que debe limitar en su fertilizante. Al terminar la conversación, me imaginé lo que sentiría la mamá de Stephanie. ¿Furia? ¿Vergüenza? Tal vez habrá salido corriendo a comprar todos los juguetes educativos y para el desarrollo disponibles en el mercado con tal de acelerar el desarrollo de su hija. O se habrá sentado a llorar. Y todo sin necesidad.

Las comparaciones como estas no solo son contraproducentes, sino que no están en sintonía con los conocimientos neurocientíficos actuales. Además, ejercen una presión que puede ser perjudicial para el cerebro del niño.

Cada cerebro a su ritmo

Como ya sabe, el cerebro sigue un cronograma de desarrollo que es tan individual como la personalidad de su dueño. Los niños no viven los mismos hitos del desarrollo como si estuvieran en formación militar, marchando cual soldaditos cerebrales en el camino a su futuro. Además, un niño que es un genio para las matemáticas a los cuatro años no lo será necesariamente a los nueve. Cuentan que Einstein, de quien podría decirse que no podría haber sido más inteligente, no habló en oraciones completas sino hasta los tres años (dicen que sus primeras palabras fueron: "La sopa está muy caliente"). Esta individualidad es genética en parte, pero también se da por la sensibilidad de las neuronas al entorno exterior. Estas establecen nuevas conexiones y rompen conexiones existentes con mucha facilidad, una propiedad conocida como neuroplasticidad.

El desarrollo del cerebro parece experimentar *ciertas* etapas comunes. Pero muy pocos en la comunidad científica se han puesto de acuerdo en cuáles son estas etapas. El psicólogo del desarrollo Jean Piaget (que trabajó un tiempo con Alfred Binet, el tipo del CI) propuso cuatro estadios del desarrollo cognitivo en los niños, a saber: sensoriomotor, preoperacional, operacional concreto y operacional formal. Hoy en día, el concepto de las etapas del desarrollo que entonces fuera ampliamente influyente, es una idea polémica. Los investigadores empezaron a cuestionar esta noción a finales del siglo XX, cuando demostraron que los niños adquieren destrezas y conceptos en etapas mucho más tempranas que la sugeridas por Piaget. El trabajo de seguimiento reveló que, incluso dentro de una categoría determinada, los niños experimentan las etapas del desarrollo a su propio ritmo. Hay muchos que no siguen el orden concebido por Piaget; a veces se saltan uno o dos pasos, o repiten el mismo varias veces. Otros no siguen etapas definibles en absoluto.

Y esto no quiere decir que el cerebro de nuestros hijos tenga algún problema. Simplemente hay un problema con nuestras teorías.

No estamos en una carrera

Aun así, hay padres que creen que el desarrollo cerebral es como correr una carrera olímpica. Quieren que su hijo gane a cada paso, a cualquier costo. Incluso podemos ver el efecto de esta mentalidad cuando los hijos de estos padres entran en la universidad. Aunque trabajo básicamente con estudiantes de posgrado, de vez en cuando les doy clases a estudiantes de pregrado que quieren entrar en la Facultad de Medicina, y a estos chicos no suele importarles nada más. Muchos dicen haber sido criados en una torre de marfil, por padres que parecen verlos más como insignias al mérito que como personas.

Esto es lo que se conoce como "híper maternidad-paternidad", un fenómeno que ha sido estudiado. El psicólogo del desarrollo David Elkind, ahora profesor emérito de desarrollo infantil en la Universidad Tufts, ha dividido a los padres y las madres sobreexigentes en categorías. Cuatro de ellas son:

- **Padres *gourmet*.** Aquellos padres que siempre obtienen excelentes resultados y quieren que sus hijos triunfen igual que ellos.
- **Padres de título universitario.** Los clásicos padres que crían a sus hijos en torres de marfil; estos padres están relacionados con los *gourmets*, pero creen que, cuanto antes empiece el entrenamiento académico, mejor.
- **Padres enfocados en el mundo exterior.** Estos padres, que quieren proporcionarles a sus hijos destrezas físicas para la supervivencia porque el mundo es un lugar peligrosísimo, suelen estar relacionados con las fuerzas militares o legales.
- **Padres prodigio.** Económicamente exitosos y muy recelosos del sistema educativo, estos padres quieren proteger a sus hijos de los efectos negativos de la enseñanza.

Sin importar cuál sea la categoría, los hiperpadres suelen buscar el éxito intelectual de sus hijos a expensas de su felicidad. Aunque es difícil encontrar cifras verdaderas, es probable que haya una moraleja entre los bachilleres de Corea del Sur, donde la presión ejercida por los padres sobre el rendimiento de sus hijos en los exámenes estandarizados puede ser enorme. Después de los accidentes automovilísticos, el suicidio es la causa principal de la muerte de los jóvenes de quince a diecinueve años.

Los peligros de la híper maternidad-paternidad

Yo entiendo a los padres. En un mundo competitivo, cuyos "triunfadores" son los más inteligentes, es normal que se preocupen por la inteligencia de sus hijos. No obstante, el "secretito sucio" es que una presión intelectual extrema suele ser contraproducente. La híper maternidad-paternidad puede llegar a perjudicar realmente el desarrollo intelectual de su hijo en estas etapas.

1. Las expectativas extremas atrofian el pensamiento de nivel superior

Los niños son increíblemente reactivos a las expectativas de los padres: viven desesperados por agradarles y satisfacerlos cuando son pequeños, y desesperados por resistirse y rebelarse cuando crecen. Si sienten que sus padres quieren que ellos alcancen alguna proeza intelectual para la que su cerebro todavía no está preparado, se sienten arrinconados. Esto coacciona al cerebro a devolverse a estrategias de pensamiento de "nivel inferior", creando hábitos que tendrán que ser desaprendidos después.

Una noche, en una reunión social, pude experimentar esto en acción. Un padre orgulloso me anunció que su hijo de dos años entendía la multiplicación y puso al pequeño a recitar las tablas, pero con un sondeo amable se hizo evidente que simplemente recitaba de memoria. Las habilidades de pensamiento inferior habían sustituido los rasgos de procesamiento superior. Es lo que Elkind denomina, despectivamente, "trucos de pony", a los que no debe verse sometido ningún niño.

2. La presión puede acabar con la curiosidad

Los niños son exploradores por naturaleza. Pero si los padres les proporcionan solo rígidas expectativas educativas, el interés se transforma en conformidad. Al no verse recompensados por su comportamiento exploratorio, los niños empiezan a despreciarlo rápidamente. Recuerde: El cerebro es un órgano de supervivencia, y no hay nada más importante para un niño que la seguridad (la aprobación, en este caso) que puedan proveer los padres.

3. La ira constante o la decepción se convierte en estrés tóxico

El que los padres presionen a sus hijos a realizar tareas para las que su pequeño cerebro todavía no está preparado tiene otro efecto perjudicial. Los padres que exigen demasiado suelen sentirse decepcionados, disgustados o furiosos cuando sus hijos no cumplen con sus expectativas; reacciones que los niños pueden detectar a una edad asombrosamente temprana y que quieren evitar desesperadamente.

Esta pérdida de control es tóxica y puede generar un estado psicológico conocido cono "impotencia aprendida", que puede afectar físicamente el cerebro de un niño. Este aprende que no puede controlar los estímulos negativos que percibe (la furia o decepción de los padres) o las situaciones que los causan. Piense en un niño de tercer grado que tiene que volver a casa del colegio todas las noches para encontrar a un padre borracho que le pega. El niño tiene que tener un hogar, pero es terrible tenerlo. Así, recibirá el mensaje de que no hay escapatoria, y con el tiempo, no tratará de escapar, aun cuando se le presente una posibilidad posteriormente. Por eso se llama impotencia *aprendida*. Y no se necesita una situación de abuso físico para producirla.

La impotencia aprendida es una vía a la depresión, incluso en la infancia. Conocí a los padres de un estudiante de posgrado que se suicidó. Eran el arquetipo de padres extremadamente exigentes y, para ser franco, insoportables. Y aunque la depresión es un tema complejo, la nota de suicidio del estudiante daba a entender que su decisión era, en parte, una reacción a su sensación de fracaso para satisfacer las expectativas de sus padres. He aquí una poderosa demostración de que al cerebro lo que le interesa no es aprender sino sobrevivir.

Escríbase esto en el corazón antes de que su hijo llegue al mundo: la maternidad-paternidad no es una carrera. Los niños no son representantes del éxito de los adultos. La competencia puede servir de inspiración, pero hay ciertos tipos de competencia que pueden programar el cerebro de su hijo de una manera tóxica. Comparar a sus hijos con los hijos de sus amigos no los llevarán, ni a ellos ni a ustedes, adonde quieren llegar.

Hay maneras maravillosas de maximizar la potencia cerebral de su hijo. Concéntrese en el juego abierto e indefinido, en la interacción verbal y en elogiar el esfuerzo: fertilizantes estadísticamente garantizados para potenciar el intelecto de su hijo casi desde cualquier punto de partida. No se trata de nada extravagante. Después de todo, el alcance del rendimiento intelectual del cerebro humano se forjó en un mundo que no solo era pre-Internet sino además pre era del hielo.

Puntos clave

- Esto es lo que ayuda al aprendizaje: amamantar a su hijo, hablarle mucho, el juego guiado y elogiar el esfuerzo más que la inteligencia.
- Al cerebro le interesa más la supervivencia que sacar buenas notas en el colegio.
- Presionar a los niños para que aprendan algo antes de que su cerebro esté listo solo tiene efectos perjudiciales.
- Actividades que tienden a afectar el aprendizaje temprano son: una sobreexposición a la televisión, la impotencia aprendida y el sedentarismo.

Bebé feliz: semillas

Principios del cerebro

Los bebés nacen con su propio temperamento

Las emociones son solo unas notas adhesivas

La empatía hace buenos amigos

Bebé feliz: semillas

Lo único que usted le hizo a esa bebita dulce y tranquila fue poner un nuevo juguete en su cuna. Pero ella reacciona como si le hubiera quitado su juguete preferido. Alza los ojos hacia usted con el rostro crispado, el estrés se acumula en su corazón como un aguacero inminente, y entonces suelta un gemido tremendo, sacudiendo las piernas y arqueando la espalda con una angustia casi catastrófica. Pero no es solo por usted. Esto le sucede a esta pobre pequeñita cada vez que se le presenta un nueva experiencia: una voz desconocida, un olor extraño, un ruido fuerte. *Así* de sensible es. Simplemente se descompone con cualquier perturbación de la "normalidad".

A una chica de pelo largo y castaño, de unos quince años, están preguntándole por sus actividades extracurriculares. Y cuando empieza a responder, usted se da cuenta de que algo anda mal. ¡Tiene la misma mirada perturbada de la bebé! Está inquieta, sacude la rodilla, se retuerce el pelo, juguetea con la oreja. Sus respuestas son entrecortadas. No practica muchas actividades por fuera del colegio, dice, pero toca el violín y escribe de vez en cuando. Cuando el investigador le pregunta qué cosas le preocupan, la chica titubea, después se desata la tormenta. Conteniendo las lágrimas, dice: "Me siento realmente incómoda, sobre todo si estoy rodeada por personas que saben lo que quieren. Me la paso pensando: ¿Debería ir allí? ¿Debería ir allá? ¿Le estaré estorbando a alguien?". Hace una pausa, después dice llorando: "¿Cómo voy a lidiar con el mundo cuando sea grande? ¿O si voy a hacer algo que realmente signifique algo?". La emoción amaina y la chica se encoge, derrotada. "No puedo dejar de pensar en eso", concluye, su voz ahora es un susurro de angustia. El temperamento es inconfundible. Es la bebita, quince años después.

Claramente, es una niña infeliz.

Los investigadores la llaman Bebé 19, y es famosa en el mundo de la psicología del desarrollo. Mediante el trabajo con ella y otros niños como ella, el psicólogo Jerome Kagan descubrió muchas de las cosas que hoy sabemos sobre el temperamento y el importante papel en determinar cuán feliz será una persona.

Este capítulo gira todo en torno a por qué algunos niños, como la Bebé 19, son tan infelices, y otros no. (De hecho, la mayoría de los niños son todo lo contrario. La Bebé 19 se llama así porque los bebés 1 a 18 en el estudio de Kagan eran bastante alegres en comparación.) Hablaremos de la base biológica de los niños felices, de las probabilidades de que su bebé resulte ansioso, de si la felicidad podría ser genética y del secreto de una vida feliz. En el próximo capítulo, hablaremos de cómo puede usted crear un entorno propicio para la felicidad de su hijo.

¿Qué es la felicidad?

Los padres suelen decirme que su meta más alta es criar a un hijo feliz. Cuando les pregunto a qué se refieren, exactamente, me dan diversas respuestas. Algunos se refieren a la felicidad como una emoción: Quieren que sus hijos experimenten un estado subjetivo positivo de manera regular. Otros se refieren más bien a un estado constante del ser: Quieren que sus hijos sean emocionalmente estables. Otros parecen referirse a la seguridad o la moralidad, preocupados por que sus hijos consigan un buen trabajo y se casen bien, o que sean "respetables". En todo caso, tras unos cuantos ejemplos breves, a la mayoría les cuesta puntualizar una definición.

A los científicos también. Un investigador que ha pasado muchos años tratando de dar con la respuesta es un fabuloso elfo de la psicología llamado Daniel Gilbert, de la Universidad de Harvard. Hay otras definiciones de la felicidad, por supuesto, pero Gilbert propone estas tres:

- **Felicidad emocional.** Creo que la mayoría de los padres se refiere a esto. Este tipo de felicidad es un sentimiento (emocional) afectivo, una experiencia, un estado subjetivo pasajero, incitado por —pero, a la larga, no atado a— algo objetivo en el mundo real. Su hijo se deleita con el color azul, se conmueve con una película, se emociona con las Cataratas de Iguazú y se siente satisfecho con un vaso de leche.
- **Felicidad moral.** Entrelazada con la virtud, la felicidad moral está más cerca de un conjunto filosófico de actitudes que de un sentimiento subjetivo espontáneo. Si su hijo lleva una vida buena y correcta, llena de significado moral, es probable que se sienta profundamente satisfecho y contento. Para describir esta idea, Gilbert usa la palabra griega *eudaimonia*, que Aristóteles definió como "vivir y actuar bien". *Eudaimonia* significa, literalmente, "tener un buen espíritu guardián".
- **Felicidad sentenciosa.** En este caso, la "felicidad" está seguida por palabras como "de", "por" o "porque". Su hijo es feliz *de* ir al parque, *por* un amigo al que le acaban de regalar un perro. Implica una sentencia acerca del mundo, no en términos de un sentimien-

to subjetivo pasajero sino como una fuente de sentimientos potencialmente placenteros, ya sean pasados, presentes o futuros.

¿De dónde viene esta felicidad, independientemente del tipo? La fuente principal de la felicidad fue descubierta por el experimento más viejo y prolongado de la historia de la ciencia estadounidense moderna.

El secreto de la felicidad

El psicólogo que preside este proyecto de investigación se llama George Vaillant. Desde 1937, los investigadores del Estudio de Harvard sobre el Desarrollo Adulto han recopilado, de manera exhaustiva, datos íntimos sobre varios cientos de personas. El estudio suele conocerse con el nombre de Estudio Grant, por el potentado W. T. Grant, que financió el trabajo inicial. La pregunta que están investigando es: ¿Existe una fórmula para la "buena vida"? En otras palabras, ¿qué hace feliz a la gente?

Vaillant ha sido el cuidador del proyecto durante más de cuatro décadas; el último de la larga línea de pastores científicos del Estudio Grant. Y su interés va más allá de lo profesional. Él mismo se describe a sí mismo como un padre "desconectado". Se ha casado cuatro veces (dos veces con la misma mujer) y tiene cinco hijos, uno de los cuales es autista, y ninguno de los cuales habla con él con mucha frecuencia. Su propio padre se suicidó cuando él tenía diez años, dejándolo con pocos ejemplos felices para seguir. De modo que es una persona adecuada para liderar la búsqueda de la felicidad.

Los padrinos científicos del proyecto, los cuales murieron todos ya, reclutaron a 268 estudiantes de pregrado de Harvard para el estudio. Se trataba de varones blancos, aparentemente equilibrados, muchos de ellos con un futuro brillante por delante (entre otros, Ben Bradlee, legendario editor del *Washington Post*, y el presidente John

F. Kennedy). Sus vidas habrían de verse extendidas como un abanico durante años para que los profesionales (psicólogos, antropólogos, trabajadores sociales e incluso fisiólogos) pudieran seguirle la pista a todo lo que les sucediera. Y eso hicieron.

Con una rigurosidad inicial digna de la envidia del Departamento de Seguridad Nacional de los Estados Unidos, estos hombres han soportado revisiones médicas exhaustivas cada cinco años, han presentado pacientemente todas las series de test psicológicos, tolerado entrevistas personales cada quince años y llenado formularios cada dos años, durante casi tres cuartos de siglo. Y aunque ha sido supervisado de modo poco uniforme a lo largo de las décadas por lo que podría denominarse una coletilla de investigadores, el Estudio Grant es probablemente, en su estilo, la investigación más meticulosa que se haya emprendido.

¿Y qué descubrieron después de todos estos años? ¿Qué constituye la buena vida? ¿La regularidad nos hace felices? Dejaré que sea Vaillant, en una entrevista con *The Atlantic*, quien responda por el grupo:

> *"Lo único que realmente importa en la vida son las relaciones con las otras personas".*

Después de casi 75 años, el único descubrimiento sistemático parece sacado directamente de la película *¡Qué bello es vivir!* Las amistades exitosas, esos complicados puentes que conectan a amigos y familiares, es lo que predice la felicidad de la gente al recorrer la vida. Las amistades son un mejor predictor que cualquier otra variable. Para cuando una persona llega a la edad mediana, son el único predictor. En palabas de Jonathan Haidt, un investigador que ha estudiado exhaustivamente la relación entre socialización y felicidad: "Los seres humanos somos, de cierto modo, como las abejas. Hemos evolucionado hasta vivir en grupos intensamente sociales, y no nos va tan bien cuando nos vemos liberados del enjambre".

Cuanto más íntima sea la relación, mejor. Un colega de Vaillant demostró que la gente no logra entrar en el 10 por ciento del paquete feliz a no ser que esté involucrada en una relación romántica de algún tipo. El matrimonio es un factor muy importante. Cerca del 40 por ciento de los adultos casados se describen a sí mismos como "muy felices", frente al 23 por ciento de los que nunca se han casado.

Desde entonces, se han realizado más investigaciones que han confirmado y ampliado estos descubrimientos sencillos. Además de las relaciones satisfactorias, hay otras conductas que predicen la felicidad, como:

- Una dosis continua de actos altruistas
- Hacer listas de cosas por las cuales estamos agradecidos, que produce sentimientos de felicidad a corto plazo
- Cultivar una "actitud de gratitud" general, que produce sentimientos de felicidad a largo plazo
- Compartir experiencias nuevas con un ser amado
- Emplear un "reflejo del perdón" para cuando un ser querido nos desprecia

Si todo esto le parece obvio —los sospechosos usuales de los manuales de autoayuda—, lo siguiente podría sorprenderlo: el dinero no entra en la selección. Las personas que ganan más de cinco millones de dólares al año no son sensiblemente más felices que las que ganan cien mil, según *The Journal of Happiness Studies* [Revista de estudios de la felicidad]. El dinero aumenta la felicidad solo cuando hace que pasemos de la pobreza a unos cincuenta mil dólares anuales. Más allá de los cincuenta mil dólares anuales, la felicidad y la riqueza se separan. Esto sugiere algo práctico y tranquilizante: ayúdeles a sus hijos a tener una profesión que les permita llegar a esta cifra. Nuestros hijos no tienen que ser millonarios para disfrutar la vida para la que los preparamos.

Una vez satisfechas las necesidades básicas, lo que necesitan es muchos amigos cercanos y familiares.

Incluso hermanos, como lo demuestra la siguiente historia.

¡Mi hermano es JOSH!

Mis dos hijos, cuando el uno tenía tres y el otro cinco, estaban correteando por un patio de juegos una nublada mañana de Seattle, jugando en los columpios, revolcándose por el césped y gritando con otros niños. Actuaban todos como los cachorros en entrenamiento que eran. De pronto, un par de matones del barrio, unos grandulones de cuatro años, tiraron a Noah al suelo. Josh acudió como un rayo para socorrer a su hermano. Se interpuso entre este y los matones, con los puños en alto, y gritó apretando los dientes: "¡Nadie se mete con mi hermano!". La pandilla, horrorizada, se dispersó inmediatamente.

Noah no estaba solo aliviado sino *extasiado*. Abrazó a su hermano mayor y se puso a correr a su alrededor en círculos, invadido por una energía festiva desbordante, lanzando rayos láser con varitas de mentiras, gritando a todo pulmón: "¡Mi hermano es JOSH!". Una vez cumplida su buena acción, Joshua regresó a su columpio, sonriendo de oreja a oreja. Fue un espectáculo de un solo acto, extraordinariamente feliz, aplaudido sonoramente por nuestra niñera, que estaba observándolos.

La esencia de esta historia es la presencia de la felicidad, generada por una relación cercana y profunda. Noah estaba claramente encantado; Josh, claramente satisfecho. Conociendo la rivalidad que suele haber entre hermanos, sabemos que este altruismo no es el único comportamiento que caracteriza este tipo de relación. Pero durante ese momento, estos eran unos niños equilibrados y *felices*, algo perceptible de manera casi cinematográfica.

Cómo hacer amigos

Estos datos sobre la importancia de las relaciones humanas —en toda su compleja gloria— tienden a simplificar la pregunta de cómo criar niños felices. Usted tendrá que enseñarles a sus hijos cómo socializar eficazmente —cómo hacer amistades, y cómo conservarlas—, si quiere que sean felices.

Como sospechará, la creación de niños socialmente inteligentes implica muchos ingredientes, demasiados como para ponerlos en una especie de cuenco conductual. Por tanto, he escogido los dos que tienen el respaldo más fuerte de las neurociencias duras. Además, son dos de los mejores predictores de la competencia social:

- la regulación emocional
- nuestra vieja amiga, la empatía

Empecemos por la primera.

Regulación emocional: qué bueno

Tras décadas de investigaciones millonarias, los científicos han develado un hecho realmente sorprendente: tendemos a mantener relaciones profundas y duraderas con las personas amables. Mamá tenía razón. Los sujetos que son considerados, generosos, sensibles, abiertos, complacientes y compresivos tienen relaciones más profundas y duraderas —e índices de divorcio más bajos— que los taciturnos, impulsivos, descorteses, egocéntricos, inflexibles y vengativos. Un balance negativo en esta hoja de cálculo puede afectar enormemente la salud mental de una persona, lo que implica un mayor riesgo no solo de tener menos amigos sino de padecer depresión y trastornos de ansiedad. Lo que coincide con algo que también demostró el estudio de Harvard, y es que las personas que tienen deudas emocionales son algunas de las personas menos felices del mundo.

Características como taciturno, descortés e impulsivo hacen pensar en un control ejecutivo defectuoso, y allí reside parte del problema. Pero el déficit es aun mayor. Estas personas no regulan sus emociones. Para entender lo que esto significa, primero tenemos que responder una pregunta básica:

¿Qué rayos es una emoción?

Puede poner esta pequeña nota en la carpeta de "Haz lo que digo, no lo que hago":

> *Anoche, mi hijo tiró su chupo. Yo estaba cansada y frustrada y le dije: "¡Las cosas no se tiran!" Y le tiré el chupo.*

A lo mejor el niño no quería dormirse y lo tiró como un acto de rebeldía. La madre ya nos contó que estaba cansada y frustrada, bien podríamos añadir furiosa. Estas tres breves oraciones encierran muchas emociones. ¿Qué estaban experimentando exactamente? Puede que la respuesta le resulte sorprendente. Los científicos no lo saben en realidad.

En el mundo de la investigación hay mucha polémica acerca de qué son las emociones exactamente; en parte porque no son algo que pueda distinguirse en el cerebro.

Solemos distinguir entre el pensamiento duro organizando, como resolver un problema de cálculo, y las emociones desorganizadas y fangosas, como experimentar frustración o felicidad. Pero las distinciones se desvanecen al observar los cableados que componen el cerebro. Hay regiones que producen y procesan las emociones, y regiones que producen y procesan los pensamientos analíticos, pero todas están tremendamente entrelazadas. Unas complejas y dinámicas coaliciones de neuronas se envían mutuamente señales eléctricas con patrones altamente integrados y asombrosamente adaptativos. Es imposible ver la diferencia entre las emociones y los análisis.

Para lo que aquí nos interesa, lo mejor es no preocuparnos por lo que *es* la emoción, sino por lo que *hace*. Comprender esto nos proporcionará estrategias para la regulación emocional; uno de los dos elementos principales para mantener relaciones saludables.

Las emociones catalogan nuestro mundo tal como Robocop cataloga a los malos

En una de mis películas favoritas de ciencia ficción, *Robocop*, hay una gran definición de las emociones. Esta película de 1987 tiene lugar en una Detroit futurista, infestada de criminales, una ciudad, ayer como hoy, con una profunda necesidad de un héroe. Que resulta ser el *ciborg* Robocop, un híbrido humano creado a partir de un policía fallecido (interpretado por Peter Weller). Robocop entra en los bajos fondos de la ciudad desprevenida con la misión de limpiarla, y lo genial es que puede apresar a los malos minimizando los daños colaterales. En una escena, Robocop registra un paisaje lleno de criminales y transeúntes inocentes. Los espectadores estamos dentro de su visera y podemos verlo clasificar digitalmente solo a los malos, dejando al resto en paz. Apunten: ¡fuego! Robocop acaba solo con los malos.

Este tipo de filtro es precisamente lo que las emociones hacen en el cerebro. Puede que usted esté acostumbrado a pensar que las emociones son lo mismo que los sentimientos, pero, para el cerebro, no lo son. En la definición de manual, las emociones son simplemente la activación de circuitos neurológicos que establecen las prioridades de nuestro mundo perceptual en dos categorías: las cosas a las que deberíamos prestarles atención y las que podemos pasar por alto tranquilamente. Los sentimientos son las experiencias psicológicas subjetivas que surgen de esta activación.

¿Ve la semejanza con la visera de Robocop? Al otear nuestro mundo, etiquetamos ciertas cuestiones para procesarlas con detenimiento y dejamos otras en paz. Las emociones son las etiquetas. También podemos pensar en las emociones como en unas notas adhesivas que hacen que el cerebro le preste atención a algo. ¿A qué le ponemos nuestras notitas cognitivas? El cerebro etiqueta lo que está más inmediatamente relacionado con la supervivencia: las amenazas, el sexo y los patrones (cosas que creemos que hemos visto antes). Puesto que la mayoría de las personas no les ponemos notas adhesivas a todo, las emociones nos ayudan a priorizar las informaciones sensoriales recibidas. Puede que veamos tanto al criminal apuntándonos con una pistola como el césped en el que está parado, pero el césped no nos produce una reacción emocional. Nos la produce la pistola. Las emociones proporcionan una importante capacidad de filtrar lo percibido, en servicio de la supervivencia. Y desempeñan un papel clave al hacernos fijar la atención en ciertas cosas y ayudarnos a tomar decisiones. Como bien puede estar imaginando, la capacidad de un bebé para regular sus emociones tarda un rato en desarrollarse.

Las emociones son como unas notas adhesivas que le dicen al cerebro que le preste atención a algo.

¿Por qué lloran los bebés? Porque hace que los padres los etiqueten a *ellos*

En su primeras semanas de vida, parecía que lo único que Josh hacía era llorar, dormir o expulsar cosas desagradables. Se despertaba a altas horas de la madrugada, llorando. Yo lo cargaba a veces, otras lo acostaba, pero cualquiera de las cosas solo lo hacía llorar más. ¿Acaso era lo único que podía hacer?, me preguntaba a mí mismo. Hasta que un día volví a casa más temprano que de costumbre. Mi esposa lo había puesto en su cochecito, y cuando me acercaba a los dos, el pequeño me vio y pareció experimentar una repentina ráfaga de reconocimiento. Y me mostró una sonrisa tan potente que podría haber iluminado Las Vegas durante una hora seguida, después se quedó mirándome fijamente. ¡Yo no podía creerlo! Entonces solté un grito y estiré los brazos para abrazarlo. Pero el ruido fue demasiado fuerte, y el movimiento demasiado repentino. La sonrisa se convirtió inmediatamente en llanto. Después se hizo popó en el pañal. Para variar.

Mi incapacidad para descifrar a mi hijo en sus primeras semanas no implicaba que el niño —o cualquier otro bebé— tuviera una sola emoción. En las primeras semanas de todos los bebés se produce una buena cantidad de actividad neurológica, tanto en la corteza como en las estructuras límbicas. (Más adelante echaremos un vistazo a estas dos estructuras cerebrales.) Para los seis meses, un bebé promedio puede experimentar sorpresa, asco, felicidad, tristeza, furia y miedo. Lo que no tienen los bebés son muchos filtros. Y llorar durante meses es la forma más rápida y eficaz de lograr que los padres los etiqueten a *ellos*. En términos de la supervivencia, la atención parental es uno de los intereses más profundos del bebé indefenso, por lo que llora cuando está asustado, con hambre, desconcertado, sobreestimulado, solo, o ninguna de las anteriores. Y eso equivale a muchas lágrimas.

Los grandes sentimientos son confusos para los niños pequeños

Los bebés tampoco pueden hablar. Todavía. Lo harán —y es una de sus primeras metas a largo plazo y únicamente humanas—, pero sus sistemas de comunicación no verbal tardarán un tiempo en conectarse con sus sistemas de comunicación verbal. La capacidad de catalogar verbalmente una emoción, que es una importante estrategia de la regulación emocional, no ha llegado aún.

Hasta la adquisición del lenguaje, mientras que sus cerebros diminutos y cargados de emociones establecen las conexiones necesarias, a los bebés les espera una época de gran confusión. Y la lucha es especialmente intensa cuando empiezan a caminar. Es probable que no sean conscientes de las emociones que están experimentando y que no entiendan la manera socialmente correcta de comunicarlas. El resultado es que su bebé puede mostrarse furioso cuando en realidad está triste, o parecer malhumorado sin ningún motivo aparente. A veces, un solo hecho provocará una mezcla de emociones. Estas emociones y su séquito de sentimientos pueden resultarles tan grandes y fuera de control a los niños que, para completar, se sienten asustados. Y esto solo amplifica el efecto.

Puesto que los niños suelen expresar sus emociones indirectamente, los padres deben considerar el contexto ambiental antes de intentar descifrar el comportamiento de su hijo. Si ha llegado a la conclusión de que los padres deben prestar mucha atención a los paisajes *emocionales* de sus hijos para comprender su comportamiento —para lograr una socialización adecuada— está completamente en lo cierto.

Las cosas se normalizan con el tiempo. Las estructuras del cerebro encargadas de procesar y regular las emociones se conectan entre sí y parlotean cual adolescentes hablando por celular. El problema es que esto no sucede de un momento a otro. Y el trabajo no está realmente terminado sino cuando usted y su hijo empiezan a buscar financiación para la universidad. Pero aunque tarda mucho tiempo, establecer este flujo de comunicación es supremamente importante.

Regulación emocional: invalidarse a sí mismo

Cuando ha madurado, la regulación emocional funciona más o menos así: Supongamos que usted está en el teatro con unos amigos viendo una conmovedora escena del musical *Les Misérables*. Están en esa canción extrañamente poderosa (hay quienes dicen que feliz) que se llama *Bring Him Home*. Y usted sabe dos cosas: a) que cuando llora, llora, y

b) que esta canción puede conmoverlo hasta los tuétanos. De modo que, para evitarse la humillación social, reevalúa la situación y trata de contener las lágrimas. Y lo logra..., escasamente.

Esta autoinvalidación es la regulación emocional. No hay nada de malo en llorar, o en muchas otras expresiones, pero usted se da cuenta de que hay contextos sociales en los que una conducta resulta apropiada y otros en los que no. La gente que sabe hacer esto suele tener muchos amigos. Si quiere que sus hijos sean felices, pasará mucho tiempo enseñándoles cuándo y cómo deben producirse estos filtros.

¿Dónde suceden las emociones en el cerebro?

"¡Está brillando!", gritó una niña, en una mezcla de deleite y terror. "¡Uy! ¡Puedo ver las garras!", exclamó un niño que estaba justo detrás de ella. "¡Y allí está el aguijón!", dijo otra niña, a lo que el niño replicó: "¡Uy! ¡Se parece a la nariz de tu hermana!". Y a esto le siguió un empujoncito. Yo me reí. Estaba rodeado por un vivaz grupo de niños de tres años en una excursión a un museo, absolutamente anonadados por la manera como los escorpiones brillan bajo la luz ultravioleta.

Una de las partes más hermosas de esta exhibición también era que el escorpión estaba ubicado fuera de su alcance, justo por encima de sus hombros. Un escorpión grande y solitario, inmóvil sobre una piedra, dentro de una pecera más grande y solitaria. Con la luz ultravioleta proyectada desde arriba, el animal parecía un rey de los arácnidos, brillando en la oscuridad. O si usted es un científico del cerebro, diría que se parecía a unas de las estructuras más complejas del cerebro: las que producen y generan las emociones.

Imagínese a ese mismo escorpión suspendido en la mitad de su cerebro. El cerebro tiene dos lóbulos, o hemisferios, que pueden compararse con dos peceras que se han fusionado parcialmente. Primero describiré las peceras, después el escorpión.

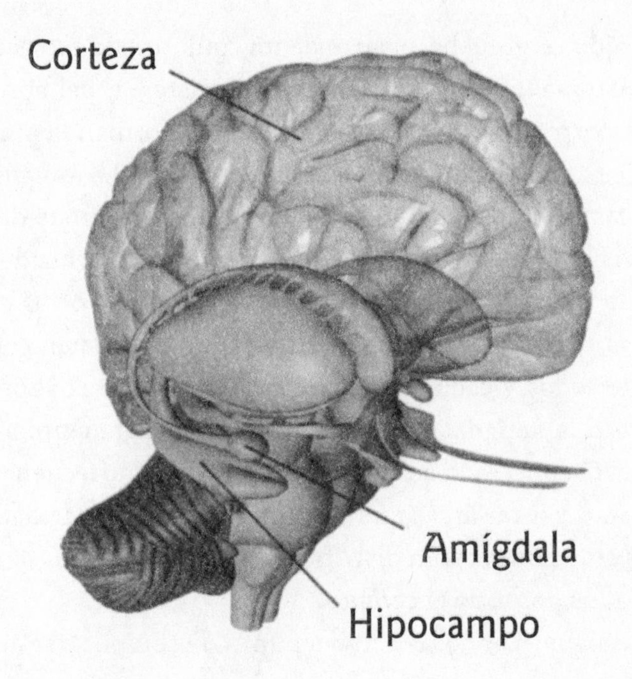

La corteza: sentidos y pensamiento

Las peceras que se han fusionado parcialmente son los hemisferios principales del cerebro, denominados, lógicamente, hemisferio derecho y hemisferio izquierdo. Cada uno está cubierto por una superficie gruesa, hecha no de vidrio sino de una capa de neuronas y moléculas. Esta cubierta de tejido celular es la corteza. La corteza no es demasiado gruesa, no se parece a la de ningún otro animal y es el tejido que nos hace humanos. Entre muchas otras funciones, nuestra corteza se encarga del pensamiento abstracto (como el álgebra) y el procesamiento de la información sensorial externa (como vislumbrar al tigre de dientes de sable). Pero ni el álgebra ni el tigre de dientes de sable nos hacen sentir amenazados debido a la corteza. Ese es el trabajo del escorpión.

La amígdala: emociones y memoria

Este arácnido cerebral hace parte de un conjunto de estructuras denominado sistema límbico, que quiere decir sistema "del borde". Las garras del escorpión, una por cada hemisferio, forman la amígdala, que quiere decir "almendra" (y eso es lo que parece). La amígdala ayuda a producir las emociones y luego a guardar los recuerdos de esas emociones. En el mundo real del cerebro, no vemos la forma del escorpión puesto que las regiones límbicas están ocultas tras otras estructuras, entre ellas, un matorral impenetrable de conexiones celulares que cuelgan de todos y cada uno de los milímetros de la superficie de la pecera. Pero la amígdala no está conectada únicamente a la corteza, también está conectada a regiones que regulan la frecuencia cardiaca, los pulmones y otras áreas que controlan nuestra capacidad de movernos. Y las emociones están distribuidas entre conjuntos de células que están regados por todo el cerebro.

¿Me sigue? Las cosas están a punto de complicarse aun más.

¡Mucho chisme!

La parte central de la amígdala tiene unas conexiones gruesas con una región del cerebro llamada ínsula, un área más bien pequeña que está hacia la mitad del órgano. Este es un hallazgo importante. La ínsula, con la ayuda de su amiga la amígdala, ayuda a crear contextos subjetivos y emocionalmente relevantes para la información sensorial que percibimos a través de nuestros ojos, oídos, nariz, dedos. ¿Cómo sucede esto? No tenemos ni la menor idea. Sabemos que la ínsula recopila las percepciones de temperatura, tensión muscular, escozor, cosquilleo, tacto sensual, dolor, pH estomacal, tensión intestinal y hambre que llegan de todo del cuerpo. Y después le cuenta a la amígdala todo lo que encuentra. Algunos investigadores creen que esta comunicación es una de las razones por las que la recopilación de información que se produce al sur de la cabeza es tan importante para la creación y percepción de los estados emocionales. Y puede que esto tenga que ver con ciertas enfermedades mentales, como la anorexia nervosa.

¿Tiene la impresión de que este escorpión es muy parlanchín? Estas conexiones son las líneas telefónicas que permiten que esta parte del cerebro —e, indirectamente, cualquier otra parte del cuerpo— oiga lo que está diciendo el resto del cerebro. Y esto es un indicio importante de que las funciones emocionales están distribuidas por todo el cerebro, o al menos son anunciadas por todo el cerebro.

En todo caso, cómo aprende la amígdala a fabricar las emociones y por qué necesita la ayuda de tantas otras regiones neurales es, hasta cierto punto, un misterio. Sabemos que el cerebro se toma su buen tiempo en cablear todas estas conexiones entre sí, en algunos casos años. (¿Ha visto cómo un niño egoísta se convierte en un atento joven? A veces, lo único que se necesita es tiempo.)

Empatía: La goma de las relaciones

Junto con la capacidad de regular las emociones, la capacidad de percibir las necesidades de otra persona y responder con empatía juega un papel crucial en la competencia social de su hijo. Es tan importante como para ser un *principio del cerebro*: la empatía hace buenos amigos. Para tener empatía, su hijo debe cultivar la capacidad de escudriñar en los interiores psicológicos de otra persona; es decir, comprender con precisión los sistemas de recompensa y castigo de esa persona para responder con amabilidad y comprensión. La empatía ayuda a unir a las personas, proporcionando a sus interacciones una estabilidad a largo plazo. Vea lo que les sucede a esta madre e hija en la siguiente historia:

> *TENGO que aprender a no ser tan burda al llegar a casa. Un día, estaba hablando por teléfono con Shellie, quejándome de que me estoy rompiendo el trasero con tanto trabajo. Al rato, empecé a*

sentir que olía a crema para la pañalitis, y que alguien trataba de alzarme la falda. ¡Mi adorada hija de dos años había abierto un tubo de Desitin y estaba tratando de untármelo! "¿Qué rayos estás haciendo?", le pregunté. "Nada, mamita", contestó. "¡Es para que no te duela el trasero!" Cómo adoro a esta niña. ¡Podría haberla estrujado hasta destriparla!

Advierta lo que la empatía creativa de la hija hizo por la actitud de su madre respecto a la relación de las dos. *Parece haberlas unido*. Estas interacciones empáticas tienen nombre. Cuando una persona está realmente feliz por otra, o triste, decimos que se trata de una interacción activo-constructiva; una conducta tan poderosa, que puede mantener unidos no solo a padres e hijos sino también a esposos y esposas. Si su matrimonio tiene una proporción 3-a-1 de interacciones activo-constructivas frente a las tóxico-conflictivas, puede decirse que tienen una relación casi a prueba de divorcio. Los mejores matrimonios tienen una proporción de 5-a-1. En el capítulo sobre las relaciones hablamos de la importancia de la empatía en la transición a la maternidad-paternidad.

Neuronas espejo: puedo sentirte

Detrás de la empatía hay una neurobiología; algo que se me recordó la primera vez que vacunaron a mi hijo menor. Mis ojos vigilantes seguían todos los movimientos del doctor mientras llenaba la jeringa. Y el pequeño Noah, que presentía que algo andaba mal, empezó a retorcerse entre mis brazos. Estaba preparándose para recibir sus primeras vacunas, y no le estaba gustando nada. Yo sabía que los siguientes minutos serían terribles. Mi esposa, que había vivido el proceso con nuestro hijo mayor y que tampoco es muy amiga de las agujas (cuando era pequeña, la enfermera de su pediatra tenía Parkinson), decidió que esta vez se quedaría en la sala de espera. De modo que era mi labor sostener a Noah con firmeza entre mis brazos para mantenerlo quieto mientras el doctor hacía el trabajo sucio.

Y no tendría que haber sido gran cosa, pues yo tengo una relación científica con las agujas. Durante mi carrera, he inyectado patógenos en ratones, electrodos de vidrio en tejidos neurales y tintes en tubos de ensayo, y a veces la aguja ha ido a parar a mi dedo y no al tubo. Pero esta vez era diferente. Los ojos de Noah se quedaron fijos en los míos cuando la aguja entró en su bracito como si fuera un mosquito metálico del infierno. Y nada podría haberme preparado para la mirada de sentirse traicionado de mi pequeño. Su frente se arrugó cual celofán. Soltó un alarido. Y yo otro, para mis adentros. Sin ningún motivo racional, sentí que había fracasado. Y me dolió el brazo.

Podemos echarle la culpa a mi cerebro. Hay investigadores que dicen que, al observar el dolor en el brazo de mi hijo, las neuronas que manejan la capacidad de experimentar el dolor en *mi* brazo cobraron vida repentinamente. No me habían puesto ninguna inyección, pero esto no le importó a mi cerebro, que estaba *reflejando* el hecho, experimentando, literalmente, el dolor de alguien que me importa muchísimo. No tenía nada de raro que me doliera el brazo.

Estas neuronas, conocidas como "neuronas espejo", están desperdigadas por todo el cerebro cual diminutos asteroides celulares. Y las reclutamos, conjuntamente con los sistemas de memoria y procesamiento emocional, cuando nos encontramos con la experiencia de otra persona. Los investigadores creen que estas neuronas con propiedades reflexivas tienen muchas formas. En mi caso, experimenté los espejos más íntimamente relacionados con el dolor en las extremidades. También activé neuronas motoras que controlan el deseo de mi brazo de escapar de una situación dolorosa.

Parece que hay otros mamíferos que también tienen neuronas espejo. Es más, estas neuronas fueron descubiertas inicialmente por unos investigadores italianos que estaban tratando de comprender cómo los monos alzaban unas uvas pasas. Los investigadores advirtieron que ciertas regiones cerebrales se activaban no solo cuando los monos alzaban las uvas pasas sino también cuando veían a los otros alzándolas. El cerebro de los animales "reflejaba" la conducta. En los humanos, estas mismas regiones neuronales se activan no solo cuando rasgamos un trozo de papel o cuando vemos a la tía Marta rasgando un trozo de papel, sino también cuando oímos las palabras "la tía Marta está rasgando un trozo de papel".

Es como tener un vínculo directo con la experiencia psicológica de otra persona. Las neuronas espejo nos permiten entender una acción observada al experimentarla de primera mano, aunque no estamos experimentándola de primera mano. Esto suena muy parecido a la empatía. Las neuronas espejo también pueden estar muy implicadas en la capacidad de interpretar señas no verbales, sobre todo las expresiones faciales, y en la capacidad de comprender las intenciones de otra persona. Este segundo talento está dentro de otro conjunto de capacidades agrupadas bajo el nombre de "teoría de la mente", la cual describiremos detalladamente en el capítulo sobre la moralidad. Algunos investigadores creen que las capacidades de la "teoría de la mente" son los motores que movilizan la empatía.

En todo caso, no todos los científicos están de acuerdo respecto al papel de las neuronas espejo en la mediación de conductas humanas complejas como la empatía y la teoría de la mente. En realidad es una cuestión de opinión. Y aunque el predominio de evidencias sugiere que desempeñan un papel, yo también creo que hay que investigar más. Con más investigaciones, puede que descubramos que la empatía no es un fenómeno sensiblero sino que tiene profundas raíces neurofisiológicas.

Un talento desigual

Dado que este tipo de actividad neuronal puede medirse fácilmente, cabe preguntar si todos los niños tienen el mismo talento para la empatía. Y la respuesta, en absoluto sorprendente, es negativa. Los autistas, por ejemplo, carecen de la capacidad de detectar cambios en los estados emocionales de la gente. No pueden descodificar los interiores psicológicos de otra persona al mirarla. No pueden descubrir las motivaciones o predecir las intenciones de los otros. Algunos investigadores creen que carecen de la actividad reflexiva de las neuronas. Pero incluso más allá de este caso extremo, la empatía no es un talento repartido equitativamente. Seguro que usted conoce a personas empáticas por naturaleza, y a otras que tienen una comprensión emocional mínima. ¿Acaso nacemos así? Aunque no es fácil separar las influencias sociales y culturales, la respuesta igualmente difícil es: tal vez.

Esto sugiere que hay aspectos del paquete de capacidades sociales de un niño que los padres no pueden controlar. Y también puede que haya un componente genético en el nivel de felicidad que pueda alcanzar nuestra descendencia. Esta idea, que puede producir un poco de miedo, merece una explicación más detallada.

¿La felicidad o la tristeza podrían ser genéticas?

Mi madre dice que nací riéndome. Y aunque llegué al mundo en una época en la que no había cámaras —ni papás— en las salas de parto, tengo cómo confirmar esta observación, pues el pediatra que supervisó mi nacimiento dejó una nota que mi madre guardó y que todavía conserva. Dice así: "El bebé parece estar riéndose".

Es gracioso, pues me encanta reírme. Y soy una persona optimista, de las que suelen pensar que todo va a salir bien, incluso cuando no hay ni el menor indicio que justifique esta actitud. Mi vaso siempre estará medio lleno, incluso si está roto y goteando. Es probable que esta predisposición me haya salvado el pellejo emocional más de una vez, dada la cantidad de años que llevo lidiando con las características genéticas, a menudo depresivas, de los trastornos psiquiátricos.

Entonces, si nací riéndome, ¿quiere decir que nací feliz? No, claro que no. La mayoría de los bebés nacen llorando, y esto no quiere decir que nazcan deprimidos.

¿Pero existe una tendencia genética a la felicidad o a la tristeza? Así lo cree el investigador Marty Seligman, uno de los psicólogos más respetados del siglo XX. Seligman fue uno de los primeros en vincular directamente el estrés con la depresión clínica. Sus investigaciones anteriores tenían que ver con perros sometidos a electrochoques, hasta el extremo de desarrollar la impotencia aprendida. Años después, quizás en reacción a esto, dio un giro. ¿Su nuevo objeto de estudio? El optimismo aprendido.

El termostato de la felicidad

Tras años de investigar el optimismo, Seligman concluyó que todos venimos al mundo con una especie de "punto de ajuste" de la felicidad, algo así como un termostato conductual. Es una noción basada en las ideas del fallecido David Lykken, de la Universidad de Minnesota. El punto de ajuste de algunos niños está programado en alto: son felices por naturaleza, sin importar las circunstancias que les arroje la vida. Mientras que el de algunos niños está programado en bajo, y son depresivos por naturaleza, sin importar las circunstancias que les arroje la vida. Los demás están en la mitad.

Puede que esto suene un poco determinista, y lo es. Seligman cree que podemos mover la aguja un par de grados, pero, en general, tendemos a mantenernos alrededor del centro que Dios nos haya dado. Incluso tiene una fórmula, la "ecuación de la felicidad", para medir cuán feliz es una persona. Se trata de la suma de ese punto de ajuste, más ciertas circunstancias de la vida y los factores que están bajo nuestro control voluntario.

No todo el mundo está de acuerdo con Seligman (la ecuación de la felicidad ha suscitado una crítica especial). Y si bien las evidencias predominantes sugieren que la idea va por buen camino, hay que trabajarle más. A la fecha, no se ha descubierto ninguna región neurológica que esté dedicada exclusivamente al termostato. O a ser feliz en general. En el plano molecular, los investigadores aún no han aislado ningún gen "de la felicidad" o sus reguladores termostáticos, pero están trabajando en ambas cosas. Al final de este capítulo, echaremos un vistazo más detallado a estos genes.

Todo este trabajo —empezando por la Bebé 19, la angustiada niña del comienzo de este capítulo— sugiere que las influencias genéticas cumplen un papel activo en nuestra capacidad de experimentar una felicidad sostenida.

Nacido con temperamento

Durante siglos, los padres han sabido que los bebés vienen a este mundo con un temperamento innato. El científico Jerome Kagan, que estudió a la Bebé 19, fue el primero en demostrarlo. El temperamento humano es un concepto complejo y multidimensional —el modo característico como cada persona responde emocional y conductualmente a los sucesos externos. Estas respuestas son bastante fijas e innatas, y puede observarlas en su bebé poco después de su nacimiento.

Con frecuencia, los padres confunden el temperamento con la personalidad, pero, desde una perspectiva investigativa, no son lo mismo. Los psicólogos experimentales suelen describir la personalidad en términos mucho más mutables, como la conducta moldeada fundamentalmente por factores familiares y culturales. El temperamento influye en la personalidad tal como los cimientos influyen en una construcción. Muchos investigadores creen que el temperamento proporciona los bloques emocionales y conductuales sobre los que se construyen las personalidades.

Alta reactividad frente a baja reactividad

A Kagan le interesaba especialmente uno de los aspectos del temperamento: la reacción de los bebés al verse expuestos a cosas nuevas. Y descubrió que la mayoría percibe las cosas nuevas con tranquilidad; miran los juguetes nuevos con calma, curiosos y atentos a la nueva información. Pero algunos son más nerviosos, más irritables, y Kagan quería encontrar algunas de estas almas más sensibles para seguirlas a medida que crecían. Los Bebés 1 a 18 encajaban en el primer modelo; estos bebés tranquilos tienen un temperamento de baja reactividad. La Bebé 19 era completamente diferente. Ella, y los bebés como ella, tienen un temperamento de alta reactividad.

El temperamento se mantiene sorprendentemente estable con el paso del tiempo, como descubrió Kagan en su famosísimo experimento, el cual sigue en marcha hoy en día, pues sobrevivió al retiro del viejo sabio (un colega suyo asumió las riendas). En el experimento participaron quinientos bebés, empezando a los cuatro meses de edad, y fueron catalogados como de alta o baja reactividad. Kagan volvió a evaluarlos a los cuatro años, a los siete, a los once y a los quince; algunos incluso después. Y descubrió que los que habían sido catalogados como de alta reactividad eran cuatro veces más propensos a manifestar una inhibición conductual a los cuatro años, con la conducta clásica de la Bebé 19. Hacia los siete años, la mitad de estos niños había desarrollado alguna forma de ansiedad, frente al 10 por ciento del grupo de control. En otro estudio, realizado con cuatrocientos niños, solo el 3 por ciento cambió de comportamiento después de los cinco años. Kagan llama a esto "la larga sombra del temperamento".

¿Será ansioso su bebé?

Unos amigos investigadores tienen dos hijas, de seis y nueve años, y sus temperamentos no podían ser más *kaganescos*. La de seis es la reina de la felicidad: socialmente intrépida, dada a la conversación, efervescente, segura. Al entrar en una sala de juegos llena de desconocidos, esta niña empieza dos charlas a la vez, registra el lugar en busca de los juguetes y después juega durante horas. Su hermana es todo lo contrario: temerosa, vacilante, entra de puntillas a la sala de juegos después de haberse apartado de su madre a regañadientes, y una vez allí, encuentra un rincón seguro donde quedarse. No muestra ningún interés por explorar y parece asustarse cuando alguien trata de decirle algo. Mis amigos tienen su propio Bebé 19.

¿Será este su caso? Tiene una posibilidad de uno en cinco. Los niños de temperamento de alta reactividad componían el 20 por ciento de la población de los estudios de Kagan.

Sin embargo, cómo resulte un bebé de temperamento de alta reactividad depende de muchas cosas. Cada cerebro tiene su propio cableado, de modo que no todos los estados cerebrales despiertan los mismos comportamientos. Esto es muy importante. Además, la alta o baja reactividad es solo una dimensión del temperamento. Los investigadores estudian todo, desde el tipo de angustia, la capacidad de atención, la sociabilidad, el nivel de actividad y la regularidad de las funciones corporales. Y estudios como el de Kagan llegan a conclusiones acerca de tendencias, no de destinos. Los resultados no pronostican en qué se convertirán estos niños, sino más bien en qué NO se convertirán. Los niños de temperamento de alta reactividad no serán exuberantes ni extrovertidos ni efervescentes ni temerarios. La hija mayor nunca será como la menor.

¿Y si su hijo tiene un temperamento de alta reactividad? Parece un reto difícil para los padres, pero tiene su lado positivo. Kagan advirtió que, a medida que se abrían camino por entre la vida escolar, la mayoría de estos niños eran exitosos académicamente, aun cuando fueran un manojo de nervios. Tenían muchos amigos y eran menos propensos a experimentar con drogas, quedar en embarazo o conducir imprudentemente. Creemos que esto se debe a una necesidad, impulsada por la ansiedad, de adquirir mecanismos de compensación. Kagan solía con-

Los estudios sugieren que los bebés nerviosos tienen más probabilidades de terminar cumpliendo los deseos de los padres, estar mejor socializados y sacar mejores notas.

tratar a personas con temperamento de alta reactividad durante su carrera investigativa. "Son compulsivos y no cometen errores; son muy cuidadosos al codificar los datos", dijo en una entrevista con el *New York Times*.

¿Por qué los bebés nerviosos tienen más probabilidades de terminar cumpliendo los deseos de los padres, estar mejor socializados y sacar las mejores notas? Porque son más sensibles a su entorno, incluso si se quejan de que tenemos que guiarlos a lo largo de todo el camino. Siempre y cuando los padres jueguen un papel amoroso y activo en el moldeamiento de la conducta de sus hijos, hasta los más quisquillosos emocionalmente crecerán bien.

Ningún gen del temperamento

De modo que podemos ver el temperamento desde el nacimiento, y se mantiene estable con el tiempo. ¿Significa entonces que los genes lo controlan totalmente? No precisamente. Como vimos con los niños de la tormenta de hielo, en el capítulo sobre el embarazo, es posible crear un niño estresado con el simple hecho de aumentar las hormonas del estrés de la madre. La participación de los genes es una pregunta científica, no un hecho científico. Felizmente, está en proceso de investigación.

Hasta el momento, los estudios realizados con gemelos han mostrado que no hay ningún gen responsable del temperamento. (Las investigaciones genéticas empiezan casi siempre con gemelos, y el modelo por excelencia son los gemelos separados en el nacimiento y criados en hogares diferentes.) Al estudiar el temperamento de gemelos idénticos, el grado de semejanza, la correlación, es de 0,4.

Esto significa que probablemente sí haya una contribución genética, pero no es rotunda. En el caso de los mellizos o los hermanos no gemelos, la correlación oscila entre 0,15 y 0,18, algo muy lejos de la rotundidad.

En todo caso, se han aislado unos cuantos genes que podrían explicar uno de los fenómenos más desconcertantes de toda la psicología del desarrollo: el niño resiliente.

¿Cómo es posible que un niño viva todo eso y de todos modos salga bien?

El padre de Milo bebía como una esponja, después le pegaba a cualquier cosa que se moviera. Por lo general, Milo se salvaba de estos abusos. No así sus hermanas, a quienes violaba con regularidad, a veces incluso en presencia de Milo, de seis años de edad. Estuviera o no embriagado, el padre de Milo le pegaba a su madre. Y ella se volvió fría e indiferente, poco dada a vendar las heridas de sus hijos, emocionales o físicas. Un día, la madre se hartó del maltrato y se largó en el auto familiar con un novio y nunca regresó. El padre, enfurecido, le rompió la nariz a Milo. Y desde entonces, el niño ocupó el lugar de la madre en tanto que saco de arena del padre. En los años subsiguientes, el padre de Milo se desmoronó por completo, dedicado a orgías de drogas y alcohol y delitos menores. Hasta que un día, cuando Milo tenía dieciséis, su padre le pidió que subiera al segundo piso y se pegó un tiro delante del chico. Uno pensaría que el futuro de Milo habría colapsado bajo el peso de este pasado insoportable. Pero no fue así.

Milo tenía un talento especial con los números, y fue un alumno excelente en el colegio, sobre todo en matemáticas. A los catorce, ya había asumido la responsabilidad de las labores del hogar y sacaba dinero del bolsillo de su padre inconsciente para comprar comida. También empezó a darles clases a sus hermanas mayores, quienes, como era de esperar, tenían dificultades en el colegio. Milo fue presidente estudiantil, se graduó con honores y recibió una beca para la universidad, donde estudió administración de empresas. Estos recuerdos siguen molestando a Milo, como una astilla en un dedo, pero no lo han detenido. Hoy en día, es un hombre abstemio, casado, padre de dos hijos y dueño de su propio concesionario automotriz. Citando a su músico de *jazz* favorito, Miles Davis, señaló: "No estaba preparado para convertirme en un recuerdo".

¿Cómo podemos explicar que existan personas como Milo? La respuesta breve es que no podemos. La mayoría de los niños en estas situaciones duplican los errores de sus padres. Pero no todos. Los niños como Milo tienen una capacidad casi sobrenatural de sobreponerse a sus circunstancias. Algunos investigadores han dedicado toda su carrera a tratar de desvelar los secretos de la resiliencia. Los genetistas se les unieron hace poco, y los resultados sorprendentes representan lo último en la investigación actual sobre la conducta.

3 genes de la resiliencia

El comportamiento humano suele ser gobernado por el trabajo en equipo de cientos de genes. Sin embargo, como sucede con cualquier equipo, hay jugadores dominantes y jugadores secundarios. Aunque se trata de un trabajo apenas preliminar, he aquí tres jugadores genéticos de los que vale la pena estar pendientes, pues es probable que cumplan una función en el moldeamiento del temperamento y la personalidad de nuestros hijos.

Monoaminaoxidasa A: Atenuar el dolor de un trauma

Los niños de los que se han abusado sexualmente, como las hermanas de Milo, tienen un riesgo mucho más alto de volverse alcohólicos un hecho que los investigadores conocen desde hace años. También tienen más riesgo de desarrollar un problema de salud mental conocido como trastorno de personalidad antisocial.

Pero esto *no* es cierto si el niño tiene una variante de un gen llamado MAOA, monoaminaoxidasa A. Hay dos versiones de este gen: a una la llamaremos "lenta" y a la otra "rápida". Si el niño tiene la versión lenta, será sorprendentemente inmune a los efectos debilitantes de su infancia. Si tiene la versión rápida, caerá en el estereotipo. La versión rápida de este gen ayuda a la hiperestimulación del hipocampo y partes de la amígdala al recordar una experiencia traumática. El dolor es demasiado grande y, por lo general, lleva a refugiarse en el Jack Daniels. La versión lenta de este gen calma a estos sistemas de una manera extraordinaria. Los traumas están allí, pero sin su aguijón.

DRD4-7: Una protección contra la inseguridad

La madre de Milo era una madre distante, fría e indiferente, incluso antes de irse de casa. Este tipo de entornos suele llevar a los niños, que se sienten profundamente inseguros, a hacer todo lo posible en un intento por llamar la atención. Se trata de un comportamiento comprensible y, a su vez, insoportable.

Pero no todos los niños que tienen estas madres tienen esta inseguridad, y un grupo de investigadores de los Países Bajos cree saber por qué. Un gen llamado DRD4 (receptor de dopamina D4) está profundamente implicado. Se trata de una de las familias de moléculas capaces de unirse con el neurotransmisor conocido como dopamina y producir unos efectos fisiológicos específicos. Si los niños tienen una variante de este gen conocida como DRD4-7, esta inseguridad no se desarrolla nunca. Es como si el producto de este gen recubriera el cerebro con una especie de teflón. Los niños que no tienen esta variante no tienen esta protección frente a los efectos de unos padres insensibles.

5-HTT largo: Resistencia al estrés

Desde hace años, los investigadores han sabido que algunos adultos reaccionan con calma ante las situaciones traumáticas y estresantes.

Puede que se debiliten por un rato, pero con el tiempo muestran señales sólidas de recuperación. Otros adultos en las mismas situaciones experimentan una depresión profunda y trastornos de ansiedad, y no muestran señales de recuperación sino hasta después de unos cuantos meses. Algunos se suicidan. Estas reacciones gemelas son como versiones adultas de los niños de temperamento de alta y baja reactividad de Kagan.

El gen 5-HTT, un transportador de serotonina, podría explicar parcialmente la diferencia. Como su nombre lo indica, la proteína codificada en este gen actúa como un camión que transporta la serotonina —un neurotransmisor— a diferentes regiones del cerebro. También tiene dos variantes, las cuales llamaré "corta" y "larga".

Si usted tiene la variante larga, está en buena forma. Sus reacciones al estrés, dependiendo de la severidad y la duración del trauma, están dentro del rango "típico". (El riesgo de suicidarse es bajo y las posibilidades de recuperarse son altas.) Si tiene la variante corta, el riesgo de reacciones negativas ante un trauma (depresión, mayor tiempo de recuperación) es alto. Curiosamente, pacientes con esta versión corta también tienen dificultades para regular sus emociones y no socializan muy bien. Y aunque no se ha establecido el vínculo, suena muy parecido a la Bebé 19.

Lo cierto es que realmente parece haber niños que nacen con sensibilidad al estrés y otros con resistencia al mismo. Y el hecho de que podamos vincular esto, en parte, con una secuencia del ADN significa que podemos decir, responsablemente, que tiene una base genética. Esto significa que usted no puede cambiar esta influencia sobre la conducta de su hijo, así como tampoco puede cambiar el color de sus ojos.

Tendencias, no destinos

Usted debe tomar esta discusión genética con muchísima cautela. Todavía hay que investigar a fondo muchos de estos hallazgos basados en el ADN y atar cabos sueltos antes de que podamos catalogarlos como verdaderos. Otros deben ser replicados más veces para ser realmente convincentes. Todos muestran asociaciones, no causas. Recuerde: *tendencia* NO es igual a *destino*. Los hogares afectuosos proyectan una larga sombra sobre todos estos cromosomas, un tema que abordaremos en el siguiente capítulo. En todo caso, el ADN merece un lugar en la mesa conductual, aunque no sea siempre en la cabecera. Las implicaciones para los padres y las madres son asombrosas.

Es probable que en el maravilloso mundo nuevo de la medicina se desarrollen pantallas genéticas que puedan develar estos patrones. ¿Sería valioso saber si su bebé es de temperamento de alta o baja reactividad? Es evidente que un niño que es vulnerable al estrés necesitará ser criado de una manera distinta a un niño que no lo es. Algún día, los pediatras podrán suministrarle esta información basada en algo tan sencillo como un examen de sangre. Pero todavía falta un buen rato para que esto sea posible. Y, por ahora, la única manera de comprender las semillas de felicidad de su hijo es conociéndolo a él.

Puntos clave

- ¿El mejor predictor de la felicidad? Tener amigos.
- Los niños que aprenden a regular sus emociones tienen amistades más profundas.
- No hay ningún área específica del cerebro que procese todas las emociones. Redes neuronales distribuidas ampliamente desempeñan papeles cruciales.

- Las emociones son increíblemente importantes para el cerebro. Actúan como notas adhesivas, ayudando al cerebro a identificar, filtrar y priorizar.
- Puede que haya un componente genético que determine cuán feliz será su hijo.

Encuentre las referencias en la página web:
www.brainrules.net

Bebé feliz: suelo

Principios del cerebro

El cerebro ansía comunidad

La empatía calma los nervios

Etiquetar las emociones apacigua los grandes sentimientos

Bebé feliz: suelo

"¡Zanahoria no!", gritó el pequeño Tyler, de dos años, mientras su madre, Rachel, trataba de proporcionarle una alternativa sensata a su creciente interés por el dulce. "¡GALLETA! ¡Tyler quiere GALLETA!", y se echó a llorar, golpeando el piso con los puños. "¡GALLETA! ¡GALLETA! ¡GALLETA!", bramaba. Tras descubrir las galletas con chips de chocolate, la única meta en la vida de Tyler era llenarse la boca con la mayor cantidad posible.

Rachel, una ejecutiva de mercadeo hiperorganizada ahora convertida en ama de casa, solía ser una persona que nunca perdía los estribos. Ni su lista de cosas por hacer. Pero estas pataletas eran demasiado. E ineludibles. Si Rachel salía de la habitación, Tyler se convertía en un misil de crucero. Dejaba de llorar mientras la buscaba, y en cuanto daba con el blanco maternal, volvía a echarse al piso con sus ataques explosivos. La mayoría de los días, Rachel se ponía furiosa, después se escondía; a veces se encerraba en el baño y se tapaba los oídos con los dedos. Se decía que era bueno expresar cualquier sentimiento

—alegría, miedo, ira—, por su parte o por parte de su hijo. Suponía que Tyler mejoraría con el tiempo, y por su propia cuenta. Sin embargo, la conducta del niño empeoraba cada vez más. Al igual que la de la madre. En las mañanas solían formarse unos nubarrones familiares que luego se convertían en tormentas conductuales. Y a medida que el día avanzaba, Rachel estaba cada vez más ansiosa y descompuesta, como su hijo. No había nada en su vida —profesional o personal— que la hubiera preparado para esto. Y aunque quería asumir la maternidad un día por vez, cuando Tyler actuaba así, sentía como si muchos días la asaltaran de una sola vez.

Independientemente de los dictados del temperamento de los que hablamos en el capítulo anterior, hay cosas concretas que los padres pueden hacer para aumentar la posibilidad de criar un hijo feliz. Empecé refiriéndome a las pataletas de Tyler por un hecho sorprendente: la manera como la madre reaccione a las emociones intensas de su hijo es de una importancia *profunda* para su felicidad futura. Es más, la reacción de la madre es uno de los mejores predictores de cómo será el hijo cuando crezca, pues incide en su capacidad de empatizar regularmente con las demás personas y, por tanto, de mantener sus amistades, que son grandes factores de la felicidad humana. Incluso incidirá en su promedio escolar. Empezando por el proceso de establecer el vínculo afectivo con su bebé, los padres que prestan mucha atención a la vida emocional de sus hijos, de una manera muy particular, tienen más posibilidades de hacerlos felices. El objetivo de este capítulo es explicarle qué significa esa "manera muy particular".

Un ping-pong atento y paciente

Un personaje excelente para empezar nuestra discusión es un investigador que ha estudiado la vida emocional de los niños —y cómo los padres interactúan con ellos— durante décadas, y cuyo nombre parece sacado de una película de ciencia ficción de la década de los cincuenta: Ed Tronick.

Con una sonrisa permanente en el rostro, ojos muy azules y una mata de pelo canoso, a Tronick le gusta ir a ver jugar a los Red Sox de Boston (aunque casi puede verlos desde su oficina, con vista a la entrada de los jugadores en Yawkey Way), fue activista en contra de la guerra en los sesenta y uno de los primeros investigadores de la maternidad-paternidad que vivió en otras culturas para poder convivir con los padres y las madres en Perú, en la República Democrática del Congo y en muchos otros lugares. Pero lo que lo ha hecho más famoso es algo que podemos ver en el juego del cu-cú: el poder de la comunicación bidireccional para fomentar la relación entre padres e hijos. He aquí un ejemplo, tomado de los archivos de Tronick:

> *"El bebé se aparta abruptamente de su madre cuando el juego llega al punto álgido de intensidad, empieza a chuparse el dedo y se queda mirando hacia la nada con expresión apagada. La madre deja de jugar y se recuesta, observándolo... Segundos después, el niño se vuelve nuevamente hacia ella, con expresión invitadora. La madre se acerca, sonríe y dice con voz aguda y exagerada: "¡Oh, ya volviste!". El bebé sonríe y vocaliza. Al cabo de un rato, vuelve a chuparse el dedo y apartar la mirada. La madre espera una vez más... el bebé se vuelve hacia ella y vuelven a saludarse con una sonrisa inmensa".*

Advierta dos cosas: 1) el bebé de tres meses tiene una vida emocional nutrida; 2) la madre le prestó mucha atención. Ella sabía cuándo interactuar y cuándo esperar. He visto muchísimos videos de investigación en los que se muestra esta coreografía entre padres atentos y sus bebés, y todos dan la misma sensación de que estamos ante un juego de ping-pong maravilloso y desordenado. La comunicación es desigual, llena de vaivenes, guiada principalmente por el bebé, y siempre bidireccional. Es lo que Tronick llama "sincronía de la interacción". En efecto, la interactividad atenta y paciente ayuda al buen desarrollo de la arquitectura neuronal del bebé, inclinándolo hacia la estabilidad emocional. El desarrollo del cerebro de un bebé que no experimenta una interacción sincrónica puede ser muy distinto.

En el juego del cu-cú, es evidente que el bebé y la madre han formado ya una relación recíproca. A finales de la década de los sesenta, los investigadores acuñaron un término para describir esta relación: apego. La teoría del apego nace del descubrimiento de que los bebés llegan a este mundo provistos de un montón de habilidades emocionales y relacionales. Al nacer, los bebés parecen expresar asco, aflicción, interés y satisfacción; a los seis meses, experimentan también furia, miedo, tristeza, sorpresa y alegría; y un año después, vergüenza, celos, culpa e incluso orgullo. Estas emociones son como las etiquetas de Robocop (o como unas notas adhesivas, si prefiere) que le dicen al cerebro: "¡Préstale atención a esto!". Distintos niños etiquetan distintas cosas. Es algo tan aleatorio como la fascinación de un recién nacido por la barba de su padre, o la angustia de otro al tener que ponerse los calcetines, y el miedo o el amor que otro siente por los perros. Saber qué cosas etiqueta su hijo (con qué cosas tiene una relación emocional) y responder a estas cosas de maneras específicas, no solo es parte del proceso del apego, sino uno de los mayores secretos de la crianza de un hijo feliz.

Los niños nacen con la capacidad de relacionarse por las razones evolutivas de las que hablamos en el capítulo sobre las relaciones: es una aptitud especialmente útil para un niño indefenso que necesita establecer rápidamente relaciones seguras con aquellos que pueden alimentarlo. Dado que la presencia de un bebé conmueve extrañamente a la mayoría de los adultos, la relación se convierte pronto en un ejercicio de etiquetamiento mutuo. A medida que esta comunicación bidireccional se solidifica, se dice que el bebé "se apega". El apego se entiende como una relación emocional recíproca entre un bebé y un adulto.

El vínculo del apego se hace más íntimo y fuerte a través de una variedad de experiencias, muchas de las cuales tienen que ver con la atención que los padres le presten al bebé durante los primeros años (aunque parece que los factores genéticos también tienen mucho que ver). Si el proceso de apego es turbulento, se dice que el bebé desarrolla un "apego inseguro". Al crecer, estos bebés no son tan felices. Y sus resultados en las pruebas que miden la receptividad social son casi dos tercios más bajos que los de los niños con "apego seguro". Estos niños exhiben más del doble de conflictos emocionales en su vida interpersonal, muestran menos empatía y tienden a ser más irritables. Y sacan las peores notas.

El apego tarda años

Los medios han malinterpretado terriblemente la teoría del apego, la cual han llegado a plantear como si los bebés nacieran con un pegamento relacional de secado rápido. Inmediatamente después del parto, había que hacer toda clase de cosas y a toda prisa —poner al bebé en la barriga de la madre era la más popular—, antes de que el pegamento se secara y el periodo clave del apego pasara. Estas ideas siguen rondando por allí.

Un colega me contó que cuando terminó una conferencia sobre el apego, una madre llamada Susan se le acercó. "No sé muy bien qué hacer", empezó. Susan había tenido a su primer hijo hacía un mes, y después de un parto supremamente difícil, había caído en un aletargamiento profundo. "¡Dormí durante todo el período de apego!", exclamó con los ojos llenos de lágrimas. "¿Será que mi bebé sí me va a querer?" Tenía pánico de que su relación con su bebé hubiera quedado perjudicada para siempre. Una amiga le había contado que en una sala de maternidad había un letrero que decía: "Favor no apartar a los bebés de sus madres hasta que se haya desarrollado el apego". Por Dios.

Mi colega la tranquilizó asegurándole que no había nada qué temer, que no se había producido ninguna ofensa irrevertible y que todavía la esperaban muchísimas horas de satisfacción mutua con su recién nacido.

El apego es más bien como un cemento de secado lento. Casi desde que nacen, los bebés empiezan a desarrollar modelos flexibles de cómo se relaciona la gente entre sí. Luego, usan esta información para descifrar cómo sobrevivir, y sus padres son el primer objetivo natural. Las relaciones que se forman a partir de esta actividad se desarrollan lentamente, en unos dos años o más. Según las estadísticas, los padres que prestan una atención constante —sobre todo en estos primeros años— crían a los hijos más felices.

La maternidad-paternidad no es para cobardes

¿De modo que lo único que tiene que hacer es jugar sincrónica y regularmente con su bebé? Pues no. Interactuar con su bebé de tres meses es necesario (y maravilloso), pero no es suficiente para que se convierta en un ciudadano feliz. Los bebés tienen que crecer en algún momento, un proceso que cambia su conducta y que complica sus relaciones con todo el mundo. Y los padres tendrán que adaptarse a esos cambios. La crianza es maravillosa, pero no es para cobardes. ¿Qué tan radicales pueden ser estos cambios conductuales? Escuchemos a estas madres:

> *¿Cómo diablos se convirtió en un demonio mi dulce hijita después de cumplir tres años? Hoy me dijo que no me quiere y que va a apuñalarme. Trató de pararse en los dedos de un bebé de catorce meses y exclamó: "¡Maldita sea!" porque sí.*

> *Ay. Acabo de gritarle a mi hijo de cinco años. Le pedí varias veces que dejara de correr porque hay cosas con las que él y su hermana están tropezándose todo el tiempo. (Estoy haciendo la limpieza.) Él me miró con una sonrisa sarcástica y siguió corriendo. Como si estuviera poniéndome a prueba. Y entonces perdí los estribos. Había ensayado a darle cosas para que me ayudara y mantenerlo ocupado, pero lo que quería era corretear por la casa. Me sentí mal de perder los estribos, pero, ¡caramba!, ¿qué hacer cuando no basta con ser amable?*

Uno puede sentir las transiciones que están dándose en el corazón de estas pobres madres. Y aunque en el futuro muy seguramente tendrá que vérselas con pequeños malhablados voluntariosos, también tendrá esto:

> *Después de peinar a mi hija de tres años, se miró al espejo, me hizo un gesto de aprobación y exclamó: "¡Buena esa, amiga!" ¡¡¡Qué emoción!!!*

Esta extraña combinación de comportamiento de santo/pecador suele resumirse con la expresión de "los terribles dos" (pero en realidad son los terribles tres, cuatro y más allá, como se demuestra en estos foros). Para el segundo año del bebé, los papás y las mamás también han evolucionado, y han pasado de cuidadores arrullantes y gloriosos compañeros a convertirse en *padres* que se tiran de los cabellos y cuentan hasta diez antes de gritar. Es una transición natural. Al igual que la frustración. La mayoría de las personas aprenden mucho de sus hijos en estas etapas; entre otras cosas, la poca paciencia que tienen. Mantenerse firme es un deber, claro está, pero la manera como lo haga es importante si su meta es criar un hijo feliz.

Un niño genial

¿De qué tipo de niño estamos hablando? Pienso en Doug, un chico que iba a mi colegio a principios de la década de los setenta. Era agudo como un rayo, buenísimo para las matemáticas y, al mismo tiempo, perfecto para el equipo de debates. Tenía su propia opinión acerca de cualquier tema por el que se interesaba. Además era deportista, seguro de sí mismo y bendecido con un optimismo impresionante. Para colmo, Doug era tan arrebatadoramente humilde como socialmente seguro. Y esto lo hacía supremamente popular. En todo sentido, Doug parecía inteligente, talentoso, motivado, sociable, *feliz*. ¿Acaso todo era fingido, o había algo en su fisiología?

Una buena cantidad de datos científicos sugiere que, en efecto, los niños como Doug son mensurablemente distintos. Su capacidad inconsciente de regular sus sistemas nerviosos autonómicos —algo que llamamos tono vagal— muestra una estabilidad fuera de lo normal. Doug representa un cuadro pequeño pero muy importante de niños geniales que existen en todas partes del mundo. Estos niños:

- tienen una mejor regulación emocional y saben calmarse más rápido.
- tienen el rendimiento académico más alto.
- muestran reacciones más empáticas.
- muestran más lealtad a sus padres e índices más altos de conformidad con los deseos parentales; esta aquiescencia nace de sentimientos de conexión más que de miedo.
- tienen índices más bajos de depresión infantil y trastornos de ansiedad.
- contraen menos enfermedades infecciosas.
- son menos propensos a cometer actos de violencia.

- tienen muchos más amigos, y sus amistades son más ricas y profundas.

Este último punto les da más probabilidades de ser felices. Estos descubrimientos han motivado a más de un padre a preguntarse:

"¿Dónde se consiguen hijos así?"

La padres de Doug no eran psicólogos. Eran dueños de una tienda medianamente exitosa, llevaban veinte años de casados, aparentemente felices y equilibrados. Y, claramente, estaban haciendo algo bien.

Los investigadores también querían saber cómo tener hijos como Doug, pues es algo igualmente importante para el éxito de una cultura. Como no había estudios rigurosos, aleatorizados, longitudinales, unos investigadores geniales hicieron lo mejor que podían hacer: estudiaron familias que producían sistemáticamente hijos geniales y analizaron qué hacían los padres que resultaba tan tremendamente *nutritivo*. Se preguntaron si estos padres tendrían algunas cosas en común. En otras palabras: ¿Había unas capacidades parentales que se correlacionaban tan fuertemente con los resultados esperados que podían predecir cómo resultaría *cualquier* hijo?

La respuesta resultó afirmativa. Aunque los datos son asociativos, son complicados. Sin importar cuál sea la raza o el salario, los padres que resultan criando hijos geniales hacen cosas similares una y otra vez. Es cierto que podemos discutir acerca de cómo es en realidad un niño feliz y cuáles son los principios básicos de la maternidad-paternidad. Pero si estos principios le parecen interesantes, sabemos cómo ayudarle. Es una investigación estadísticamente compleja, pero echaré mano de una receta de uno de los chefs favoritos de los estadounidenses para describir estos rasgos comunes. Se trata de Bobby Flay, y es una receta de pollo asado.

He aquí el adobo

Bobby Flay, un pelirrojo de acento neoyorquino y dueño de una exitosa cadena de restaurantes, es famoso por crear recetas del sudoeste para los amantes de la cima de la pirámide alimentaria, donde habitan todas las carnes y las grasas. Sin embargo, y para fortuna de los consumidores preocupados por su salud, también ha creado recetas deliciosas que no engordan con solo inhalar su aroma. Una de ellas es un adobo seco para pollo asado. Los adobos secos están compuestos de hierbas mezcladas con las que se marina la carne para sazonarla antes de cocinarla.

Para lo que aquí nos interesa, el pollo es la vida emocional de su hijo. Y las hierbas, que son seis, son las conductas parentales. Cuando los padres sazonan adecuadamente este pollo, aumentan sus probabilidades de criar un hijo feliz.

Las emociones deben ser fundamentales

Los padres encaran muchos aspectos de la crianza de sus hijos a diario, pero no todos inciden en cómo resultarán esos hijos. Hay uno que sí. La manera como los padres manejen la vida *emocional* de sus hijos —la capacidad de detectar, reaccionar a, estimular y proveer instrucciones acerca de la regulación emocional— es el principal predictor de su futura felicidad.

Cincuenta años de investigaciones, desde las de Diana Baumrind y Haim Ginott hasta las de Lynn Katz y John Gottman, han llegado a esta conclusión. Por eso la vida emocional de su hijo ocupa el papel principal, el pollo, en nuestra metáfora. No conseguirá ninguno de los beneficios de la receta hasta que no haya puesto la masa del asunto en el centro de su comportamiento parental. Y el aspecto crítico es la manera como se comporta cuando las emociones de sus hijos se intensifican (Gottman diría que "se calientan") lo suficiente como para sacarlo de su comodidad. He aquí las seis especias que componen este adobo parental:

- un estilo parental exigente pero afectuoso
- sentirse cómodo con sus propias emociones
- seguirles la pista a las emociones de su hijo
- verbalizar las emociones
- ir al encuentro de las emociones
- dos toneladas de empatía

1. Un estilo parental exigente pero afectuoso

Sabemos mucho acerca de esto gracias, en parte, a la psicóloga del desarrollo Diana Baumrind, nacida en Nueva York en 1927 en una familia de judíos inmigrantes de clase media baja. Una mujer enérgica y famosa por haber criticado a un colega investigador por una violación ética (se trata del psicólogo de Yale Stanley Milgram, que engañó a un grupo de universitarios al hacerles creer que estaban dándoles electrochoques a la gente hasta matarla). Baumrind tuvo una segunda carrera como activista de los derechos humanos y fue investigada por actividades no estadounidenses por Joe McCarthy en la década de los cincuenta.

A mediados de los sesenta, publicó sus ideas sobre la maternidad-paternidad, un marco metodológico tan sólido que los investigadores siguen usándolo hoy en día. Podemos pensar en sus ideas como cuatro tipos de crianza. Baumrind describió dos dimensiones de la crianza, cada una en un continuo:

- **Receptividad:** Es el grado en que los padres responden a sus hijos con apoyo, afecto y aceptación. Los padres cariñosos comunican principalmente el afecto hacia sus hijos. Los padres hostiles comunican principalmente el rechazo hacia sus hijos.

- **Exigencia.** Es el grado en que los padres intentan ejercer el control conductual. Los padres restrictivos tienden a establecer y hacer cumplir las reglas sin piedad. Los padres permisivos no establecen ninguna regla en absoluto.

Al poner estas dos dimensiones en una cuadrícula de dos por dos obtenemos cuatro estilos parentales, que han sido estudiados. Y solo uno produce niños felices.

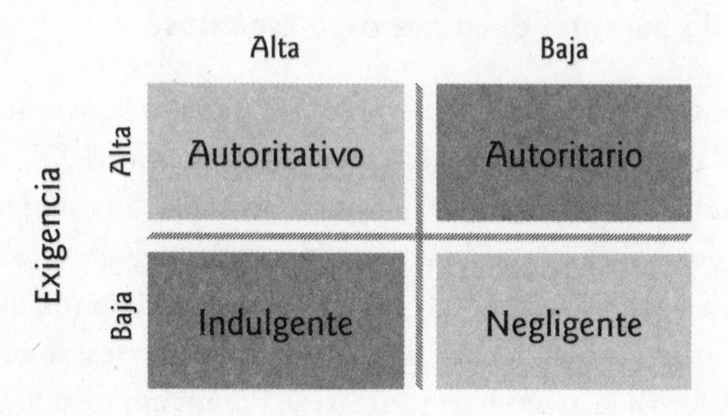

Autoritarios: Demasiado duros

Indiferentes + exigentes. Ejercer el control sobre sus hijos es muy importante para estos padres, y sus hijos suelen tenerles miedo. No tratan de explicar sus reglas y no proyectan ninguna calidez.

Indulgentes: Demasiado laxos

Receptivos + poco exigentes. Estos padres aman a su hijos pero tienen poca capacidad para establecer y hacer cumplir las reglas. Posteriormente, evitan la confrontación y pocas veces exigen acatamiento de reglas familiares. Estos padres suelen mostrarse apabullados por la labor de criar hijos.

Negligentes: Demasiado distantes

Poco receptivos + poco exigentes. Probablemente, los peores de todos. A estos padres les importan poco sus hijos y no se involucran en sus interacciones diarias, suministrándoles únicamente el cuidado más básico.

Autoritativos: Justo lo necesario

Receptivos + exigentes. Probablemente, los mejores de todos. Estos padres son exigentes, pero sus hijos les importan muchísimo. Les explican sus reglas y los estimulan a exponer sus reacciones. Fomentan altos niveles de independencia pero se aseguran de que acaten los valores familiares. Estos padres tienden a tener una comunicación estupenda con sus hijos.

Los padres negligentes tendían a producir los hijos con las peores conductas, los niños con más dificultades emocionales (también sacaban las peores notas). Los padres autoritativos producían hijos como Doug.

Las ideas de Baumrind fueron confirmadas por un estudio gigantesco, realizado en California y Wisconsin en 1994 con miles de estudiantes que estaban entrando en la adolescencia. Los investigadores predijeron, con éxito, cómo resultarían estos niños, independientemente de su raza. Trabajos posteriores han respaldado y extendido las ideas iniciales de Baumrind. Esta última generación de investigadores planteó una pregunta sencilla: ¿Por qué cayeron los padres en alguna de estas categorías de estilo parental? La respuesta está en nuestra siguiente especia.

2. Sentirse cómodo con sus propias emociones

Imagine que su mejor amiga ha venido a visitarla, y los mellizos de ella, Brandon y Madison, de cuatro años, están jugando en el sótano.

De repente, unos gritos las interrumpen. Los mellizos discuten. Brandon quiere jugar al ejército con unos muñecos; Madison quiere jugar a la casita. "¡Dámelos!", oyen gritar a Brandon, tratando de adueñarse de los muñecos. "¡No es justo!", grita Madison, apoderándose de unos cuantos. "¡Yo también quiero unos!". Su amiga quiere hacerle creer que sus hijos son unos angelitos, no unos demonios, y baja corriendo. "¡Mocosos!", les grita. "¿Por qué no pueden jugar amablemente? ¿No pueden ver que me están haciendo quedar mal?". Brandon se pone a llorar. Madison se pone furiosa y se queda mirando el suelo. "Estoy criando un par de peleles", murmura su amiga mientras sube nuevamente las escaleras.

¿Qué haría usted en esta situación si fuera la madre de los mellizos? Créalo o no, los psicólogos pueden predecir, hasta cierto punto, lo que hará. Es lo que John Gottman denomina "filosofía metaemocional". La metaemoción es cómo se siente usted respecto a sus sentimientos ("meta" significa, literalmente, ascender, o mirar desde arriba).

Algunas personas acogen las experiencias emocionales, pues consideran que son una parte importante y enriquecedora del viaje de la vida. Otras piensan que las emociones nos debilitan y avergüenzan y que deberían ser reprimidas. Algunas personas creen que hay emociones que están bien, como la alegría y la felicidad, pero que otras deberían permanecer en la lista negra del comportamiento, como la furia, la tristeza y el miedo. Y otras no saben qué hacer con sus emociones y tratan de escapar de ellas. Como Rachel al principio de este capítulo. Lo que sea que sienta usted respecto a los sentimientos —los propios o los de los otros—es su filosofía metaemocional. ¿Puede distinguir los cuatro estilos parentales de Baumrind en estas actitudes?

La filosofía metaemocional de los padres es muy importante para el futuro de sus hijos. Predice cómo reaccionarán a sus vidas emocionales, lo que a su vez predice cómo (o si) esos hijos aprenderán a regular sus propias emociones. Puesto que estas aptitudes están directamente relacionadas con su competencia social, la manera como los padres se sientan respecto a las emociones puede influir profundamente en la futura felicidad de sus hijos. Usted tiene que sentirse cómodo con *sus propias* emociones para que sus hijos se sientan cómodos con las *de ellos*.

3. Seguirles la pista a las emociones

Podemos obtener una instantánea de la vida familiar por la manera como la gente habla de ella. Hay relaciones que quedan retratadas en un par de frases. Gwyneth Paltrow, estrella de cine y teatro, creció en el negocio: su madre era actriz y su padre director. Sus padres permanecieron juntos toda su vida, lo que, dada la atracción gravitacional de la profesión, es todo un milagro. En un artículo de 1998 de la revista *Parade*, Paltrow contó la siguiente historia:

> *"Cuando tenía diez años, fuimos a Inglaterra. Mi madre estaba grabando una miniserie, y mi padre me llevó a pasar el fin de semana en París. Fue maravilloso. En el avión, de vuelta a Londres, me preguntó: '¿Sabes por qué te llevé a París, solos tú y yo? Porque quería que la primera vez que fueras a París fueras con un hombre que te amará por siempre'".*

Al ganar el Oscar en 1999, en su efusivo y emotivo discurso de aceptación, Paltrow dijo estar muy agradecida de que, gracias a su familia, sabía lo que era el amor. Bruce Paltrow murió cuatro años después, pero su comentario amoroso sigue siendo un ejemplo excelente de lo que llamaré "vigilancia emocional equilibrada".

Hace unas cuantas páginas mencioné que los padres deben prestar atención a la vida emocional de sus hijos *de una manera particular*. Algo que podía verse en el ejemplo de la madre y el hijo que jugaban al cu-cú en el laboratorio de Tronick:

La madre deja de jugar y se recuesta, observándolo... Segundos después, el niño se vuelve nuevamente hacia ella, con expresión invitadora. La madre se acerca, sonríe y dice con voz aguda y exagerada: "¡Oh, ya volviste!". El bebé sonríe y vocaliza.

La madres estaba extraordinariamente sintonizada con las señas emocionales de su hijo. Sabía que el que su hijo se apartara significaba que probablemente necesitaba descansar del desbordamiento sensorial que estaba experimentando. De modo que se apartó, esperó pacientemente y no volvió a empezar sino hasta que el bebé le indicó que ya no estaba desbordado. Entonces pudo deleitarse con el regreso de la madre, en lugar de experimentar una sobreestimulación por su insistencia y, probablemente, terminar llorando. El tiempo transcurrido fue de menos de cinco segundos, pero, a lo largo de los años, esta sensibilidad emocional puede marcar la diferencia entre un niño productivo y un delincuente juvenil.

Los padres de los niños más felices introdujeron esta costumbre prontamente en sus vidas parentales y la alimentaron durante los años. Les siguieron la pista a las emociones de sus hijos tal como algunas personas les siguen la pista a sus acciones o a su equipo de fútbol. Pero no prestaban atención de una manera controladora e insegura, sino amorosa y discreta, como un médico familiar comprensivo. Sabían cuándo sus hijos estaban felices, tristes o asustados, con frecuencia sin necesidad de preguntarles. Podían leer e interpretar las señas no verbales de sus hijos con una precisión asombrosa.

El poder de la predicción

¿Por qué funciona esto? Solo conocemos unas cuantas partes de la historia. La primera es que los padres que tienen información *emocional* adquieren el poder de la predicción de la conducta. Los papás y las mamás están tan familiarizados con el interior psicológico de sus hijos que se vuelven expertos en el pronóstico de posibles reacciones a casi cualquier situación. Desarrollan una sensación instintiva acerca de lo que puede resultarles más útil, hiriente o neutral a sus hijos, dentro de una amplia gama de circunstancias. Es una de las aptitudes parentales más valiosas que pueda adquirir.

La segunda es que a los padres que siguen prestando atención a lo largo de los años no los toma desprevenidos el cambiante desarrollo emocional de sus hijos. Y esto es importante, teniendo en cuenta los cambios tectónicos que se producen en el desarrollo del cerebro durante la infancia. A medida que el cerebro del niño cambia, también cambia su comportamiento, lo que produce más cambios en el cerebro. Estos padres experimentan menos sorpresas a medida que los hijos crecen.

La vigilancia emocional viene con una advertencia, en todo caso, pues es posible dar demasiado de algo bueno. A finales de la década de los ochenta, los investigadores quedaron bastante desconcertados al descubrir que cuando los padres les prestaban demasiada atención a las señales de sus hijos —al responder a cualquier gorjeo, cualquier eructo, cualquier tos—, los niños desarrollaban apego *menos* seguro. A los bebés (como a cualquier persona) no les gustaba que los sofocaran. El agobio parecía interferir con la autorregulación emocional, entrometiéndose en la necesidad natural de espacio e independencia.

En el juego del cu-cú, advierta cómo la madre se aparta en respuesta a las señas del bebé. Al principio, a la mayoría de los padres les cuesta comprender cuándo sus hijos están sintiéndose amados y cuándo agobiados. Algunos no lo entienden nunca. Una posible razón es que la proporción depende de cada niño, y probablemente del día. Sin embargo, el equilibrio es indispensable (si quiere, puede insertar aquí toda la discusión sobre el principio de Ricitos de Oro). Los padres que logran no sucumbir a su propio torbellino interno ayudan a crear los apegos más seguros.

4. Verbalizar las emociones

"No me gusta", mascullό la niña de tres años cuando los invitados se fueron. Lo había pasado fatal durante toda la fiesta de cumpleaños de su hermana mayor y estaba cada vez más furiosa. "¡Quiero la muñeca de Ally, no *esta*!" Sus padres le habían comprado un regalo de consolación, pero la estrategia les explotó en la cara. La niña tiró la muñeca al suelo. "¡La de Ally! ¡La de Ally!" Después vino el llanto. Bien puede imaginarse a los padres escogiendo entre las posibles opciones para lidiar con este torrente emocional.

"Parece que estás triste. ¿Estás triste?", le preguntó el padre. La niña asintió con la cabeza, todavía furiosa. El padre continuó: "Creo que sé por qué. Estás triste porque todos los regalos fueron para Ally. ¡Y a ti solo te dieron uno!" La pequeña volvió a asentir con la cabeza. "Quieres la misma cantidad de regalos, pero no puedes tenerla, y eso es injusto y por eso estás triste. Cuando alguien recibe algo que yo quiero y yo no, yo también me pongo triste." Silencio.

Entonces, el padre dijo lo más característico de un padre que verbaliza las emociones: "Hay una palabra para expresar ese sentimiento, cariño. ¿Quieres saber cuál es esa palabra?" La niña gimoteó: "Bueno". El padre la cargó en sus brazos. "A eso le decimos tener celos. Tú querías los regalos de Ally, pero no puedes tenerlos. Estás celosa." La niña lloró suavemente, pero empezó a calmarse. "Celosa", murmuró. "Sip", dijo el padre. "Y es una sensación horrible". "He estado celosa todo el día", añadió la niña, acurrucándose entre los brazos grandes y fuertes de su padre.

Este padre es bueno para a) etiquetar sus sentimientos y b) enseñarle a su hija a etiquetar los de ella. Sabe cómo se siente la tristeza en su corazón y lo comunica fácilmente. Y sabe cómo se manifiesta la tristeza en el corazón de su hija y está enseñándole a comunicarlo. También es bueno para enseñarle a etiquetar la alegría, la furia, el asco, la preocupación, el miedo... toda la amplia gama de la experiencia de su pequeña.

Las investigaciones muestran que la costumbre de etiquetar las emociones es una constante en todos los padres que crían hijos felices. Los niños que se ven expuestos a esta conducta parental de manera regular saben calmarse mejor a sí mismos, pueden concentrarse mejor en las labores y tienen mejores relaciones con sus pares. A veces, saber qué hacer es más difícil que saber qué decir. Pero a veces lo único que se necesita es decirlo.

Etiquetar las emociones es un calmante neurológico

Cuando el padre encaró directamente los sentimientos de su hija, esta empezó a calmarse. Este es un resultado corriente, que puede medirse en el laboratorio. La verbalización tiene un efecto tranquilizante en el sistema nervioso de los niños. (Y en el de los adultos.) De allí el *principio del cerebro*: Etiquetar las emociones apacigua los grandes sentimientos.

Esto es lo que creemos que sucede en el cerebro: La comunicación verbal y la no verbal son como dos sistemas neurológicos entrelazados, pero en el cerebro de los niños estos sistemas no están conectados del todo. Sus cuerpos pueden sentir miedo, asco y felicidad mucho antes de que sus cerebros puedan hablar de ellos. Esto significa que *los niños experimentan las características fisiológicas de las respuestas emocionales antes de saber qué son esas respuestas*. Por eso, los grandes sentimientos suelen ser aterradores para los pequeños (las pataletas suelen autoalimentarse debido a este miedo). Con el tiempo, los niños tienen que descubrir qué está sucediendo con esos grandes sentimientos, por más aterradores que parezcan al principio. Tienen que conectar estos dos sistemas neurológicos. Los investigadores creen que el vínculo se establece al aprender a etiquetar las emociones. Cuanto más pronto se construya este puente, más probabilidades hay de empezar a ver conductas autorreguladoras, junto con muchos más beneficios. La investigadora Carroll Izard ha mostrado que en hogares donde no se proveen estas instrucciones, los sistemas verbal y no verbal permanecen desconectados hasta cierto punto o se integran de maneras poco saludables. Sin las etiquetas necesarias para describir sus sentimientos, la vida emocional de un niño puede quedarse en una confusa cacofonía de experiencias fisiológicas.

Yo he presenciado de primera mano el poder del etiquetamiento. Uno de mis hijos era capaz de armar unas pataletas dignas de medirse con la escala de Richter. Y yo sabía, gracias a la bibliografía científica, que las pataletas ocasionales son normales en los primeros años de vida de los niños (principalmente porque su sentido de independencia juega a la gallina con su madurez emocional). Pero, a veces, me partía el corazón. Parecía muy infeliz, y otras muy asustado. En estas ocasiones, yo trataba de estar lo más cerca posible de él, físicamente, para que supiera que siempre tendría a su lado a alguien que iba a quererlo toda la vida (todos podemos aprender de Bruce Paltrow).

Un día, cuando estaba calmándose de un temblor especialmente violento, lo miré fijamente y le dije: "Tenemos una palabra para describir lo que estás sintiendo. Me gustaría decirte cuál es esa palabra. ¿Está bien?". Él asintió, llorando todavía. "Le decimos 'estar frustrado'. Estás sintiéndote frustrado. ¿Puedes decir 'frustrado'?" De repente, me miró como si lo hubiera chocado un tren. "¡Frustrado! ¡¡Estoy FRUSTRADO!!" Y se agarró de una de mis piernas con todas sus fuerzas, sin dejar de sollozar. "¡Frustrado! ¡Frustrado! ¡Frustrado!", repetía sin cesar, como si las palabras fueran una especie de salvavidas que acababa de lanzarle un socorrista. Y se calmó rápidamente.

Helo allí, tal como lo había anunciado la bibliografía científica: el poderoso efecto tranquilizador de aprender a verbalizar los sentimientos. Ahora era mi turno de soltar un par de lágrimas.

¿Y si no está acostumbrado a examinar las emociones?

Probablemente necesitará practicar a etiquetar sus *propias* emociones en voz alta. Al experimentar felicidad, asco, furia, alegría, miedo, dígalo. Dígaselo a su cónyuge, al aire, a Dios y a todos sus ángeles. Esto puede resultar más difícil de lo que cree, sobre todo si no está acostumbrado a adentrarse en sus entrañas psicológicas y anunciar lo que encuentra. Pero hágalo por sus hijos. Recuerde: la conducta de los adultos influye en la de los niños de dos formas: por el ejemplo dado y por la intervención directa. Adquiera la costumbre de etiquetar las emociones desde ya. Luego, para cuando su pequeño retoño empiece su vida verbal, tendrá una buena cantidad de ejemplos para seguir. Y los beneficios serán para toda la vida.

Una sola advertencia: El objetivo de este entrenamiento es aumentar la conciencia. Uno puede ser consciente de sus emociones sin necesidad de ser especialmente emotivo. No tiene que hacerle un estriptís emocional a cualquiera por el simple hecho de ser consciente de lo que está sintiendo. La clave está en:

- saber cuándo está experimentando una emoción.
- poder identificar la emoción rápidamente y verbalizarla cuando es necesario.
- poder reconocer rápidamente esa emoción en las otras personas.

Diez años de clases de música

Hay otra excelente manera de afinar el oído de un niño en relación con los aspectos emocionales del habla: el entrenamiento musical. Investigadores del área de Chicago mostraron que los niños con experiencia musical —aquellos que habían estudiado algún instrumento durante diez años, por lo menos, y habían empezado antes de los siete—

respondían con la velocidad del rayo a las variaciones sutiles de señales cargadas de emoción, tales como el llanto de un bebé. Los investigadores rastrearon los cambios en el timbre y el tono del llanto del bebé mientras escuchaban secretamente al tallo cerebral (la parte más antigua del cerebro) del músico, para ver qué sucedía.

Los niños que no habían tenido un entrenamiento musical riguroso no manifestaban gran discriminación. No captaban la sutil información impresa en la señal y eran, por así decirlo, más sordos emocionalmente. Dana Strait, primera autora del estudio, escribió: "El que su cerebro responda más rápida y acertadamente que el cerebro de los que no son músicos es algo que podríamos trasponer a la percepción de la emoción en otros escenarios".

Una conclusión sorprendentemente clara, hermosamente práctica y un poco inesperada. Y sugiere que si usted quiere que sus hijos sean felices, debería embarcarlos en un viaje musical desde pequeños, y asegurarse de que perseveren hasta que empiecen a llenar las aplicaciones para la universidad, probablemente tarareando durante todo el tiempo.

5. Ir al encuentro de las emociones

La peor pesadilla de un padre: ver a un hijo atrapado en una situación potencialmente mortal, aferrándose a la vida del más mínimo borde, y no poder hacer nada.

En febrero de 1996, Marglyn Paseka, de quince años, y una amiga estaban jugando en el río Matanzas cuando las arrastró una inundación repentina. Su compañera logró salir a la orilla y ponerse a salvo. Pero Marglyn quedó agarrada a una rama, con el agua corriendo a raudales durante 45 minutos. Para cuando llegaron los socorristas, ya no le quedaban casi fuerzas. Los espectadores, entre los cuales se encontraba su madre, no paraban de gritar.

El bombero Don López no gritó ni vaciló. Se metió de inmediato en las aguas gélidas y furibundas para tratar de agarrar a la niña con un arnés de seguridad. Pero falló una, dos..., muchas veces. Las fuerzas habían abandonado a Marglyn casi por completo cuando López logró agarrarla finalmente, en el último segundo. La reportera gráfica Annie Wells estaba allí, trabajando para el *Press Democrat* de Santa Rosa, y capturó el momento (y un premio Pulitzer). Es una foto impresionante: la adolescente debilitada y a punto de soltar la rama, el musculoso bombero salvándola. Como los socorristas de cualquier lugar del mundo, cuando todos los demás gritaban, observaban desde las márgenes o huían para no ver, López corrió hacia el problema.

Los padres que crían hijos como mi amigo Doug tienen esta clase de coraje en cantidades. No les tienen miedo a las avalanchas emocionales de sus hijos. Tampoco tratan de derribarlas ni de ignorarlas ni les permiten acabar con el bienestar de la familia. Por el contrario, se implican en los grandes sentimientos de sus hijos. Estos padres tienen cuatro actitudes ante las emociones (eso, sus metaemociones):

- No juzgan las emociones.
- Reconocen la naturaleza reflexiva de las emociones.
- Saben que el comportamiento es una opción, no así una emoción.
- Ven una crisis como una ocasión para enseñar.

No juzgan las emociones

Muchas familias desaprueban energéticamente la expresión de emociones fuertes como el miedo y la ira. La felicidad y la tranquilidad, en cambio, están en los primeros puestos de las emociones "aprobadas". Para los padres de los niños como Doug, en cualquier lugar del mundo, no existen las emociones "malas". Ni las "buenas". Una emoción está allí, o no está. Estos padres parecen saber que las emociones no hacen que seamos débiles o fuertes. Simplemente nos hacen humanos. El resultado es una actitud sensata de "dejar que los niños sean lo que son".

Reconocen la naturaleza reflexiva de las emociones

La actitud de algunos padres ante las emociones difíciles es ignorarlas, con la esperanza de que los hijos "hagan lo mismo". Pero negar la existencia de las emociones puede empeorarlas. (Las personas que niegan sus sentimientos suelen tomar decisiones equivocadas, lo que suele meterlas en problemas.) En los estudios, los padres que criaban los hijos más felices comprendían que no hay ninguna técnica para deshacerse de un sentimiento, ni siquiera cuando todos quieren librarse de él. Las reacciones emocionales iniciales son tan automáticas como parpadear. Y no desaparecen porque alguien crea que deberían hacerlo.

¿Cómo repercuten en la vida real las actitudes que desalientan o no prestan atención a las emociones? Supongamos que el pececito de la familia, la única mascota que Kyle, su hijo de tres años, ha conocido, muere de repente. El niño, claramente afligido, se pasea por la casa diciendo cosas como: "¡Quiero que vuelva el pececito!" y "¡Devuélvanmelo!". Usted ha tratado de hacer caso omiso, pero la aflicción de Kyle empieza a ponerla nerviosa. ¿Qué hacer?

Una respuesta podría ser: "Kyle, siento que tu pececito haya muerto, pero en realidad no es para tanto. Era solo un pez. La muerte hace parte de la vida, y tienes que aprender que así es. Sécate las lágrimas y sal a jugar". Otra: "Está bien, cariño. El pez ya estaba viejito cuando tú naciste. Iremos a la tienda mañana para comprar otro. Y ahora anímate y sal a jugar".

Ambas respuestas ignoran por completo los sentimientos del niño. Una parece desaprobar su dolor; la otra trata de anestesiarlo. Pero ninguna se *ocupa* de sus emociones. No le dan herramientas que puedan ayudarle a abrirse camino por entre el dolor. ¿Sabe qué podría estar pensando Kyle? "Si se supone que esto no es importante, ¿por qué sigo sintiéndome tan triste? ¿Qué voy a hacer con esta tristeza? Debo de tener un problema muy serio."

Saben que el comportamiento es una opción, no así una emoción

En su vida cotidiana, los padres de niños felices no permiten un mal comportamiento sencillamente porque comprenden de dónde proviene. Una niña pequeña podría pegarle una bofetada a su hermanito porque se siente amenazada. Esto no implica que esté bien dar bofetadas. Estos padres comprenden que los niños tienen opciones respecto a la manera como expresan sus emociones, y tienen una lista, no de *emociones* aceptables o inaceptables, sino de *acciones* que son lo uno o lo otro. Y estos padres participan activamente al enseñarles a sus hijos cuáles opciones son adecuadas y cuáles no. Los padres de niños como Doug hablan con suavidad pero hacen cumplir su manual de reglas.

Hay familias que no tienen un manual de reglas. Algunos padres permiten que sus hijos expresen cualquier emoción que experimenten y que actúen de la manera que sea. Estos padres creen que no es mucho lo que se puede hacer ante el torrente de emociones negativas, aparte de llegar a la orilla como sea y esperar a que pase la avalancha. Los padres con esta actitud están renunciando a sus responsabilidades parentales. Y, según las estadísticas, criarán a los niños más problemáticos de cualquier estilo parental que se haya estudiado.

Eso de que dejar fluir las emociones lo arregla todo (aquello de que gritar a todo pulmón despajará su ira) es un mito. "Mejor dejarlo salir que retenerlo", dice el dicho. Casi medio siglo de investigaciones demuestra que el "desahogarse" tiende a *aumentar* la agresividad. El único momento en que expresar la furia de este modo es útil, es cuando viene acompañada inmediatamente de una constructiva resolución de problemas. Como señalara C.S. Lewis en *La silla de plata*, uno de los libros de las *Crónicas de Narnia*: "Llorar es bueno mientras dure. Pero tarde o temprano debes parar, y entonces todavía te falta decidir qué vas a hacer".

Ven una crisis como una ocasión para enseñar

Los padres que crían los hijos más felices hurgan constantemente en los sentimientos intensos de sus retoños en busca de ocasiones aisladas para enseñarles. Parecen saber, intuitivamente, que experimentamos cambios duraderos solo en respuesta a las crisis. Y suelen recibir con los brazos abiertos estos intensos momentos de posibilidad.

"No debes desaprovechar nunca una verdadera crisis" es una actitud muy común en estos hogares, así como en ciertos círculos políticos. El problema que el hijo esté teniendo podría parecerles absurdamente pequeño a los padres, y no algo en lo que valga la pena invertir tiempo valioso. Pero estos padres se dan cuenta de que no es necesario que el problema les guste para resolverlo, y suelen reemplazar las palabras "catástrofe en potencia" por "lección en potencia", lo que da un giro distinto a la catástrofe en sí.

Esto tiene dos consecuencias a largo plazo. En primer lugar, hace que los padres estén sorprendentemente relajados frente a las crisis emocionales, lo cual reporta beneficios, pues da a los niños un poderoso ejemplo por imitar cuando experimenten sus propias crisis en su vida adulta. Segundo, hay menos desastres emocionales. Esto, debido a que el sentido de oportunidad también es importante: la mejor manera de limitar el daño producido por un incendio es apagarlo cuando antes. Si usted corre hacia el fuego en lugar de ignorarlo, lo más probable es que la cuenta de las reparaciones sea menos costosa. ¿Cómo apagar el incendio? He aquí la sexta especia.

6. Dos toneladas de empatía

Supongamos que está esperando en una larga fila en la oficina de correos con su inquieta hija de dos años, Emily, que dice: "Quiero un vaso de agua". Usted responde con voz calmada: "Cariño, no puedo darte agua en este momento. El bebedero está dañado". Emily empieza a gimotear. "¡Quiero agua!" Se le quiebra la voz. Usted sabe lo que se avecina, y su tensión arterial empieza a elevarse. "Tendremos que esperar hasta llegar a casa. Aquí no hay agua", dice. Ella insiste: "¡Quiero agua AHORA!" El intercambio escala en intensidad, con el riesgo de estallar en una pelea pública. ¿Qué hacer? He aquí tres actitudes que podría adoptar:

- Decide hacer caso omiso de los sentimientos de su hija y le dice con brusquedad: "Te dije que esperaras hasta que volvamos a casa. Aquí no hay agua. Ahora, haz silencio".
- Temerosa ante el estallido de una posible crisis que la haga sentirse incómoda, desaprueba la reacción de su hija y le dice entre dientes: "¿Quieres hacer silencio, *por favor*? No me avergüences en público".
- Al no saber qué hacer, se encoge de hombros y sonríe lánguidamente mientras las emociones de su hija llegan al clímax y explotan en la cara de todas sus capacidades parentales.

Haim Ginott, uno de los psicólogos infantiles más influyentes de su generación, diría que ninguna de las anteriores es una buena opción. A finales de la década de los sesenta, Ginott propuso una serie de "conmociones" parentales que, después de años de investigación en el laboratorio de Gottman y otros, ha demostrado ser bastante clarividente. Esto es lo que debería hacer: reconocer los sentimientos de su hija y empatizar. "Tienes sed, ¿cierto?. Qué bueno sería poder tomarse un buen trago de agua. Ojalá el bebedero estuviera funcionando para poder alzarte y que pudieras beber toda el agua que quisieras."

¿Le suena extraño? Muchos padres creerían que esta respuesta empeoraría las cosas, pero los resultados de los estudios son clarísimos. Los reflejos empáticos, y las estrategias de entrenamiento que los rodean, son las únicas conductas que han demostrado distender las conmociones emocionales a corto plazo... y reducir su frecuencia a largo plazo. Advierta cómo, en la cuarta respuesta, usted va al encuentro de las emociones de su hija en lugar de huir de ellas. Advierta cómo verbaliza sus sentimientos, validándolos, demostrando comprensión. Esto es la empatía. Es lo que Lynn Katz, de la Universidad de Washington, denomina "entrenamiento de las emociones", al igual que Gottman. La idea viene directamente de las ideas de Ginott sobre la crianza de hijos felices. Por tanto, ¿qué debería haberle dicho Rachel a Tyler, el niño que quería una galleta en vez de una zanahoria al principio de este capítulo? Debería haber empezado por señalar lo obvio: "Quieres una galleta, ¿cierto?".

Por qué funciona la empatía

Creemos que hay varias explicaciones fisiológicas de por qué funciona la empatía, gracias a dos esfuerzos investigativos que no tienen ninguna relación aparente: un intento por comprender el comportamiento de masas y un intento por caracterizar la relación óptima entre médico y paciente.

Las emociones son contagiosas

Una persona tiende a experimentar los sentimientos generados por las emociones de la multitud circundante. Si la gente que nos rodea está furiosa, asustada o agresiva, solemos "contagiarnos" de estos sentimientos, como si se tratara de un virus. Investigadores interesados en estudiar cómo influyen las muchedumbres en la conducta individual descubrieron este contagio emocional, que se aplica a una amplia gama de experiencias emocionales, incluyendo el humor. Todos hemos estado expuestos a esto durante años. En un intento por "contagiar" a los espectadores de una sensación hilarante, las comedias de televisión suelen incluir risas pregrabadas.

La empatía calma los nervios

El segundo conjunto de estudios buscaba optimizar la relación entre médico y paciente. Y sucedió algo desconcertante: los terapeutas cuya frecuencia cardiaca y cuya temperatura de la piel estaban sincronizadas con las del paciente durante la entrevista clínica descubrieron que sus pacientes se mejoraban más rápido y más completamente que en el caso de los médicos cuyas fisiologías no se sincronizaban con las de sus pacientes. El término acuñado, de manera acertada, es "sincronía fisiológica". Los pacientes de estos doctores "empáticos" se recuperaban más rápido de las gripas y las cirugías (con menos complicaciones) y eran menos propensos a demandar por mala negligencia. La presencia de la empatía resultó ser un asunto de costos médicos.

Este hallazgo biológico llevó directamente al descubrimiento de que la empatía calma a la gente. Cuando el cerebro percibe que hay empatía, el nervio vago relaja al cuerpo. Este nervio conecta el tallo cerebral con otras áreas del cuerpo, incluyendo el abdomen, el pecho y el cuello. Cuando está sobreestimulado, produce dolor y náuseas.

Es probable que tenga que practicar

Es comprensible si le resulta difícil proyectar empatía de manera continua. Cuando tenga su primer hijo, tal vez descubra cómo su mundo anterior giraba solo alrededor de usted. Y ahora gira solo alrededor de su retoño. Esta es una de las partes más difíciles de este contrato social. Pero su capacidad de pasar de *usted* a *su hijo*, que es lo que la empatía nos obliga a hacer a todos, marcará toda la diferencia en el desarrollo cerebral de su pequeño.

Aun cuando la empatía parezca nacer de fuentes innatas, los niños deben experimentarla de manera constante para volverse buenos expresándola. "La empatía proviene de haber sido tratados con empatía", dice Stanley Greenspan, profesor de psiquiatría y pediatría de la Facultad de Medicina de la Universidad George Washington, en su libro *Niños felices*. Para criar hijos empáticos, los padres deben practicar la empatía de manera constante, con sus amigos, sus cónyuges, sus colegas. Así como en el tenis, los novatos aprenden mejor cuando practican con los profesionales. Cuanta más empatía vea su hijo, más competente socialmente y más feliz será. Y, a su vez, producirá nietos más empáticos, lo cual no viene nada mal en la vejez... ¡sobre todo en una economía tambaleante!

Por fortuna, para darle a su hijo el regalo de la autorregulación emocional, no tiene que pasarse las veinticuatro horas del día haciendo malabarismos con las seis especias del adobo. Según Gottman, si el 30 por ciento de sus interacciones con su hijo son empáticas, criará a un hijo feliz. ¿Esto significa que puede tomarse con calma el otro 70 por ciento del tiempo? Tal vez. En realidad, las estadísticas señalan el gran poder del hecho de prestarles atención a los sentimientos. Hay muchos padres que no crían hijos como mi amigo Doug. Pero no hay ninguna razón por la que *usted* no pueda hacerlo.

Puntos clave

- Su bebé necesita que usted observe, escuche y responda.
- La manera como los padres se ocupan de las emociones intensas de sus hijos pequeños tiene una importancia enorme en cuán felices serán en su edad adulta.
- Los niños son más felices si los padres son exigentes y afectuosos.
- Las emociones deben ser reconocidas y nombradas pero no juzgadas.

Bebé moral

Principios del cerebro

Los bebés nacen con sensibilidades morales

Disciplina + corazón afectuoso = hijo moral

Que su sí sea sí y su no sea no

Bebé moral

Daniel tiene padres adinerados, pero cuando de controlar a los hijos se trata, están en quiebra. Daniel, el mayor, es la prueba A. La madre los llevó a él y a su hermana a pasar el fin de semana en la fastuosa casa de campo de la familia. Mientras avanzaban a toda velocidad por la autopista, Daniel, de cinco años, se desabrochó el cinturón de seguridad de repente. Tomó el celular de su madre y se puso a jugar con él. "Déjalo, por favor", le dijo la madre. Daniel hizo caso omiso de la solicitud. "Por favor, *déjalo*", repitió la madre, a lo que el niño replicó: "No". La madre reflexionó: "Está bien, puedes usarlo para llamar a papá. Ahora abróchate el cinturón de seguridad, por favor". Daniel hizo caso omiso de ambas instrucciones y se puso a jugar videojuegos en el celular.

Cuando se detuvieron para poner gasolina, un par de horas después, se salió por la ventana y se trepó al techo del auto. "¡No hagas eso!", ordenó la madre, horrorizada. "¡No lo hagas tú!", replicó el niño y bajó por el parabrisas. Cuando estuvo dentro del automóvil nuevamente, retomaron la marcha. Daniel volvió a encontrar el teléfono, pero esta vez lo tiró al suelo y lo rompió. Y a medida que fue creciendo, este Napoleoncito se fue dando cuenta de lo fácil que era hacer caso omiso de los límites sociales de la familia, y después, de cualquier límite social. Se acostumbró a hacer lo que quería adondequiera que fuera. Empezó a pegarles a los niños del colegio que no le prestaban atención. Desarrolló una relación sulfurosa con la autoridad. Les robaba a los compañeros. Hasta que un día, el embrague moral le falló por completo y le clavó un lápiz en la mejilla a una niña. Lo expulsaron del colegio. Y mientras escribo estas líneas, la familia está metida en una demanda, al igual que el colegio.

Daniel era un desastre conductual, incluso podría decirse también que *moral*. Y aunque es fácil ser un padre criticón, cada año parece haber más niños fuera de control y más padres impotentes. Ningún padre amoroso quiere criar un Daniel. En este capítulo, hablaremos de cómo evitarlo. Es *posible* crear la madurez moral en la mayoría de los niños. Y, lo que tal vez le resulte sorprendente, hay datos neurocientíficos que respaldan esta afirmación.

¿Nacen los bebés con moralidad?

¿Qué significa "moralidad" exactamente? ¿Venimos al mundo con absolutos morales grabados en nuestro cerebro, o la conciencia moral es algo que se entiende solo culturalmente? Son preguntas que han ocupado a los filósofos durante siglos. La palabra "moral", tanto en sus raíces griegas como latinas, tiene un fuerte apuntalamiento social. En un principio, trazaba un código de conducta, un conjunto de costumbres y modales que contenían partes iguales de "efusivamente recomendado" y "no te atrevas a hacerlo". Esta es la definición que usaremos: un conjunto de conductas cargadas de valores y aceptadas por un grupo cultural, cuya función es guiar el comportamiento social.

¿Por qué habríamos de necesitar estas reglas, en primer lugar?

Podría tener que ver con esa fuerte necesidad evolutiva de cooperación social. Algunos investigadores creen que nuestro sentido moral —en realidad, un conjunto específico de conductas socializantes— se desarrolló para fomentar esa cooperación. Después de todo, unas masacres permanentes no eran precisamente algo que le conviniera a una especie cuya población fundacional era inferior a los 18 500 individuos (algunos dicen que inferior a 2000). Según esta perspectiva darwiniana, el cerebro vendría preprogramado con ciertas sensibilidades morales limitadas, que después se desarrollarían de una manera semivariable, dependiendo de la crianza. "Nacemos con una gramática moral universal", dice el científico cognitivo Steven Pinker, "que nos obliga a analizar la acción humana en términos de su estructura moral".

Entre las candidatas más populares de las sensibilidades morales que poseemos están: la distinción entre lo correcto y lo incorrecto, proscripciones contra la violencia social como la violación y el homicidio, y la empatía. Paul Bloom, psicólogo de Yale, incluye un sentido de justicia, respuestas emocionales a la consideración y el altruismo, y una disposición a juzgar la conducta de otra persona. Para el psicólogo Jon Haidt, hay cinco categorías: imparcialidad, lealtad, respeto a la autoridad y algo extrañamente llamado pureza espiritual.

Si estas sensibilidades morales son parte innata de la función del cerebro, deberíamos poder ver fragmentos de ellas en algunos de nuestros vecinos evolutivos. Y podemos; solo basta con ir a un zoológico de Inglaterra. Kuni, un chimpancé hembra, vivía en un recinto que tenía una parte de vidrio y otra al aire libre, rodeada principalmente por un foso. Un día, un estornino chocó contra el vidrio, cayó en el recinto y la chimpancé lo capturó. Aunque parecía desconcertado, el pájaro no estaba herido físicamente y el guarda instó a la chimpancé para que lo soltara.

Lo que Kuni hizo a continuación fue extraordinario. Alzó al pájaro cojo, lo puso sobre sus patas y le dio un empujoncito. El pájaro no revivió. Kuni pareció reflexionar al respecto, para luego concebir una estrategia.

Tomó al pajarito en una mano y se trepó a la cima del árbol más alto, cual King Kong con una Fay Wray alada. La chimpancé se aferró al tronco con las piernas para tener ambas manos libres y, con gran destreza, agarró las alas del pájaro —una con cada mano—, las abrió cuidadosamente y lo lanzó con todas sus fuerzas hacia la libertad. Pero el pájaro cayó justo en la orilla del foso, y un mono joven y curioso se acercó para investigar. Kuni bajó entonces a toda prisa y montó guardia delante del pájaro durante largo rato. Y allí se quedó hasta que el estornino pudo volar.

Este es un ejemplo extraordinario de... algo. Aunque no podemos meternos en la mente de un chimpancé, esta hace parte de una serie de observaciones que sugieren que los animales tienen una vida emocional activa, que incluye, quizás, el altruismo nocional. Los humanos tendemos a tener esta cualidad altruista por cantidades, y en formas mucho más sofisticadas que las de nuestros vecinos genéticos.

Si la conciencia moral es universal, también podríamos esperar ver un acuerdo general entre las culturas. Unos investigadores de Harvard desarrollaron una encuesta de juicio moral que han respondido cientos de miles de personas de más de 120 países. (Usted también puede hacerlo, en http://moral.wjh.harvard.edu [disponible también en español].) Los datos que han recopilado parecen confirmar un sentido moral universal.

Un tercer indicio de que la conciencia moral es innata, que abordaremos dentro de un par de páginas, tiene que ver con el hecho de que una lesión en una zona específica del cerebro puede afectar la capacidad de tomar cierto tipo de decisiones morales.

¿Por qué los niños no hacen lo correcto?

Si nacemos con un sentido innato de lo que está bien y lo que está mal, ¿por qué los niños no hacen simplemente lo correcto, sobre todo al crecer (y llegar a la adolescencia, por ejemplo)?

Resulta que es sorprendentemente difícil explicar el comportamiento moral proactivo, como, por ejemplo, ayudarle a alguien a cruzar la calle. Ni siquiera el interés personal ilustrado sirve para explicar plenamente ciertos tipos de altruismo humano. El camino entre el razonamiento moral y la conducta moral es bastante pedregoso. Y el concepto de "conciencia" se desarrolló, en parte, para allanarlo. La conciencia es algo que nos hace sentirnos bien cuando hacemos cosas buenas, y nos hace sentir mal cuando no las hacemos. Lawrence Kohlberg, el fallecido psicólogo de Harvard, creía que una conciencia sana era el travesaño más alto de la escalera del razonamiento moral. Pero no todos los científicos creen que la conciencia sea innata. Algunos creen que es un constructo social, y para ellos, la interiorización es la medida más importante de la conciencia moral.

Un niño que puede resistir la tentación de desacatar una norma moral, *incluso cuando la posibilidad de que lo descubran y lo castiguen es nula*, ha interiorizado la regla. Estos niños no solo saben lo que es correcto (una conciencia que podría estar preprogramada en su cerebro), sino que están de acuerdo con esto e intentan sintonizar sus conductas en consecuencia. Esto es lo que se conoce también como control inhibitorio, que suena sospechosamente parecido a una función ejecutiva bien desarrollada. Bien podrían ser lo mismo.

En todo caso, una disposición a tomar las decisiones correctas —y a resistir la presión ante las incorrectas, incluso en ausencia de una amenaza creíble o en presencia de una recompensa— es la meta del desarrollo moral. Y esto significa que nuestro objetivo parental es lograr que nuestros hijos presten atención y se sintonicen con su sentido innato de lo correcto y lo incorrecto.

Esto toma tiempo. Mucho tiempo.

Una mentira cada dos horas

Una de las razones por las cuales sabemos esto es por la forma como mienten los niños, que cambia con el tiempo. Una vez oí a un profesor de psicología discutiendo sobre lo que sucede cuando un niño aprende a mentir, y este profesor animó su charla con un anécdota de Bill Cosby. Con el perdón del profesor y de Cosby, he aquí mi recuerdo de la anécdota.

Bill y su hermano Russell estaban saltando en la cama en plena noche, violando una de las más estrictas órdenes de sus padres, y rompieron la cama. El chasquido y el golpe despertó al padre, que irrumpió furioso en la habitación, señaló la cama rota y gritó: "¿Fuiste tú?". "¡No, papá! ¡No fui yo!", balbució el hijo mayor. Después reflexionó, y le brillaron los ojos: "Pero sé quién fue. Un adolescente entró en nuestro cuarto por la ventana. Brincó en la cama diez veces y la rompió, después saltó por la ventana y se fue corriendo!". El papá frunció el ceño: "Hijo, no hay ninguna ventana en esta habitación". A lo que el hijo replicó enseguida: "¡Yo sé, papá! ¡Él se la llevó".

Sí, los niños son malos para mentir, al menos al principio. En el polvo mágico de la mente infantil, a los niños pequeños les cuesta distinguir entre la realidad y la fantasía, lo cual podemos percibir en el entusiasmo que les producen los juegos imaginativos. Además, perciben a los padres como seres esencialmente omniscientes, una creencia que no desaparece del todo sino hasta la explosión de la pubertad. Sin embargo, el bombillo se prende temprano, hacia los 36 meses, cuando empiezan a darse cuenta de que los padres no pueden leerles la mente todo el tiempo. Para su deleite (o espanto), los niños descubren que pueden darles información falsa sin que estos se den cuenta. O, como ilustra la anécdota de Cosby, *creen* que pueden. Este descubrimiento coincide con el florecimiento de algo que llamamos "teoría de la mente".

La teoría de la mente se desarrolla con el tiempo

¿Qué es la teoría de la mente? Un ejemplo literario puede ayudar a explicarla. En una ocasión, a Ernest Hemingway lo retaron a que escribiera una novela con tan solo seis palabras, y lo que escribió es una muestra perfecta de la teoría de la mente. Esto se debe a que, al leerlo, activa nuestra mente:

Vendo zapatos de bebé, sin usar.

¿Estas seis palabras le producen tristeza? ¿Le hacen pensar en qué le habrá pasado a la persona que escribió el anuncio? ¿Puede deducir el estado mental de esa persona?

La mayoría de los humanos podemos, y para ello usamos las herramientas de la teoría de la mente. La base de estas aptitudes es la comprensión de que la conducta de otra persona se ve motivada por una gama de estados mentales: creencias, intenciones, deseos, percepciones, emociones. La teoría de la mente, término acuñado inicialmente por el renombrado primatólogo David Premack, tiene dos componentes generales. La primera es la capacidad de percibir los estados psicológicos de otra persona. La segunda es la comprensión de que aunque esos estados pueden ser distintos de los propios, siguen siendo válidos para la persona con la que se está interactuando. Desarrollamos una teoría de cómo funciona la mente del otro, aun cuando sea diferente de la nuestra.

Esas seis palabras podrían haber sido escritas por una pareja a la que se le murió el bebé poco después de nacer, y uno siente las punzadas de la tristeza. Puede que usted nunca haya experimentado el dolor de perder un hijo, puede que ni siquiera tenga hijos. Aun así, usando sus herramientas de la teoría de la mente, puede experimentar esa realidad y empatizar. Así, la novela más corta del mundo puede relevar un universo de sentimientos. Hemingway la consideraba su mejor obra.

Aunque la teoría de la mente es un distintivo del comportamiento humano, no creemos que esté completamente desarrollada al nacer. Es supremamente difícil medirla en los niños muy pequeños, y parece desarrollarse de manera progresiva, bajo la influencia de las experiencias sociales. Podemos ver este progreso en la manera como mienten los niños. La teoría de la mente es indispensable para engañar a alguien, pues implica la capacidad de echar un vistazo a la mente del otro y predecir lo que pensará si le contamos algo. Y el talento mejora con el tiempo.

Después de los tres años, los niños empiezan a mentir en serio, aunque suelen hacerlo de manera imperfecta. Hacia los cuatro años, un niño dirá una mentira cada dos horas; hacia los seis, lo hará cada noventa minutos. A medida que aumentan su vocabulario y su experiencia social, las mentiras se vuelven más sofisticadas, más frecuentes y más difíciles de detectar.

Hacia los cuatro años, un niño dirá una mentira cada dos horas; hacia los seis, lo hará cada noventa minutos.

Este progreso sugirió a los investigadores que los niños también tienen una relación, que depende de la edad, con ciertos tipos de razonamientos morales. Puede que nazcan con ciertos instintos morales, pero se necesita un tiempo para que alcancen su forma madura.

Cómo se desarrolla el razonamiento moral

Kohlberg, el psicólogo de Harvard, creía que el razonamiento moral dependía de la madurez cognitiva general; otra forma de decir que esto toma tiempo. Si, en efecto, las decisiones tienen fuertes raíces emocionales, lo cual exploraremos más adelante, yo alegaría también que el razonamiento moral depende de la madurez emocional. Aunque Kohlberg tiene sus críticos, sus ideas siguen siendo importantes, al igual que las de su mentor, Jean Piaget. Las ideas de estos dos hombres han sido aplicadas en colegios, centros de detención juvenil e incluso prisiones. Kohlberg esbozó un proceso progresivo del desarrollo moral:

1. Evitar el castigo. El razonamiento moral empieza en un nivel bastante primitivo, enfocado principalmente en evitar el castigo. Kohlberg llama a esta etapa "razonamiento moral pre convencional".
2. Considerar las consecuencias. A medida que la mente del niño se desarrolla, empieza a pensar en las consecuencias sociales de sus conductas y a modificarlas en consecuencia. Esto es lo que Kohlberg denomina "razonamiento moral convencional".
3. Actuar por principios. Con el tiempo, el niño empieza a basar sus decisiones conductuales en principios morales, objetivos y bien desarrollados, no solo para evitar el castigo o para ser aceptado por sus pares. A esta codiciada etapa Kohlberg la llama "razonamiento moral post convencional". Podría alegarse que la meta de todos los padres es llegar hasta aquí.

Los niños no necesariamente llegan a la tercera etapa por sí solos. Junto con el tiempo y la experiencia, puede que también se necesite una crianza sensata para lograr que un niño se comporte sistemáticamente de una manera congruente con su gramática moral innata. Y esto es difícil, en parte, porque si los niños observan un mal comportamiento, lo *aprenden*. Incluso si ese mal comportamiento es castigado, sigue estando accesible en su mente. Esto fue lo que demostró el psicólogo Albert Bandura, con la ayuda de un payaso.

Lecciones de Bobo el payaso

En la década de los sesenta, Bandura les mostró a unos niños en edad preescolar una película con Bobo el payaso, uno de esos muñecos inflables con un peso en la base. En la película, una adulta llamada Susan le da golpes y patadas al muñeco, para luego darle una paliza con un martillo. Después de ver la película, los niños pasan a una sala llena de juguetes, entre ellos (sorpresa) un Bobo el payaso y un martillo de juguete. ¿Qué hacen los niños? Depende.

Si vieron la versión de la película en la que se elogia a Susan por sus acciones, golpean al muñeco con mucha frecuencia. Si vieron la versión en la que castigaban a Susan, le pegan a Bobo con menos frecuencia. Pero si Bandura entra en la habitación y dice: "Les daré una recompensa si repiten lo que vieron que hizo Susan", los niños cogen el martillo y le dan una paliza al muñeco. Aunque hayan visto que la violencia es castigada o recompensada, han aprendido el comportamiento.

Es lo que Bandura denomina "aprendizaje observacional", y pudo demostrar que los niños (y los adultos) aprenden un montón al observar las conductas de los demás. También puede ser algo positivo. Una telenovela mexicana en la que los personajes elogiaban los libros y después les pedían a los espectadores que se inscribieran en clases de lectura aumentó los índices de alfabetización en todo el país. La conclusión de Bandura es una extraordinaria arma de instrucción masiva.

El aprendizaje observacional desempeña un papel poderoso en el desarrollo moral. Es una de las muchas capacidades contratadas para el proyecto de construcción ética del cerebro. Vamos a echar un vistazo.

¿Mataría a uno para salvar a cinco?

Imagine lo que usted haría en estas dos situaciones hipotéticas:

1. Usted es el conductor de un tranvía que se ha quedado sin frenos y ahora se precipita por la vía a una velocidad incontrolable. El tranvía llega a una bifurcación y entonces usted se ve confrontado con una situación sin salida: si no hace nada, el tranvía se desviará hacia la izquierda y matará a cinco obreros que están arreglando la vía. Si guía la máquina hacia la derecha, matará a uno. ¿Qué escogería?
2. Usted está en un paso elevado, con la vía del tranvía debajo de usted. Cuando el tranvía se acerca, advierte que está fuera de control. Esta vez no hay ninguna bifurcación fatal en la vía, solo los

> mismos cinco obreros a punto de morir. Pero hay una solución. Hay un hombre delante de usted, y si lo empuja, caerá justo delante del tranvía, deteniéndolo. Aunque el hombre morirá, los otros cinco se salvarán. ¿Qué haría usted?

Ambos casos presentan la misma proporción: cinco muertos o uno. A pocas personas les cuesta responder a la primera opción. La mayoría conduciría el tranvía hacia la derecha. Pero la segunda situación implica una opción moral distinta: decidir si matar o no a una persona. La gran mayoría decide no matar al hombre.

Pero si se trata de alguien que ha sufrido una lesión cerebral, este no es el caso. Hay una región que está por encima de los ojos y detrás de la frente —la corteza prefrontal ventromedial [CPFVM]—, y si el sujeto sufre una lesión en esta región, se afecta su juicio moral. Para estas personas, el hecho del asesinato no es particularmente relevante para su decisión. Convencidas de que las necesidades de varios son más importantes que la de uno solo, empujan al hombre..., salvando así a cinco y matando a uno.

¿Esto qué significa? Si la moralidad es una parte innata del circuito neural del cerebro, la lesión de esas áreas debería afectar nuestra capacidad de tomar decisiones morales. Algunos investigadores creen que eso es precisamente lo que muestran estos resultados. Otros creen que los supuestos con tranvías no demuestran nada, y alegan que no podemos comparar las decisiones hipotéticas con experiencias de la vida real. ¿Hay alguna manera de salir de esta controversia? Puede que sí, pero tenemos que recurrir a las ideas de filósofos que murieron hace más de doscientos años.

Emoción *versus* razón

Gigantes de la filosofía como David Hume pensaban que las pasiones básicas potencian las decisiones morales. El genial Emanuel Kant planteaba que la razón desapasionada era —o al menos *debía* ser— la fuerza motora que subyace a la toma de decisiones morales. La neurociencia moderna le apuesta a que Hume estaba en lo cierto.

Algunos investigadores creen que tenemos dos circuitos de razonamiento moral, y que las decisiones morales (y los conflictos) surgen porque los dos sistemas discuten con mucha frecuencia. El primer sistema es responsable de las decisiones morales racionales —el circuito kantiano del cerebro—, que decide que salvar cinco vidas tiene más sentido que salvar una sola. El segundo sistema es más personal, incluso emotivo, y funciona como una oposición leal al circuito de Kant. Estas neuronas nos permiten visualizar al hombre precipitándose a su muerte, imaginarnos cómo se sentirían el pobre hombre y su familia, imaginar que su muerte espantosa sería nuestra responsabilidad. Esta perspectiva "humeana" lleva a la mayoría de cerebros a reflexionar, para luego rechazar esta opción. La corteza prefrontal ventromedial está implicada en la mediación de este dilema filosófico. Pero cuando ha sufrido una lesión, Hume se va al garete.

Al perder las emociones perdemos la capacidad de tomar de decisiones

¿Qué significa esto para los padres que quieren criar hijos morales? Como vimos en el capítulo anterior, las emociones son la base de la felicidad del niño. Y parece que también son la base de la toma de decisiones morales. Un descubrimiento impresionante llegó de la mano de un hombre llamado Elliot, bajo los ojos perspicaces del neurocientífico Antonio Damasio.

Elliot había sido un modelo para su comunidad: hábil administrador de un negocio grande, esposo maravilloso, miembro de la iglesia, hombre de familia. Pero todo cambió el día en que lo operaron para sacarle un tumor que tenía cerca del lóbulo frontal. Elliot salió de la cirugía con las capacidades relativas a la inteligencia y a la percepción intactas. Pero con tres nuevos rasgos inusuales.

Primero, *era incapaz de decidirse*. Se quedaba rumiando hasta las más mínimas minucias de la vida. Decisiones que solía tomar en segundos ahora le tomaban horas. No podía decidir qué canal de televisión poner, qué lápiz usar, qué ropa ponerse, a dónde ir en la mañana. Analizaba todo infinitamente. Como un hombre que ronda la mesa de un *buffet*, incapaz de echarse nada en el plato, su vida se convirtió en una larga evasiva. No es de extrañar que su mundo se derrumbara. Perdió su trabajo y también a su esposa. Empezó nuevos negocios para luego verlos fracasar. Fue investigado por Hacienda. Finalmente, quedó en la ruina y volvió a casa de sus padres.

Damasio empezó a trabajar con Elliot en 1982. Y al practicarle toda la gama de test conductuales, no tardó en advertir el segundo rasgo inusual: *Elliot no podía sentir nada emocionalmente*. Es más, parecía no tener emociones en absoluto. Podía mostrársele una foto morbosa, una erótica o la de un bebé..., ninguna producía ninguna reacción en su corazón o en su cerebro. Nada. Era como si Damasio hubiera conectado sus elegantes electrodos fisiológicos a un maniquí.

Esto llevó a Damasio al tercer rasgo. *Elliot tenía problemas para hacer juicios morales*. El que su comportamiento indeciso hubiera ocasionado su divorcio y su ruina tanto social como financiera no podía haberle importado menos. Las pruebas abstractas demostraron que podía distinguir lo correcto de lo incorrecto, pero se comportaba y sentía como si no pudiera. Incluso podía recordar que solía experimentar esos sentimientos ahora perdidos en una lejana bruma moral. Como señaló el académico Patrick Grim, lo que Elliot *hacía* estaba claramente desconectado de lo que *sabía*.

Este es un descubrimiento increíble. Dado que Elliot ya no podía integrar las respuestas emocionales en sus juicios prácticos, perdió completamente la capacidad de decidirse. La maquinaria para tomar decisiones se había deshecho por completo, incluyendo su juicio moral.

Otros estudios confirman que la pérdida de las emociones equivale a la pérdida de la capacidad de tomar decisiones. Ahora sabemos que los niños que sufren una lesión en la corteza prefrontal ventromedial antes de su segundo cumpleaños tienen síntomas muy parecidos a los de Elliot.

De cómo el cerebro une los hechos y las emociones

Si espiamos a un cerebro humano en pleno forcejeo con decisiones éticas, vemos una cantidad desconcertante de regiones que se activan, como en un episodio de *Iron Chef*: la corteza orbitofrontal lateral; la corteza prefrontal dorsolateral, lateralizada a la derecha; el estriado ventral; el hipotálamo ventromedial; la amígdala... Todas participan. Las emociones y la lógica, como vimos en el capítulo anterior, están mezcladas libre y desordenadamente en el cerebro.

¿Cómo es que todas estas estructuras producen a Kant (la lógica) y a Hume (las emociones)? Apenas estamos empezando a comprender cómo funcionan en las decisiones morales. Por lo pronto, sabemos que hay una división regional del trabajo: las regiones superficiales se ocupan de la evaluación de los hechos; las profundas se ocupan del procesamiento de las emociones. Y están conectadas por la corteza prefrontal ventromedial. Esto es una sobresimplificación, claro está, pero piense en la corteza prefrontal ventromedial como si fuera el Golden Gate, que conecta a San Francisco (las emociones) con su vecino del norte, el condado de Marin (los hechos). Algunos científicos creen que así es como suele fluir el tráfico:

1. Se produce una reacción emocional. Cuando el cerebro de un niño se ve confrontado con un dilema moral, se alerta primero a San Francisco. El circuito profundo y principalmente inconsciente del niño genera una reacción emocional..., una nota adhesiva.

2. La señal se transmite a través del puente. El mensaje desaparece entre la CPFVM, ese Golden Gate celular que conecta los centros inferiores y superiores del cerebro.
3. Los centros fácticos analizan el mensaje y deciden qué hacer. La señal llega al equivalente neuroanatómico del condado de Marin. El cerebro del niño lee la nota y toma una decisión sobre qué hacer. Juzga lo que está bien y lo que está mal, lo que es importante y lo que es trivial, lo que es necesario y lo que es opcional, hasta finalmente decidirse por un curso de acción conductual. Se ha tomado la decisión.

Todo esto sucede en el espacio de unos pocos milisegundos, una velocidad que implica que las áreas encargadas de las emociones trabajen en una coordinación tan íntima con las áreas racionales, que es imposible distinguir dónde empiezan las unas y dónde terminan las otras. La integración es tan estrecha, que podemos decir que no podemos llegar a lo racional sin lo irracional. Como elegantemente señala Jonah Lehrer en su libro *How We Decide* [Cómo tomamos decisiones], "el cerebro que no puede procesar las emociones no puede decidirse".

Esta biología nos dice que la regulación emocional es un componente importante de la crianza de un niño moral. Al igual que la función ejecutiva. La sana integración de ambos procesos contribuirá en gran medida para que el niño se mantenga en contacto con su Madre Teresa interior.

Criar a un niño moral: reglas y disciplina

La pregunta, por tanto, es: ¿Si los niños nacen con una cantidad innata de materiales de construcción moral, cómo les ayudamos a nuestros hijos a construir casas morales que valga la pena habitar? ¿Cómo hacer para que lleguen a ese codiciado estado de interiorización moral?

Las familias que crían hijos morales siguen patrones predecibles en términos de reglas y disciplina. Estos patrones están formados por muchos componentes entrelazados. Un ejemplo tomado de la cocina de mi esposa podría simplificar las cosas: un taburete de tres patas que solíamos tener cerca del refrigerador para que nuestros hijos pudieran llegar a los estantes. Pensemos entonces en la parte plana del taburete como el representante del desarrollo de la conciencia moral, mientras que cada pata representa lo que los investigadores saben acerca de cómo apoyar ese desarrollo. Las tres patas son indispensables para que el taburete cumpla su misión. Según las estadísticas, esta equilibrada triada les proporciona a los niños el asiento más sólido, es decir, los reflejos morales más afinados. Las tres patas son:

- Reglas y recompensas claras y coherentes
- Consecuencias inmediatas
- Explicar las reglas

Recurriré a escenas de un programa de televisión para ilustrar cada una.

1. Reglas y recompensas claras y coherentes

Un niño pequeño, sentado a la mesa del comedor, le pega a su hermano y dice: "¡Quiero tu helado, *ahora*!". Mamá y papá están horrorizados. Una mujer rolliza, elegante y de acento británico también está sentada a la mesa y toma nota, pero no parece horrorizada en absoluto. "¿Qué van a hacer?", les pregunta a los papás con voz calmada. El niño vuelve a golpear al hermano. "Te voy a quitar tu postre si vuelves a hacerlo", dice mamá con voz severa. El niño vuelve a hacerlo. Mamá baja la vista hacia su plato. Papá aparta la mirada, furioso. Ninguno de los dos, por lo visto, sabe cómo responder a la pregunta de la británica.

Bienvenido al invasivo mundo de la Niñera de la Tele. Probablemente habrá visto este programa, que sigue esta fórmula: familias en las que la situación se les sale de las manos a los padres permiten que un equipo de filmación entre en su vida, de la mano de una niñera profesional. Bendecida siempre con un autoritativo acento británico, y cual *sheriff* de Nottingham, esta niñera procede a poner orden en el hogar. Tiene una semana para realizar su milagro doméstico y transformar a los abrumados padres en amorosos disciplinantes y a sus pequeños demonios en dulces ángeles.

He aquí otras escenas:

El pequeño Aiden se niega a dormirse y llora a todo pulmón. Él sabe que cuando sus padres dicen "Apaga la luz—En serio", no lo dicen en serio. Si hay una hora límite, siempre se anuncia de manera inesperada y no se hace cumplir. Esto hace que la niñera frunza el ceño. Aiden tarda horas en dormirse.

Mike se tropieza accidentalmente en las escaleras y deja caer un montón de libros que llevaba en sus brazos. El pequeño se encoge y trata de esconderse, a la espera del regaño de su malhumorado padre. El grito furibundo no tarda en llegar. La niñera se acerca al niño, le ayuda a recoger los libros y dice con triste amabilidad: "Parece que estás muy asustado, Mike. ¿Tu papá te asustó?". El pequeño asiente, después sube las escaleras a toda velocidad. Esa noche, cual bulldog británico, la niñera le da al padre un sermón mordaz sobre la necesidad del niño de sentirse seguro.

Amanda hace un esfuerzo por acostarse sola y a tiempo, a lo cual se había resistido antes. Pero nadie nota este esfuerzo, pues los padres están ocupados persiguiendo a sus hermanitos gemelos, tratando de que se cepillen los dientes. Al terminar, los dos se desploman frente al televisor. La niñera arropa a la pequeña y le dice: "Muy bien. ¡Lo hiciste todo solita y sin hacer ningún escándalo! ¡Bravo!".

Las soluciones de la niñera de la Tele son irritantes a veces; otras, certeras. Pero en estos casos siguen la ciencia conductual de nuestra primera pata disciplinaria: reglas coherentes que se recompensan regularmente. Analicemos estas reglas a partir de cuatro características.

Sus reglas son claras y razonables

En el ejemplo de Aiden, no hay un horario fijo para acostarse y la única guía es la conducta de los padres, que es ambigua. Aiden carece de orientación, y al final de un día intenso y agotador, tampoco le quedan muchas reservas sociales. No es de sorprender que llore a voz en cuello.

¿La solución de la niñera? Al día siguiente, trae un cuadro donde ha escrito una reglas y expectativas —entre ellas, un hora razonable para acostarse— y lo pone donde toda la familia pueda verlo. El cuadro representa una autoridad objetiva en la que la regla a) es realista, b) está claramente formulada y c) queda a la vista de todos.

Se muestra cariñoso y comprensivo al aplicar las reglas

A Mike, el niño que quiere esconderse porque se le cayeron los libros, ya le han gritado antes, claramente. Encogerse de miedo es una señal evidente de que no se siente seguro en ese momento, y puede que no se sienta seguro en general. (Que es una consecuencia de ver que le gritan por algo tan inocente como dejar caer los libros por accidente.) Y es una señal de alarma para la niñera, que trata de transmitirle seguridad al niño —advierta su empatía inmediata— y después censura al padre diciéndole que debe escoger una respuesta más calmada y medida si quiere que el comportamiento de su hijo cambie. Sorprendentemente, el padre la escucha.

A estas alturas, usted ya sabe que el interés principal del cerebro es la seguridad. Cuando las reglas no se imparten en un ambiente de seguridad, el cerebro echa por la borda cualquier noción conductual distinta de escapar de la amenaza. Cuando las reglas son impartidas por unos padres afectuosos y comprensivos, las semillas morales tienen muchas más probabilidades de prosperar.

De modo que usted tiene unas reglas claras como el agua y las imparte de cierta forma. Los siguientes dos pasos tienen que ver con lo que hace cuando se siguen esas reglas.

Cada vez que su hijo sigue las reglas, usted lo elogia

Digamos que usted quiere que su hijo de tres años, que cada vez está más sedentario pero sigue ansiando su atención, haga un poco de ejercicio en el jardín y juegue en el columpio con más frecuencia. El problema es que ni siquiera sale al jardín. ¿Qué hacer?

Los científicos (y los buenos padres) descubrieron hace mucho tiempo que podemos aumentar la frecuencia de una conducta deseada si reforzamos esa conducta. Los niños responden al castigo, eso es cierto, pero también responden al elogio; así se corre menos riesgo de hacer daño y se suelen producir mejores resultados. Esto es lo que los conductistas llaman "reforzador positivo", y usted puede usarlo incluso para fomentar una conducta que no se ha presentado aún.

En vez de esperar a que su hijo se suba al columpio, usted puede reforzar esta conducta cada vez que el pequeño se acerque a la puerta. Después de un tiempo, pasará más tiempo junto a la puerta. Luego, debe reforzar la conducta solo cuando abre la puerta. Y, luego, solo cuando sale al jardín. Y, después, solo cuando está cerca del columpio. Con el tiempo, se subirá al columpio y los dos podrán jugar en él.

Este proceso, llamado moldeamiento, requiere mucha paciencia, pero no suele tomar demasiado tiempo. Siguiendo un protocolo de moldeamiento, el renombrado conductista B.F. Skinner logró que una gallina pasara las páginas de un libro, como si estuviera leyendo, en menos de veinte minutos. Los humanos somos mucho más fáciles de moldear que las gallinas.

También elogia la ausencia de mal comportamiento

¿Se acuerda de Amanda, la niña que se acostó solita mientras sus padres veían televisión? Sus padres no elogiaron la ausencia evidente de un mal comportamiento, pero la niñera sí. Elogiar la *ausencia* de un mal comportamiento es tan importante como elogiar la *presencia* de uno bueno.

Los investigadores han medido los efectos de estas cuatro estrategias parentales en la conducta moral. Cuando unos padres afectuosos y comprensivos establecen unos estándares claros y razonables para sus hijos, y después los elogian por portarse bien, los niños muestran evidencias sólidas de un constructo moral interiorizado, por lo general hacia los cuatro o cinco años. Son conductas distintivas del estilo parental autoritativo de Baumrind. Y aunque no son todo lo que debe tener en su equipo de herramientas morales, desde un punto de vista estadístico, no criará un hijo bueno sin ellas.

Verse a sí mismo

¿Usted hace estas cosas, o cree que las hace? Una de las dificultades para lograr que los padres cambien su conducta es hacerles entender cómo los están percibiendo sus hijos. La niñera les ayuda a ver lo que ella ve al filmar a las familias, siempre atenta a las señas de cada uno, para luego mostrárselas. Los investigadores también usan esta técnica. Marian Bakermans-Kranenburg, de la Universidad de Leiden, metió una cámara de video en la casa de 120 familias con hijos de uno a tres años. Estaba examinando a algunos de los niños más difíciles de tratar: niños con una resistencia patológica que mostraban una mezcla tóxica de agresividad, falta de cooperación, quejadera y gritadera. Junto con su equipo, editó el video concentrándose en los momentos propicios para la enseñanza y creó un plan didáctico para explicarles a los padres a detectar las señales que antes pasaban por alto o malinterpretaban. Así, les mostraron las conductas que resultaban contraproducentes, a las que los niños respondían mal. Después, incluso en este duro grupo, ¡los actos endemoniados disminuyeron en más de un 16 por ciento! Y eso es un montón en este campo. La mayoría de las madres del grupo pudieron volver a leerles a sus hijos con regularidad. En una entrevista, Bakermans-Kranenburg dijo que los padres encontraron "un tiempo de paz que habían dado por imposible". Eso es mucho decir.

2. Consecuencias inmediatas

Aunque no quiera, a veces pienso en Ted Bundy, el asesino en serie que cometió buena parte de sus crímenes en la Universidad de Washington, en la época en que yo estaba estudiando mi pregrado. Y un nerviosismo parental se apodera de mí cuando pienso en esa época. ¿Cómo hacer para evitar que mis hijos se vean expuestos a los Ted Bundys del mundo? ¿Y cómo sé que mis hijos no se convertirán en un Ted Bundy?

Bundy mató a unas cien mujeres. Uno de sus métodos favoritos era golpearlas en la cabeza con una palanca, y solía violarlas después de que morían. A la mayoría nos cuesta imaginar tanto horror y depravación. El caso de Bundy fue más impactante aun porque parecía perfectamente normal. Era inteligente, apuesto, gracioso, con una prometedora carrera en el mundo del derecho, y en un momento se pensó que incluso tenía posibilidades de llegar a la política. Bundy se movía en sociedad con la facilidad de un diplomático. Hay una inquietante foto de él con su novia abriendo una botella de vino: se ve a un joven afectuoso, sonriente, evidentemente enamorado. Pero para cuando tomaron esa foto, ya había matado a veinticuatro mujeres.

A lo largo de los años, los investigadores han tratado de encontrarle sentido al comportamiento de las personas como Ted Bundy. No hay buenas respuestas. Están los sospechosos usuales: hogares destrozados y padres abusadores y violentos. Bundy tenía todos estos, pero otras personas también, y la mayoría no se convierten en asesinos en serie. La mayoría de los llamados "psicópatas" —personas que, entre otros rasgos, presentan una incapacidad para conectarse emocionalmente con los demás— no son violentos. Bundy era emocionalmente competente. No solo podía fingir conductas prosociales, sino que además tenía una cantidad de emociones genuinas respecto a sí mismo. Narcisista hasta el final, tuvieron que arrastrarlo hasta la silla eléctrica en la mañana de su ejecución, doblado por el horror, y derramando inconsolablemente unas lágrimas que probablemente había guardado durante años para sí mismo. Hasta la fecha, no hay ninguna buena explicación del colapso moral de Bundy.

Conocía las reglas, pero está claro que no las seguía. ¿Cómo podemos asegurarnos de que nuestros hijos las sigan? ¿Cómo corregir cualquier conducta que no nos guste y hacer que nuestros hijos interioricen el cambio? Disciplina.

Adición por sustracción: Reforzador negativo

Los investigadores diferencian entre dos estrategias disciplinarias: reforzador negativo y castigo. Ambos tienen que ver con situaciones *aversivas*, pero el reforzador negativo tiende a fortalecer las conductas, mientras que el castigo tiende a debilitarlas.

En su infancia, probablemente descubrió que al quemarse un dedo el agua fría proporciona un alivio inmediato. Cuando una reacción surte buen efecto, solemos repetirla. Al volver a quemarse —estímulo aversivo—, lo más probable es que haya salido corriendo al grifo más cercano. Se trata de un reforzador negativo porque su reacción se fortaleció por la supresión (o evasión) del estímulo aversivo. Es distinto del reforzador positivo en que una acción conduce a una experiencia tan maravillosa que queremos repetirla. El reforzador negativo puede ser igual de poderoso, pero es más difícil de aplicar.

Conocí a una niña pequeña que ansiaba que su madre le prestara atención. Esta niña empezó sus "terribles dos años" tirando sus juguetes por las escaleras con regularidad, con lo que perturbaba a toda la familia. Parecía disfrutar su mal comportamiento, y al poco tiempo, tiraba toda clase de cosas por las escaleras. Los libros de la madre se convirtieron en unos de sus objetos preferidos, y también fueron la gota que colmó la copa. La madre trataba de hablar con ella, de hacerla entrar en razón, pero como esto no funcionaba, terminaba gritándole. Hasta que finalmente decidió recurrir a la artillería pesada —darle palmadas—, pero sin éxito.

¿Por qué fallaban las estrategias de la madre? Porque sus castigos le proporcionaban lo que más quería: su atención. Por difícil que parezca, lo mejor que la madre podía hacer para romper este ciclo era no hacerle caso a su hija cuando se portaba mal (después de haber guardado bien algunos de los libros), para destruir esa alianza nefasta entre las escaleras y la atención. Debía más bien reforzar las conductas deseadas y prestarle toda su atención cuando actuaba conforme a las leyes de la familia. La madre lo intentó, prodigándole elogios y atención cuando la niña abría alguno de los libros que seguían estando disponibles, en vez tirarlos. La conducta desapareció pocos días después.

Pero hay situaciones que requieren una intervención más directa. Y para estos casos existe el concepto de castigo, que está íntimamente relacionado con el reforzador negativo. Las investigaciones reconocen dos tipos.

Dejarlos equivocarse: Castigo por aplicación

Al primer tipo se le conoce a veces como "castigo por aplicación", y tiene una suerte de cualidad reflexiva. Si ponemos la mano en la hornilla, nos quemamos y entonces aprendemos que no hay que poner la mano en la hornilla. Esta automaticidad es poderosa. Las investigaciones muestran que los niños interiorizan mejor las conductas cuando se les permite cometer sus propios errores y experimentar las consecuencias. He aquí un ejemplo:

El otro día, mi hijo hizo una pataleta en la tienda y se quitó los calcetines y los zapatos. En lugar de ponerme a discutir con él para que volviera a ponérselos, lo dejé dar un par de pasos sobre la nieve. No tardó más de dos segundos en decirme: "Mamá, quiero mis zapatos".

Esta es la estrategia de castigo más eficaz.

Quitarles los juguetes: Castigo por supresión

En el segundo tipo de castigo, el padre le quita algo al hijo, por lo que se conoce como "castigo por supresión". Por ejemplo, el niño le pega a su hermanita, entonces los padres no lo dejan ir a una fiesta de cumpleaños. O lo pone en aislamiento durante un rato. (La prisión es la versión adulta de este tipo de castigo.) Así le funcionó a una madre:

Mi hijo de 22 meses hizo otra pataleta anoche porque no le gustó lo que había para cenar, de modo que lo puse en aislamiento y le dije que se quedara allí hasta que se calmara (tardó unos dos minutos). Después lo traje otra vez a la mesa y, por primera vez después de una de esas pataletas, ¡COMIÓ! ¡Se comió el puré y la carne! Mamá: 1; Hijo: 0. ¡YUPI!

Cualquiera de los dos tipos de castigo, en las circunstancias adecuadas, puede producir cambios perdurables en la conducta. Pero los padres deben seguir ciertas directrices para que funcionen adecuadamente. Estas directrices son necesarias porque el castigo tiene varias limitaciones:

- Suprime la conducta, pero no el conocimiento del niño de cómo portarse mal.
- Da muy poca orientación de por sí. Si no está acompañado de al-

guna especie de momento didáctico, el niño no sabrá cuál debe ser la conducta de reemplazo.

- El castigo suscita siempre emociones negativas —el miedo y la furia son reacciones naturales—, y estas pueden producir un resentimiento tal, que la relación puede volverse el problema, en vez de la conducta molesta. Si imparte un castigo de manera equivocada, corre el riesgo de producir un efecto contraproducente o incluso un verdadero daño en su relación con su hijo.

¿Cómo hacer para *no* castigar a los hijos? Pensemos en la película *Kramer vs. Kramer*, de 1979, sobre una pareja que se divorcia y el impacto de la experiencia en su hijo pequeño. Dustin Hoffman interpreta a un padre indiferente y adicto al trabajo cuyos instintos parentales tienen la sutileza del concentrado para perros.

La escena comienza con el niño negándose a comer y exigiendo, en cambio, helado con chips de chocolate. "No habrá postre hasta que no hayas terminado de comer", advierte el padre. El hijo hace caso omiso y se sube a una silla para abrir el congelador. "¡Te aconsejo que no lo hagas!", anuncia el padre. El niño abre el congelador de todos modos. "Lo mejor es que te detengas ahora mismo, jovencito. Te lo advierto." El niño pone el helado en la mesa, haciendo como si su padre fuera invisible. "¡Oye! ¿Me oíste? ¡Te lo advierto, te meterás en grandes problemas si te comes una cucharada!". El niño mete la cuchara en el helado, mirando fijamente a su padre. "¡No te atrevas!. Si te llevas ese helado a la boca, estarás en problemas muy pero muy grandes." El niño abre la boca de par en par. "No te atrevas a meterte la cuchara en la boca." Cuando el niño lo hace, el padre lo arranca de la silla y lo mete en su habitación. "¡Te odio!", le grita el niño. "¡Y yo a ti, pequeño demonio!", grita el padre cerrando la puerta de un portazo.

Claramente, en este escena no se impone ninguna cabeza fría. Las siguientes cuatro directrices muestran una manera de impartir el castigo eficazmente.

Debe ser un castigo

El castigo debe ser firme. Esto NO equivale a abuso infantil. Pero tampoco equivale a una versión aguada de las consecuencias. El estímulo aversivo tiene que ser aversivo para que sea efectivo.

Debe ser coherente y sistemático

El castigo debe impartirse sistemáticamente: cada vez que se rompe la regla. Esta es una de las razones por las que las hornillas calientes alteran la conducta tan rápidamente: *cada vez* que ponemos la mano en una, nos quemamos. Lo mismo sucede con el castigo. Cuantas más excepciones permita, más difícil será acabar con la conducta. Esta es la base del *principio del cerebro*: Que su sí sea si y su no sea no. Y debe ser coherente y sistemático, no solo de un día para otro, sino de un cuidador al siguiente. Papá y mamá y la niñera y los abuelos y los padrastros deben estar todos sintonizados en lo referente tanto a las reglas del hogar como a las consecuencias que implica el no cumplirlas.

Los castigos son molestos por definición —todos queremos escapar de ellos—, y los niños tienen un talento impresionante para encontrar formas de evadirlos. Y si usted quiere que sus hijos tengan una columna vertebral moral, no puede darles la oportunidad de enfrentar entre sí a sus cuidadores; así solo desarrollarán un cartílago.

Debe ser inmediato

Si está tratando de enseñarle a una paloma a picotear en una barra pero retrasa el reforzador unos diez segundos, puede quedarse haciéndolo todo el día y la paloma no aprenderá. Si esa demora es de solo un segundo, el pájaro aprenderá en quince minutos. El cerebro de los humanos es muy distinto, pero sea que se trate de un castigo o de una recompensa, tenemos reacciones sorprendentemente parecidas a la dilación. Cuanto más cercano esté el castigo al momento de la infracción, más rápido será el aprendizaje. Los investigadores han medido esto en situaciones de la vida real.

Debe ser seguro emocionalmente

El castigo debe impartirse en el entorno afectuoso de la seguridad emocional. Si los niños se sienten seguros, incluso en la cruda presencia de la corrección parental, el castigo tiene el efecto más sólido. La necesidad evolutiva de seguridad es tan poderosa, que la misma presencia de las reglas suele comunicarles seguridad a los niños. "En realidad les importo", es la sensación que esto le da al niño (de casi cualquier edad), incluso si se muestra poco agradecido. Si los niños no se sienten seguros, los tres ingredientes anteriores son inútiles. Incluso pueden resultar perjudiciales.

El juguete prohibido

¿Cómo conocemos estas cuatro directrices? Principalmente por una serie de experimentos cuyo nombre y diseño parecen como sacados del mundo de Tim Burton. Se trata de los paradigmas del "juguete prohibido". Si su hija pequeña estuviera inscrita en un estudio del laboratorio de Ross Parke, experimentaría algo así:

La niña está en una habitación con un investigador y dos juguetes. Uno de los juguetes es muy atractivo y le produce muchísimas ganas de tocarlo. El otro no tiene ninguna gracia y ella no jugaría nunca con él. Cuando estira la mano para tocar el juguete atractivo, oye una molesta chicharra. Cuando vuelve a tocarlo, vuelve a oír el ruido desagradable. En algunos casos, después de que suena la chicharra, el investigador advierte con severidad que no debe tocar el juguete. Sin embargo, la chicharra nunca suena cuando la niña toca el juguete que no es atractivo. Y el investigador permanece en silencio. La niña aprende el juego rápidamente: el juguete atractivo está *prohibido*.

Ahora, el investigador sale de la habitación, mas no del experimento, pues hay una cámara filmando a su hija. ¿Qué hará cuando esté sola? Parke descubrió que el hecho de que escoja obedecer o no depende de muchas variables. Los experimentos manipularon el tiempo transcurrido entre el momento en que los niños tocaban el juguete y el sonido de la chicharra, el guión de la figura de autoridad, el nivel de aversión percibida, el grado de atractivo del juguete. Y a partir de literalmente cientos de variaciones de este paradigma, los investigadores descubrieron los efectos de la severidad, la coherencia sistemática, el tiempo y la seguridad; es decir, las mismísimas directrices que acabo de exponer.

3. Explicar las reglas

¿Quiere una forma sencilla de hacer que cualquier tipo de castigo sea más eficaz, duradero e interiorizado (mejor dicho, todo lo que cualquier padre podría desear)? Es la tercera pata de nuestro taburete de la conciencia moral. Parke descubrió que tan solo hay que agregarle una oración mágica a cualquier regla categórica.

Sin fundamento

"No toques el perro o te pongo en aislamiento."

Con fundamento

"No toques el perro o te pongo en aislamiento. Es un perro bravo y no querrás que te muerda."

¿A cuál de estas dos oraciones respondería *usted* más positivamente? Si es como el resto del mundo, a la segunda. Parke pudo demostrar que los índices de aquiescencia se elevan cuando al niño se le da algún tipo de fundamento cognitivo, es decir, si se le explica el por qué de la regla y de sus consecuencias. (Esto también funciona con los adultos.) También se puede aplicar después de que se ha incumplido una regla. Digamos que su hijo se pone a gritar en un teatro silencioso. El castigo incluiría una explicación de cómo esos gritos afectan a las otras personas y cómo podría enmendar su conducta si se disculpa.

Esto es lo que los investigadores denominan disciplina inductiva, y es increíblemente eficaz. Los padres de hijos con una actitud moral madura la practican. Y los psicólogos creen saber por qué funciona. Digamos que los padres castigaron al pequeño Aaron por una infracción moral —robarle un lápiz a Jimmy, su compañero de pupitre—, justo antes de un examen. Fue un castigo por sustracción: Aaron no comería postre esa noche. Pero el castigo vino acompañado de la oración mágica, con explicaciones que iban desde "¿Cómo iba Jimmy a responder el examen sin su lápiz?" a "Los miembros de nuestra familia no roban".

Esto es lo que le sucede a la conducta de Aaron cuando se le proporcionan explicaciones coherentes y sistemáticamente a lo largo de los años:

1. Cuando Aaron piense en realizar la misma acción prohibida en el futuro, recordará el castigo. Esto lo inquietará fisiológicamente, produciéndole sensaciones incómodas.
2. Aaron hará una atribución interna a esta intranquilidad. Por ejemplo: "Me sentiría terrible si Jimmy reprobara este examen", "No me gustaría que me lo hicieran a mí", etc. Esa atribución interna se origina en cualquiera que sea el fundamento que los padres le hayan proporcionado en el momento de la corrección.
3. Ahora, al saber por qué está intranquilo —y deseando evitar esa sensación—, Aaron tiene la libertad de generalizar y proyectar esa lección a otras situaciones: "Tampoco debería robarle los borradores a Jimmy", "A lo mejor no debería robar, punto."

La crianza inductiva proporciona una sensibilidad moral completamente adaptable e interiorizable, acorde con los instintos innatos. (A Aaron se le pidió también que escribiera una nota ofreciendo disculpas, lo cual hizo al día siguiente.)

Los niños que son castigados sin explicación no viven estos pasos. Parke descubrió que estos niños solo exteriorizan sus percepciones, diciendo: "Me darán una palmada si vuelvo a hacerlo". Y están siempre alerta a la presencia de una figura de autoridad, pues la presencia de una amenaza *externa* creíble es la que guía su comportamiento, no la reacción razonada producida por una brújula moral interna. Los niños que no pueden llegar al paso 2 tampoco pueden llegar al 3, y están un paso más cerca de Daniel, el niño que le clavó un lápiz en la mejilla a su compañera.

En resumidas cuentas: Por lo general, los padres que establecen límites claros y consecuentes, *cuya razón de existir siempre es explicada*, suelen criar hijos morales.

No hay nada "que le funcione a todo el mundo"

Nótese que dije "por lo general". La disciplina inductiva, por más poderosa que sea, no es una estrategia que le funcione a todo el mundo. El temperamento del niño es un factor clave. Para aquellos niños que tienen una perspectiva de la vida intrépida e impulsiva, la disciplina inductiva puede resultar demasiado débil. Los niños con temperamento más temeroso pueden reaccionar terriblemente a las estrategias correctivas que sus intrépidos hermanos menosprecian. A estos niños hay que manejarlos con más delicadeza. Todos necesitan reglas, pero cada cerebro tiene su propio cableado; por tanto, los padres deben conocer muy bien sus paisajes emocionales y adaptar sus estrategias disciplinarias en consecuencia.

¿Debería darle palmadas a su hijo?

Hay pocos temas tan incendiarios como decidir si las palmadas estarán dentro de sus herramientas disciplinarias. Es algo que está prohibido en muchos países, pero los Estados Unidos no es uno de ellos. Más de dos tercios de los estadounidenses aprueban esta práctica, y el 94 por ciento les ha dado una palmada a sus hijos antes del cuarto cumpleaños. Por lo general, las palmadas están en la categoría de castigo por supresión.

A lo largo de los años, muchos estudios se han dedicado a evaluar la utilidad de este método, y con frecuencia se ha llegado a conclusiones confusas, incluso contrarias. Uno de los más recientes es una revisión de cinco años de la bibliografía científica existente, llevada a cabo por un comité de especialistas en desarrollo infantil y patrocinada por la Asociación Estadounidense de Psicología. El comité se declaró en contra del castigo corporal, al encontrar evidencias de que las palmadas ocasionan más problemas conductuales que otros tipos de castigo, produciendo, por tanto, niños más agresivos, depresivos, ansiosos y con CI más bajos. Un estudio realizado en la primavera de 2010, dirigido por la investigadora Catherine Taylor, de la Facultad de Salud Pública de la Universidad de Tulane, confirmó estas conclusiones al descubrir que los niños de tres años a los que les daban palmadas más de dos veces al mes, antes del estudio, tenían un 50 por ciento más de probabilidades de ser agresivos a los cinco años, teniendo en cuenta incluso variables de control de los distintos niveles de agresión entre los niños, depresión materna, abuso de drogas o de alcohol en los padres o abuso conyugal.

¿Oye ese tecleo furibundo? Son los miles de blogs que no están de acuerdo con estas conclusiones. "¡Son datos puramente asociativos!", dice uno (cierto). "¡No todos los expertos están de acuerdo!", dice otro (también es cierto). "¡Hacen falta estudios dependientes del contexto!", es decir, ¿sabemos que las palmadas dadas en un hogar amoroso e inductivo son distintas de las palmadas dadas en un entorno duro y no inductivo? (no lo sabemos). "¿Y qué me dice de la intención parental?". La lista de objeciones es larga, y muchas vienen de una preocupación cada vez mayor de que los padres y las madres de hoy tienen cada vez más miedo de disciplinar a sus hijos.

Yo estoy profundamente de acuerdo con esta preocupación. Pero las cifras no. En el cerebro, la lucha parece estar entre los instintos de la imitación diferida y la proclividad a la interiorización moral. Las palmadas son solo un desencadenante lo suficientemente violento como para activar los primeros con más frecuencia que las segundas.

Como señaló el investigador Murray Straus en una entrevista con la revista *Scientific American Mind* [Mente científica estadounidense], el vínculo entre las palmadas y una conducta desagradable es más sólido que el vínculo entre la exposición al plomo y un CI más bajo. Y más sólido también que la asociación entre el humo de segunda mano y el cáncer. Pocas personas discuten acerca de estas asociaciones; es más, la gente gana demandas en estos casos relacionados con la salud. Entonces, ¿por qué hay tanta polémica en torno a las palmadas si no debería haberla? Buena pregunta.

Los niños de tres años a los que les daban palmadas más de dos veces al mes tenían un 50 por ciento más de probabilidades de ser agresivos a los cinco.

Yo sé que la crianza inductiva implica esfuerzo. Pegarle a un niño, no. En mi opinión, las palmadas son una manera perezosa de criar a los hijos. Y si se lo está preguntando: no, mi esposa y yo no les pegamos a nuestros hijos.

La disciplina que los niños prefieren

Hace unos cuantos años, varios grupos de investigación decidieron pedirles a los niños su opinión acerca de los tipos de crianza. Por medio de encuestas sofisticadas, les preguntaron a niños entre las edades del preescolar y el bachillerato qué creían que funcionaba y que no. Las preguntas estaban formuladas muy inteligentemente. Los niños oían historias de niños que se portaban mal, después les preguntaban: "¿Qué debería hacer el padre? ¿Qué harías tú?". Para responder, les proporcionaban una lista de métodos disciplinarios.

Los resultados son instructivos. La crianza inductiva resultó la ganadora, por un amplio margen. La conducta más favorecida, en segundo lugar, fue el castigo. ¿Y cuál quedó de última? La ausencia de afecto parental o la permisividad del *laissez-faire*. En conjunto, el estilo correctivo que más les gustaba a los niños era un estilo inductivo sazonado con unas gotas periódicas de una muestra de poder. Hasta cierto punto, los resultados dependían de la edad del encuestado. La población de los cuatro a los nueve años odiaba la permisividad más que cualquier otra actitud, incluso más que el estilo indiferente. Pero este no era el caso de los de dieciocho años.

En términos generales, podemos ver un cuadro claro de cómo criar niños equilibrados y morales. Los padres cuyas reglas provienen de una aceptación afectuosa, y cuyos fundamentos son explicados coherente y sistemáticamente, terminan siendo percibidos como razonables y justos, más que como caprichosos y dictatoriales. Y tienen más probabilidades de que sus hijos demuestren una aquiescencia comprometida que una rebeldía comprometida. ¿Recuerda el estilo autoritativo de Diana Baumrind, que era restrictivo pero afectuoso? En términos estadísticos, este resultó ser el estilo con más probabilidades de producir los niños más felices e inteligentes. Y resulta que estos niños inteligentes y felices serán también los más morales.

Puntos clave

- Su hijo tiene un sentido innato de lo correcto y lo incorrecto.
- En el cerebro, las regiones que procesan las emociones y las que procesan la toma de decisiones trabajan juntas para lograr la conciencia moral.
- La conducta moral se desarrolla con el tiempo y requiere una orientación particular.
- La manera como los padres manejen las reglas es clave: expectativas claras y realistas; consecuencias coherentes e inmediatas para la violación de las reglas; elogio al esfuerzo por el buen comportamiento.
- Los niños tienen más probabilidades de interiorizar la conducta moral si los padres les explican el por qué de una regla y de sus consecuencias.

Conclusión

¿Cómo sería un padre perfecto? Probablemente, ni como usted ni como yo. La madre perfecta queda embarazada al primer intento, renuncia a su trabajo inmediatamente, vomita durante las siguientes doce semanas, después se siente de maravilla. No experimenta cambios de ánimo ni hemorroides ni vergonzosas fugas de líquidos corporales. Supervisa alegremente y libre de estrés la remodelación del sótano de la casa, que queda transformado en una edición casera del programa de "herramientas de la mente". El padre perfecto la saluda todos los días después del trabajo con un beso apasionado y un optimista: "¿Cómo ha estado hoy mi reina?", para luego correr a la cocina a lavar los platos. El bebé recién nacido toma pecho cuando quiere, nunca le muerde los pezones a la madre y aprende rápidamente a dormir toda la noche.

El niño domina el lenguaje de señas a los dos años, las escalas del piano a los tres, el mandarín a los cuatro y la verbalización incluso de emociones sutiles a los cinco. Demuestra un claro desprecio de las papas fritas y las hamburguesas. Sus padres empáticos tienen un amplio grupo de amigos empáticos que se visitan unos a otros con frecuencia, acompañados de sus hijos igualmente estables. Tanto en la casa como en el jardín, se elogian constantemente los esfuerzos del pequeño; las reglas se refuerzan y explican coherente y sistemáticamente. Al crecer, el niño se convierte en presidente, o en Papa, o ambas cosas.

O ninguna.

Una familia basada en todas las sugerencias de este libro es una ficción. La experiencia de la maternidad-paternidad en el mundo real oscila entre olas de agotamiento, océanos de amor y avalanchas de risa ("No, el popó no saldrá nunca de tu pene" es una frase que he pronunciado realmente). Y casi nunca coopera con nuestras expectativas. A mi esposa le encanta la forma como Carol Burnett acaba con la fantasía del parto fácil: "Dar a luz es como coger tu labio superior y pasártelo por encima de la cabeza". Y de allí en adelante, los niños tienden a hacer las cosas de niños más frustrantes.

> *Hoy les dije a mis hijos que estaban actuando como niños. Enseguida me recordaron que son unos niños. ¡Uy!*

El mundo real de los papás y las mamás es una experiencia más rica y mucho más asombrosa que el mundo bidimensional de los datos científicos, incluyendo toda la información expuesta en este libro. Es fácil sentirse como el exasperado padre de la tira cómica *Baby Blues*, que dice: "La única vez que me he sentido capacitado para ser padre fue antes de tener hijos". ¿Cómo podemos resumir lo que dice la ciencia pero seguir viviendo el mundo tridimensional de la vida real? La solución está en simplificar. Este libro tiene dos temas centrales, que actúan en coordinación. Comprender estos dos temas puede ser la mejor forma de recordar toda la información que, de lo contrario, desborda estas páginas.

Primero la empatía

El primer tema es la empatía, la cual se hace posible por la capacidad de entender las motivaciones y conductas del otro, como lo hizo esta niña pequeña:

> *Una de las "malas" de la clase estaba molestando a nuestra hija. Le explicamos que la niña mala estaba celosa de un proyecto de manualidades que habíamos hecho en casa y que les había encantado a los demás. Entonces nuestra hija hizo otro en casa y se lo dio a la niña mala, que se puso muy, pero muy feliz. Nunca me había sentido más orgullosa en mi vida.*

Los padres le pidieron a la hija que hiciera un esfuerzo por comprender los interiores psicológicos de su compañera, y esto llevó a la niña a hacer algo difícil: apartarse temporalmente de su propia experiencia y meterse en la de otra persona. Es una idea poderosa. Y *difícil*. Esta capacidad, la teoría de la mente, es el primer paso hacia la empatía. Es una disposición constante a bajarles el volumen a nuestras propias prioridades y experiencias para poder oír las del otro. Pero la teoría de la mente y la empatía no son lo mismo. Usted puede usar su conocimiento secreto de las motivaciones de otra persona para ser un dictador si así lo desea. Para tener empatía, hay que añadir cierta dosis de generosidad a las facultades de la teoría de la mente, como lo muestra esta niña:

> *Mi hija adorada estuvo muy tierna hoy. Mi esposo estaba viendo un partido de fútbol americano, y cuando su equipo marcó una anotación, se emocionó e hizo como si fuera a darme un cabezazo..., pero yo no me lo esperaba y me moví y terminó dándome*

el cabezazo en realidad. Y me dolió. Mientras él se disculpaba efusivamente, la niña me trajo su cobija especial y su chupo y me lo metió en la boca y me hizo acostarme para que me sintiera mejor. ¡Ay!

En el capítulo sobre las relaciones, hablamos de la importancia de la empatía para estabilizar los matrimonios al crear puentes entre los puntos de vista introspectivos y extrospectivos; algo que está arraigado en el *principio del cerebro*: Lo que es obvio para usted es obvio para usted. En el capítulo sobre el suelo de la felicidad, subrayamos el valor de la empatía para construir amistades, uno de los mayores predictores de la futura felicidad de un niño. En los capítulos sobre la inteligencia, descubrimos que se necesitan años de tiempo cara a cara y de práctica con la interacción interpersonal para forjar la capacidad de un niño de leer rostros y otras señas no verbales. Estas habilidades le permiten pronosticar acertadamente la conducta de las otras personas y, a su vez, empatizar con ellas. Y aunque estas habilidades tienen un componente genético, pueden mejorarse con la práctica. El suelo nutre las semillas. Los entornos de aprendizaje abierto —con cantidades de juegos imaginativos— ayudan a proporcionar el tiempo interactivo, cara a cara, que forja estas aptitudes. Mientras que la televisión, los videojuegos y los mensajes de texto, por definición, no lo hacen. La empatía está respaldada por un andamiaje neurocientífico que incluye las neuronas espejo, razón por la cual debe aparecer en un libro sobre los *principios del cerebro*.

Padres superestrella

Si es imperativo meterse en la experiencia de otra persona, ¿a qué deberíamos prestarle atención en cuanto entramos? Los científicos han podido desentrañar al menos ocho aspectos distintos hasta de nuestras conductas más sencillas, como vimos en la introducción con la historia de la mamá que soñaba con los *Mai Tais*. ¿Cuál es el aspecto más digno de nuestra atención? La respuesta es el segundo tema central de este libro: a lo que debe prestar especial atención es a las emociones de su hijo.

He aquí un ejemplo de uno los ritos de paso más dolorosos de la infancia: la organización improvisada de equipos cuando los niños van a jugar algún partido. Jacob, de cinco años, volvió temprano a casa un día en que había salido a jugar con los vecinos. "Nadie me escogió", le dijo a su madre con voz desanimada, tiró el guante de béisbol al suelo de la cocina y se dirigió hacia su cuarto. La madre se quedó pensando. "Parece que realmente hirieron tus sentimientos, ¿no es así?" Jacob se detuvo, con la mirada clavada en el piso. "También pareces furioso", continuó la madre. "No es divertido sentirse triste y furioso, ¿cierto, cariño?" Jacob respondió entonces con fuerza: "¡Estaba muy furioso! Escogieron a Greg, y él les dijo que no me escogieran". La madre preguntó: "¿Crees que sería bueno hablar de eso con Greg?". "No, solo creo que hoy no le estoy cayendo bien a Greg. Tal vez mañana", dijo Jacob. La madre le dio un abrazo y después le horneó unas deliciosas galletas de chips de chocolate, las cuales Jacob no compartió con Greg.

En ese momento, la madre optó por prestarle mucha atención a las emociones de su hijo. Se metió en su espacio psicológico y empatizó —he allí el primer tema—, y en cuanto hubo entrado, decidió concentrarse en su vida emocional. La madre empatizó con los evidentes sentimientos de rechazo de su hijo. No intentó ocultarlos, neutralizarlos o apalearlos. Esta elección sistemática separa a los padres superestrella de los demás.

En los capítulos sobre el embarazo y la relación, descubrimos la importancia de la salud emocional para el desarrollo del cerebro del bebé, tanto en el útero como después del parto. En el capítulo sobre el suelo de la inteligencia, vimos cómo la regulación emocional mejora el rendimiento académico de un niño. Esto se debe a que mejora conductas relacionadas con la función ejecutiva, como el control de los impulsos y la planeación para el futuro, lo que, a su vez, incide en las notas. Pero las emociones no solo influyen en el promedio escolar. La regulación emocional predice también la felicidad futura del niño, una idea que abordamos en los capítulos sobre la felicidad. Y esto nos lleva a la asombrosa conclusión de que un bebé más feliz también es un bebé más inteligente. En el capítulo sobre la moralidad, descubrimos que las emociones son el cuerpo y alma que subyace a casi todas nuestras decisiones, desde escoger los amigos adecuados hasta tomar las decisiones morales correctas. A lo largo del capítulo vimos cómo los padres que se concentran en las emociones ayudan a crear la estabilidad emocional en sus hijos.

En el nivel más básico, estos temas pueden resumirse en una sola oración: *Esté dispuesto a entrar en el mundo de su hijo con regularidad y a empatizar con lo que siente*. Tan sencillo como una canción. Y tan complejo como una sinfonía. Las conductas de una buena crianza se desprenden de esta actitud. Si además crea un conjunto de reglas y las refuerza sistemática, coherente y afectuosamente, tendrá prácticamente todo lo que necesita para empezar su viaje al mundo de la crianza.

Damos, pero también recibimos

Por el camino, descubrirá algo interesante: al entrar en el mundo emocional de su hijo, su propio mundo interior se profundiza. Tras el nacimiento de mis hijos, no tardé en darme cuenta de que un cambio enorme se había producido en mí, uno que me acompaña aún hoy en día. Cada vez que decidía poner las prioridades de mis hijos delante de las mías, incluso cuando no sentía deseos de hacerlo, descubría que estaba aprendiendo a amar más honestamente. Cuando empezaron a caminar, y luego cuando entraron al preescolar, estas decisiones me permitieron volverme más paciente. Con mis estudiantes. Con mis colegas. Con mi maravillosa esposa. También me volví más sensible en mi toma de decisiones, pues ahora tenía que tener en cuenta no solo los sentimientos de mi esposa sino también los de otras dos personitas. Era cada vez más considerado, a pesar de mí mismo. También empecé a preocuparme por el futuro, el mundo en el que mis hijos criarán a sus hijos.

Los dos son pequeños todavía. Pero su presencia en mi mente sigue siendo tan grande como el día en que nacieron. Y su influencia en mi vida es cada vez más grande a medida que maduran. O a lo mejor soy yo el que está madurando. No estoy diciendo que la maternidad-paternidad sea un gran programa de autoayuda. Pero en el caótico mundo de la crianza, es extraordinario comprobar lo profundamente bidireccional que es este contrato social. Uno creería que los adultos crean hijos. La verdad es que los hijos crean adultos. Ellos se convierten en su propia persona, y uno también. Los niños dan mucho más de lo que quitan.

Esto lo vi claramente una noche cuando mi esposa y yo estábamos acostando a nuestro hijo menor. Mi esposa lo abrazó y pensó que se sentía como una suave masa de pan. Le dijo: "¡Ay, Noah, eres tan suave y mullidito de abrazar! Casi podría morderte. ¡Eres una delicia!". A lo que el niño respondió: "Yo sé, tengo que comer menos carbohidratos".

Nos reímos hasta llorar. Ver cómo florecía su personalidad fue un verdadero regalo. Y este es el mensaje con el que quiero despedirme. A veces, sentirá que los hijos solo piden y quitan, pero en realidad es una forma disfrazada de dar. De pronto resultan con una infección de oído, pero lo que en realidad le están dando es paciencia. O arman una pataleta, pero en realidad están dándole el honor de presenciar una personalidad en desarrollo. Antes de que se dé cuenta, habrá criado a un ser humano. Y se dará cuenta del enorme privilegio que es ser el custodio de otra vida.

Al principio de este libro dije que la maternidad-paternidad tiene que ver esencialmente con el desarrollo del cerebro, pero mi meta era demasiado alta, pues, en realidad, tiene que ver esencialmente con el desarrollo del corazón humano. No hay ninguna otra idea en este libro más importante que esa.

Principios del cerebro

Embarazo

Los niños desarrollan una activa vida mental en el útero

Mamá estresada, bebé estresado

Coma bien, manténgase en forma, hágase muchas pedicuras

Relación de pareja

Matrimonio feliz, bebé feliz

El cerebro busca la seguridad por encima de todo

Lo que es obvio para usted es obvio para usted

Bebé inteligente

Al cerebro le preocupa más la supervivencia que el aprendizaje

La inteligencia es más que el CI

Tiempo cara a cara, no frente a la pantalla

Bebé seguro, bebé feliz

Elogie el esfuerzo, no el CI

Juego guiado, todos los días

Emociones, no emoticones

Bebé feliz

Los bebés nacen con su propio temperamento

Las emociones son solo unas notas adhesivas

La empatía hace buenos amigos

El cerebro ansía comunidad

La empatía calma los nervios

Etiquetar las emociones apacigua los grandes sentimientos

Bebé moral

Los bebés nacen con sensibilidades morales

Disciplina + corazón afectuoso = hijo moral

Que su sí sea sí y su no sea no

Consejos prácticos

A lo largo del libro he planteado maneras prácticas de aplicar la investigación científica en el mundo real de la crianza. Ahora, quisiera reunir estos consejos en un mismo lugar, junto con algunos ejemplos de mi propia experiencia parental. Son cosas que funcionaron en nuestra familia y que estoy encantado de compartir, pero no puedo garantizar que vayan a funcionar en la suya.

Embarazo

Deje al bebé en paz al principio

El mejor consejo que la neurociencia puede darle a una futura madre sobre cómo optimizar el desarrollo cerebral de su bebé en la primera mitad del embarazo puede resumirse en una sola frase: No haga *nada*. No tiene que hablarle en otro idioma ni que ponerle sinfonías de Mozart. Es más, el cerebro del bebé ni siquiera está conectado a sus oídos todavía. La neurogénesis —la mayor preocupación del cerebro de un bebé en esas primeras etapas— se produce principalmente de manera automática. De modo que búsquese un lugar tranquilo donde pueda vomitar con regularidad y tómese la dosis de ácido fólico recomendada por su médico, pues este previene los defectos en el tubo neural.

Consuma unas 300 calorías extra al día

Aumentar peso es normal, y las mujeres embarazadas deberían contar con que van a inflarse. Las madres desnutridas tienden a producir bebés pequeños y desnutridos, y el tamaño del cerebro está relativamente asociado con la potencia cerebral. La mayoría de las mujeres necesitan añadir unas 300 calorías diarias a su dieta durante el embarazo. Su médico puede decirle cuántas y a qué ritmo.

Coma frutas y verduras

El mejor consejo sigue siendo el más antiguo: una dieta balanceada con frutas y verduras. Esto es, sencillamente, reproducir las experiencias nutricionales forjadas a lo largo de nuestra ineludible historia evolutiva. Además de la cantidad adecuada de ácido fólico, los pediatras sugieren una dieta rica en hierro, yodo, vitamina B12 y omega-3.

¿Recuerda la programación gustativa, aquello de que las madres que bebían jugo de zanahoria tenían bebés a los que les gustaba el jugo de zanahoria? Esto hay que investigarlo más, pero hay una alta probabilidad de que ayudarle al hijo a desarrollar un romance vitalicio con las verduras (o por lo menos una relación de "no odio todas las verduras") empiece por la madre comiendo muchas frutas y verduras en el último trimestre del embarazo.

Haga 30 minutos de ejercicio aeróbico al día

Mi esposa y yo hacíamos largas caminatas durante ambos embarazos. Y ahora, cada vez que recorremos esas rutas, todavía recordamos las sensaciones que nos produjeron ambos embarazos. El ejercicio ha sido una gran fuente de nostalgia para los dos.

El ejercicio es un famoso reductor del estrés, bueno para mantener a los maliciosos glucocorticoides alejados de las vulnerables neuronas del bebé, y de las de la madre. Produce un montón de sustancias químicas buenas para el cerebro y reduce el riesgo de depresión clínica y trastornos de ansiedad. Consulte primero con su médico, pues solo este sabe exactamente qué ejercicio, y cuánto, debería hacer. Esto cambia con las distintas etapas del embarazo.

Reduzca el estrés en su vida

El embarazo es estresante, y el cuerpo está preparado para manejarlo. Pero un exceso de estrés puede hacerles daño a usted y a su bebé. Una sobreabundancia de cortisol se enfoca en las incipientes neuronas del bebé e interfiere en el desarrollo adecuado de su cerebro. Reduzca al máximo el estrés tóxico, por usted y por su bebé.

Enumere las áreas en las que siente que está fuera de control

Haga una lista de "cosas que en realidad me molestan". Después, resalte las cosas que siente que se le salen de las manos. El estrés tóxico proviene de los sentimientos de impotencia. Estos son su enemigo.

Recupere el control

Ejercer el control puede consistir en evitar las situaciones estresantes que acaba de resaltar. Si eso no es una opción, piense en posibles formas de reducir el estrés que surge de esas situaciones ineludibles. El ejercicio aeróbico es indispensable. En www.brainrules.net encontrará las mejores técnicas para reducir el estrés.

Esposos: consientan a sus esposas embarazadas

Trate a su mujer como un reina. Lave los platos. Cómprele flores. Pregúntele cómo estuvo su día. Desarrollar estos patrones de conducta mientras su esposa está embarazada es uno de los mejores regalos que un padre puede darles a sus hijos. Una de las cuatro fuentes principales del estrés durante el embarazo proviene de la relación con el cónyuge. Cuando el hombre es un pilar de apoyo permanente, la mujer tiene una cosa menos por qué preocuparse.

Relación

Reconstituya la tribu

Por razones evolutivas, los bebés humanos no están pensados para nacer y crecer aislados de un grupo. La psicoterapeuta Ruthellen Josselson cree que es especialmente importante que las madres jóvenes creen y mantengan una tribu social activa después de dar a luz. Pero hay dos grandes problemas: 1) la mayoría de nosotros no vive en tribus, y 2) nos mudamos con tanta frecuencia, que la mayoría vive lejos de la familia, nuestra primera experiencia tribal. El resultado es que muchos padres primerizos viven al margen de su vida social. No tienen parientes o amigos de confianza que puedan cuidarles a los hijos mientras se duchan, duermen un poco o hacen el amor.

La solución es obvia: reconstituir una estructura social vigorosa con las herramientas que tenga a la mano.

Empiece *ya*, antes de que llegue el bebé. Hay muchas posibilidades. A nivel formal, hay grupos de apoyo, iglesias, sinagogas; todos los cuales poseen una noción intrínseca de comunidad. A nivel informal, puede organizar reuniones con sus amigos, salir con otras parejas de la clase de Lamaze, reunirse para cocinar y preparar cosas que se puedan congelar. Tener una buena provisión de comida para antes de que llegue el bebé es el mejor regalo que puede darle a cualquier futuro padre. Y tener otra tanda para después de la llegada del bebé es una manera excelente de consolidar su comunidad.

Préstele atención a su matrimonio

Aun cuando no vislumbre ningún problema en su horizonte conyugal y tenga muchos amigos, no hay garantía de que esto seguirá así después de la llegada del bebé. He aquí un par de ideas:

Prográmense para llamarse por la mañana y por la tarde

Tengan momentos para averiguar cómo está el otro. Háganlo dos veces al día, por la mañana y por la tarde, mediante una llamada telefónica o un mensaje electrónico. ¿Por qué dos veces? En la mañana podrá ver cómo empieza a desarrollarse el día, y en la tarde podrá prepararse para la noche. Los padres de bebés recién nacidos tienen apenas un tercio del tiempo que solían tener para los dos antes de la llegada de los hijos. Esa es otra forma de aislamiento social. Empezar ahora, cuando todavía tienen energía, les permitirá desarrollar la costumbre antes de que nazca el bebé, cuando ya no tendrán tanta energía.

Programen un horario para hacer el amor

Es cierto, la felicidad de la intimidad física implica una buena dosis de espontaneidad. El problema es que, cuando el bebé llega a casa, la espontaneidad se va al garete. La actividad sexual suele caer en picada después del nacimiento de un hijo, y la consecuente pérdida de intimidad emocional puede ser devastadora para las parejas. Establecer un horario para el sexo —sea cual sea la frecuencia adecuada para ustedes— puede protegerlos de esta tendencia. Además, esto le da a cada uno tiempo para relajarse mentalmente y prepararse. Trate de incorporar dos tipos de sexo en su vida: el sexo espontáneo y el sexo de mantenimiento.

Desarrolle el reflejo de empatía con su pareja

En uno de nuestros proyectos de investigación, una mujer se había visto expuesta recientemente a un entrenamiento del reflejo empático. Estaba haciendo el mercado después de un largo día de trabajo, y al llegar a la caja, descubrió que no le quedaba ningún cheque en la chequera. Entonces llamó a su esposo en busca de ayuda. Pero, en cambio, se ganó un sermón sobre la responsabilidad personal: ¿Por qué no había revisado la chequera antes de salir? ¿Y por qué no tenía efectivo? "Eso no es lo que deberías decir", le recordó ella. "Deberías decir: 'Suenas cansada, cariño, y frustrada y furiosa. Y estás furiosa porque llamarme era lo último que pensabas hacer después de un largo día de trabajo, y además es probable que estés sintiéndote humillada y que lo único que quieras sea llegar a casa. ¡Eso es lo que deberías haberme dicho, tontarrón!'" Y colgó. Bueno, esa última parte no hace parte del entrenamiento. Pero todos debemos practicar los dos pasos de leer las emociones y descifrar la causa. La fuente más común de los conflictos es la brecha que hay entre las intenciones invisibles de la persona y su conducta visible. Esa brecha puede salvarse mediante la empatía.

Reconciliación deliberada

Si los padres tienen una pelea delante de los hijos, también deben reconciliarse delante de ellos. Eso les permite aprender cómo es una pelea justa *y* la reconciliación.

Equilibre el trabajo doméstico

Señores: empiecen a ayudar en casa *ahora mismo*. Primero, haga una lista de las cosas que hace su esposa y una lista de lo que hace usted. Si en sus listas se evidencia la desigualdad tóxica y típica de los hogares estadounidenses —esa que predice los *índices de divorcio*—, rehagan sus listas y busquen un equilibrio hasta que los dos se sientan satisfechos. Una vez renegociada la lista, asuma estos cambios de inmediato. Antes de las noches en blanco. Y el aislamiento social. Y las peleas. Hay evidencias empíricas de que tendrá más sexo si hace esto. No es una broma. El estudio existe realmente.

Aborde los puntos difíciles

No hay ningún matrimonio perfecto, de eso no hay duda, pero unos matrimonios sobrevivirán a la crianza mucho mejor que otros. ¿Sabe en qué categoría cae su matrimonio? Los programas de intervención marital pueden decírselo. Dos de los programas más respetados en los Estados Unidos fueron desarrollados en el laboratorio de Philip y Carolyn Cowan y en el de John y Julie Gottman. Sus páginas web están repletas de herramientas de diagnóstico, sesiones de práctica, libros que ellos han escrito sobre el tema y formularios de inscripción a seminarios. Puede encontrar los enlaces a estos programas y su bibliografía en: www.brainrules.net.

Busque a un profesional de la salud mental, ahora

El primer contacto de un padre primerizo con los médicos especializados en la infancia suele ser con un pediatra. Yo recomiendo añadir otro a la lista: un profesional de la salud mental. Alguien a quien pueda plantearle todas sus preguntas a medida que estas surjan, tal como con el pediatra. Hay muchas razones por las que debería embarcarse en este viaje, empezando por el hecho de que la mayoría de los pediatras no tienen un entrenamiento avanzado en temas de salud mental. He aquí tres razones más:

Muchos niños tienen problemas de salud mental. No estoy hablando simplemente de los sospechosos usuales, como el autismo y TDAH. La edad promedio del comienzo de CUALQUIER problema de salud mental, desde trastornos anímicos hasta trastornos severos, es a los catorce años.

La tardanza es el enemigo. Cuanto más pronto se descubra un problema de salud mental, más fácil será tratarlo. Puede tardar un tiempo en encontrar un profesional que se adecúe a su familia, por lo que es bueno empezar desde ahora. Yo sé que este consejo será una pérdida de tiempo para algunos padres; para otros, será lo más importante que puedan hacer por sus hijos.

La depresión afecta a uno de cada cinco padres primerizos. Tener un profesional de la salud mental también puede resultar como una póliza de seguro para usted. Si no hay problemas, no tendrá que visitarlo; pero si surge alguno, ya sabrá adónde ir corriendo.

Bebé inteligente

Amamante durante un año

Cuanto más, mejor. Tendrá un bebé más inteligente, más sano y más feliz. Amamantar es una de las conductas más prácticas y estimulantes para el cerebro que conozcamos; los beneficios son extremadamente sólidos.

Describa todo lo que ve

Háblele mucho a su bebé. Es tan sencillo como decir: “Es un día hermoso” al mirar por la ventana y ver el sol. Simplemente, háblele. Durante la infancia, háblele en "parentés/maternés", esa forma de hablar con una vocalización exagerada y un tono agudo. Un promedio de unas 2100 palabras por minuto es el estándar de oro.

Construya una fábrica de chocolates

Puede que haya tantos cuartos de juegos como familias hay en el mundo, pero todos deberían tener el siguiente elemento de diseño: muchas alternativas. Un lugar para dibujar. Un lugar para pintar. Instrumentos musicales. Un guardarropa de disfraces. Bloques para construir. Libros ilustrados. Tubos y herramientas. Un lugar donde el niño pueda estar seguro y libre para explorar lo que sea que atrape su imaginación. ¿Ha visto la película *Charlie y la fábrica de chocolates*? Si es así, probablemente habrá quedado boquiabierto al ver la fábrica llena de árboles, prados y cascadas de chocolate, una ecología totalmente explorable y no lineal. A eso me refiero. Y pongo énfasis en las búsquedas artísticas porque los niños con entrenamiento artístico tienden a resistir mejor las distracciones, mantienen mejor la concentración y obtienen mejores puntuaciones en los test que evalúan la inteligencia fluida.

Mi esposa y yo dedicamos casi cincuenta metros cuadrados de nuestra casa para recrear un entorno así, lleno de estaciones musicales, de lectura, dibujo, pintura, montones de Legos y muchísimas cajas de cartón. También había una estación de matemáticas y ciencias, con un microscopio de juguete. Cambiábamos los contenidos de estas estaciones con regularidad, y con el tiempo, la habitación se convirtió en el salón de clases de nuestros hijos.

Jueguen al "día de los opuestos"

Después de que mis hijos cumplieron los tres años, empecé a desarrollar actividades para mejorar la función ejecutiva, inspiradas en el trabajo canónico de Adele Diamond. Por ejemplo, les decía que estábamos en "el día de los opuestos", y si les mostraba un dibujo de la noche —un fondo oscuro con estrellas—, ellos debían decir "día". Si les mostraba un dibujo de un cielo azul con un sol amarillo, debían decir "noche". Después, alternaba los dibujos cada vez más rápido y controlaba sus respuestas.

Esto les encantaba, y por alguna razón, siempre terminábamos tirados en el suelo, riéndonos a carcajadas.

Cuando mi hijo mayor tenía cuatro años, hice un experimento cinético con él, que era un tamborilero por naturaleza. Cada uno tenía un cacerola y una cuchara. La regla era que si yo le daba un golpe a la cacerola con la cuchara, el debía darle dos golpes. Si yo le daba dos golpes, él debía darle tres. O uno. (Lo cambiaba constantemente.)

La idea de ambos ejercicios es: a) darles una regla a los niños, y b) ayudarles a inhibir lo que harían automáticamente ante esa regla; un distintivo de la función ejecutiva. Teníamos un lugar especial para este tipo de juegos en nuestra fábrica de chocolates. Hay montones de ejercicios como estos para hacer con sus hijos. Puede encontrar una lista de casi veinte ejercicios fabulosos en el libro *Mind in the Making* [Mente en construcción], de Ellen Galinsky.

Haga planes de juego

Mire a ver si hay elementos del programa de "herramientas de la mente" que se adecúen a su estilo de vida. He aquí un ejemplo de cómo esto funcionaba en nuestra casa: nuestros hijos decidían que querían jugar a construir un edificio. (Uno de sus videos favoritos era el de una obra en el que aparecían diversas máquinas de construcción; lo veíamos una y otra y otra vez. Todavía lo sacamos en los cumpleaños, como una pieza de nostalgia.) Entonces nos sentábamos todos juntos y planeábamos los elementos de lo que habría en la obra, cómo se desarrollaría y cómo debería manejarse la limpieza una vez terminada. Dejábamos volar la imaginación, pero también establecíamos una lista de metas. Después, los niños jugaban.

Aquí puede encontrar una descripción completa del programa:

www.mscd.edu/extendedcampus/toolsofthemind

Cuidado con la híper maternidad-paternidad

Estos juegos y diseños de los salones de juego tienen una esencia abierta y libre de presiones, y esto no es gratuito. Cuanto más coartados emocionalmente se sientan los niños, más hormonas de estrés se aglomerarán en su cerebro y menos posibilidades tendrán de triunfar intelectualmente. Enseñarles a sus hijos a concentrarse y después dejarlos en libertad en la fábrica de chocolates les permite ejercitar sus dotes mucho mejor que aquellos que no pueden concentrarse y aquellos a los que no se les dan alternativas. Nótese que lo que no he incluido dentro de estas alternativas son clases de mandarín, álgebra o filosofía a los tres años.

Échele un vistazo crítico a (*ejem*) su comportamiento

Una de las formas de orientación parental más conocidas es la instrucción directa, la cual empezamos a usar en serio cuando nuestros hijos desarrollan el habla: "Ven conmigo, por favor." "Mantente alejado de los desconocidos." "Cómete el brócoli." Pero la instrucción directa no es la única forma como los niños aprenden de sus padres, y puede que no sea la más eficaz. También aprenden mediante la observación. Y nos observan cual halcones. He aquí una sugerencia en tres pasos:

Paso 1: Haga una lista de todas las conductas —las acciones y palabras— que le transmite con regularidad al mundo. ¿Se ríe mucho? ¿Dice palabrotas continuamente? ¿Hace ejercicio? ¿Llora con frecuencia, o tiene un temperamento sensible? ¿Pasa muchas horas en Internet? Haga la lista. Pídale a su cónyuge que haga la suya, y comparen.

Paso 2: Califique sus conductas. Puede que haya cosas de las que esté orgulloso, y con razón. Y otras de las que quizá no se enorgullezca tanto. Buenas o malas, estas son las conductas que sus hijos verán de manera permanente en casa. Y las imitarán, aunque los padres no lo quieran. Decida entonces cuáles conductas quiere que sus hijos imiten y subráyelas en su lista; asimismo, ponga una "X" al lado de las que preferiría que sus hijos no imitaran.

Paso 3: Haga algo al respecto. Asuma constantemente las conductas que le encantan. Es tan fácil como decirle frecuentemente a su cónyuge cuánto lo quiere. Y haga desaparecer las conductas que no le agradan. Es tan fácil (y tan difícil) como apagar el televisor.

Diga: "Uy, has trabajado muy duro".

Adquiera la costumbre de recompensar el esfuerzo intelectual puesto por sus hijos en una tarea determinada más que sus recursos intelectuales. Empiece por practicar con su cónyuge, incluso con sus amigos. Si hacen algo bien, diga: "Debes de haberte esforzado mucho", en vez de: "Tienes mucho talento". Cuando los niños a los que se les elogia por sus esfuerzos fallan, tienen mucha más tendencia a esforzarse más.

Haga trueques por el tiempo pasado frente a una pantalla

Siendo plenamente conscientes de la necesidad de nuestros hijos de perfeccionar sus habilidades digitales, así como de los peligros, mi esposa y yo establecimos unas cuantas reglas. Primero, dividimos las experiencias digitales en categorías. Dos de las categorías incluían las cosas necesarias para el trabajo escolar o para aprender sobre los computadores, como el procesamiento de textos y programas gráficos, proyectos basados en investigaciones en la web, programación, etc. Les permitimos hacer esto como parte de las tareas.

Las experiencias recreativas —juegos digitales, ciertos tipos de navegación en la red y el Wii— comprendían la Categoría I y solo estaban permitidas con una condición: comprando una cierta cantidad de tiempo de Categoría I. ¿Con qué dinero? Con el tiempo dedicado a leer un libro. Podían comprar tiempo de Categoría I por cada hora dedicada a la lectura de un libro. Este tiempo se iba sumando y podían "gastarlo" en los fines de semana o después de hacer las tareas. Y funcionó. Los niños adquirieron un hábito de lectura, podían hacer el trabajo digital necesario para su futuro y no tenían que privarse completamente de las cosas divertidas.

Bebé feliz

Siga atentamente el paisaje emocional de sus hijos

Hay un límite para la cantidad de estimulación que la mayoría de los niños pueden recibir a la vez. Haga una lista de las señas que su bebé usa para indicarle que necesita parar, las cuales pueden ser tan sutiles como girar la cabeza o tan obvias como un chillido. Luego, establezca un ritmo basado en esto, interactuando en respuesta a esas señas y retirándose cuando haya sido suficiente.

Siga observando las emociones de su hijo a medida que crece. Haga una lista de las cosas que le gustan y las que no, y actualícela constantemente a medida que vaya desarrollando diversas respuestas emocionales. Esto le ayuda a desarrollar el hábito de prestar atención y proporciona una base que le permitirá advertir cualquier cambio en su comportamiento.

Ayúdeles a hacer amigos de su edad

Se necesitan años de práctica para aprender a hacer amigos. Los niños expuestos sistemáticamente a la deliciosa turbulencia del intercambio con otros niños tienen experiencias con personalidades tan inocentes, egoístas y deseosas de interactuar con otros como las suyas. Para los padres, esto implica organizar montones de citas para jugar. Permítales interactuar también con grupos de múltiples edades y con una variedad de personas, pero esté siempre alerta a la cantidad de estimulación que puede manejar su hijo. Las experiencias sociales deben confeccionarse a la medida de los temperamentos individuales.

Especule sobre los puntos de vista de los otros

Delante de sus hijos, especule verbalmente sobre las perspectivas de otras personas en distintas situaciones de la vida cotidiana. Puede preguntarse, por ejemplo, por qué la persona que está detrás de ustedes en la fila para pagar es tan impaciente o de qué se estará riendo alguien que está hablando por celular. Es una manera natural de practicar a pensar en los puntos de vista de los demás: la base de la empatía.

Lean juntos

Mi esposa y yo convertimos esto en una tradición familiar. Al final de cada día, justo antes del momento de apagar las luces, nos poníamos la pijama, nos preparábamos para irnos a la cama y nos acostábamos juntos. Mi esposa sacaba un libro y leía en voz alta durante media hora. Aunque los niños están un poco grandes ahora para acostarnos todos juntos, seguimos practicando esta lectura pública antes de dormir. Esto expone a los niños a un vocabulario más amplio de palabras pronunciadas por una voz "distinta", reúne a la familia y anima a nuestros cerebros a salir de nuestra propia experiencia al imaginar otros mundos habitados por personas que no reaccionan como nosotros.

Desarrolle un reflejo de empatía con sus hijos

Cuando se vea enfrentado a una emoción fuerte, gire primero hacia la empatía:

1. Describa la emoción que cree que ve.
2. Trate de descifrar de dónde vino.

Recuerde: comprender el comportamiento de otra persona no equivale a estar de acuerdo. Es tan solo la reacción inicial ante cualquier situación, sobre todo cuando hay emociones fuertes de por medio. Si quiere tener hijos empáticos, ellos necesitan verla practicada continuamente. La empatía proviene de ser tratado con empatía.

Determine cuál es su estilo metaemocional

¿Cuáles son sus emociones sobre las emociones? En el libro *Raising an Emotionally Intelligent Child: The Heart of Parenting* [Criar a un hijo emocionalmente inteligente: el corazón de la crianza], de John Gottman, puede encontrar un examen especialmente perspicaz. Otro libro, más técnico, es el volumen 4 del *Handbook of Child Psychology* [Manual de psicología infantil], especialmente el capítulo titulado "Socialization in the Context of the Family: Parent-Child Interaction" [Socialización en el contexto de la familia: la interacción entre padres e hijos"], de E.E. Maccoby y J.A. Martin.

Practique a verbalizar sus sentimientos

Puede hacerlo por su cuenta, con su cónyuge o con sus amigos más cercanos. Cuando experimente una sensación, simplemente diga en voz alta lo que está sintiendo. Verbalizar las emociones proporciona un mejor control sobre su vida emocional, facilitándole, a la vez, una autorregulación más perspicaz. También es un modelo maravilloso para los niños. Recuerdo un día en que estaba intentando abrir un frasco de pepinillos. Mi hijo de cuatro años entró en la cocina, me miró y dijo: "Papi, pareces furioso. ¿Estás furioso?". "Sip", respondí. "No puedo abrir el frasco de pepinillos." Ese mismo día, más tarde, me di cuenta de que el niño estaba un poco frustrado con la construcción de un modelo de Lego. "Pareces enfadado, hijo", le dije. "¿Estás enfadado?". "Sí, estoy furioso. ¡Este es mi frasco de pepinillos!", respondió.

Si los hijos están rodeados de personas que pueden hablar de sus sentimientos, ellos también podrán verbalizar los suyos..., algo que les resultará inestimable a los padres cuando esos hijos lleguen a la pubertad.

Ahorre para diez años de clases de música

Tocar un instrumento, cantar, lo que sea..., haga que la música sea una parte sistemática de la experiencia de su hijo. Se ha demostrado que la exposición prolongada a la música ayuda enormemente a la percepción que un niño tiene de las emociones de los otros. Esto, a su vez, predice la capacidad del niño de establecer y mantener amistades.

Bebé moral

Reglas CAE

Impartir las reglas siguiendo ciertas pautas le da mejores posibilidades de infundir una conciencia moral en los niños. Puede recordarlas con la sigla CAE.

"C" de Claridad. Las reglas son claras, razonables e inequívocas. Con frecuencia resulta útil escribirlas; los cuadros de tareas son un buen ejemplo. Hay muchas familias en las que simplemente se gritan las reglas como reacción a una experiencia frustrante: "¡De ahora en adelante, te acostarás a las ocho!". ¿Pero qué sucede con la regla cuando se calman los ánimos?

Escriba las reglas importantes y póngalas en un lugar público donde las vea toda la familia. Pueden servir como base de negociación y fuente de humor, como puede atestiguar cualquiera que haya leído los libros de *Harry Potter* y los edictos de Dolores Umbridge.

"A" de Afectuoso. Las reglas son impartidas en un entorno afectuoso y comprensivo.

"E" de Elogio. Cada vez que un hijo cumpla una regla, refuerce la conducta mediante el elogio. Esto incluye también el elogio de la ausencia de una conducta, como cuando un niño aprende a no gritar en un restaurante.

Explique el fundamento que subyace a la regla

Explíqueles verbalmente a sus hijos las razones de sus reglas. Esto les permite generalizar las lecciones aprendidas y proyectarlas a otras situaciones, lo cual lleva a la interiorización moral. Si lo único que les dice es "Porque yo digo", solo se da una forma primitiva de modificación de la conducta.

Castigo eficaz

Firme. El castigo debe significar algo. Tiene que ser firme y aversivo para ser eficaz.

Inmediato. Cuanto más cercano esté el castigo a la infracción, más eficaz será.

Sistemático. El castigo debe impartirse sistemáticamente cada vez que se produzca la conducta molesta. Las reglas aplicadas de manera incoherente son confusas y llevan a un desarrollo moral desigual.

Seguro. Las reglas deben aplicarse en un entorno de seguridad emocional. A los niños les cuesta interiorizar una conducta moral bajo condiciones de amenaza constante.

Tolerante. Este es un llamado a la paciencia, algo que abordamos solo de manera indirecta. Los niños no tienden a interiorizar las reglas al primer intento, a veces ni siquiera al décimo.

Fílmese en pleno ejercicio de maternidad-paternidad

La mayoría de los padres documentan los primeros años de sus hijos. Es más, la próxima generación será la generación más filmada de la historia. ¿Qué tal si se filma a sí mismo ejerciendo la maternidad-paternidad de su pequeño retoño? Sobre todo en los aspectos difíciles. Podrían alternar con su cónyuge a la hora de filmarse y tratar de analizar lo que están haciendo bien o mal. Esto podría darles una idea más clara de su eficacia parental.

Disfrute el viaje

¡La maternidad-paternidad vale toda la pena del mundo!

Referencias

Encuentre las referencias e ilustraciones en www.brainrules.net

Gracias

El parto de este libro contó con la ayuda de muchas matronas, con quienes guardo una profunda deuda de gratitud. Doy gracias por el optimismo risueño y el trabajo incansable del encargado de la publicación de este libro, Mark Pearson. Y por los comentarios incisivos, instructivos y afectuosos de mi editora, Tracy Cutchlow. Todavía les debo una cerveza.

Agradezco también a Jessica Sommerville por proporcionarme el oxígeno esencial de la revisión arbitrada. Y a Carolyn Webster-Stratton por sus palabas amables y su aliento. A Dan Leach por la curiosidad, el entusiasmo y las innumerables conversaciones inspiradoras. A Bruce Hosford por su amistad profunda, trabajo duro y apoyo infinito. A Earl Palmer por su inspiración, y a John Ratey por lo mismo. A Rick Stevenson por las posibilidades visuales y el amor por la narración. A Alice y Chris Canlis por crear una de las familias más unidas que conozco; un verdadero modelo para el mundo. Y a Alden Jones, sin cuya preocupación interminable y devoción incesante al detalle este libro y sus muchas partes móviles no habrían sido posibles.

Por último, agradezco a mi familia. A mis dos hijos, Josh y Noah, por mostrarme que el amor verdadero puede existir entre padres e hijos, incluso cuando eran más pequeños que el punto al final de esta oración. Y a mi esposa Kari, la persona más maravillosa que haya conocido en mi vida.

Sobre el autor

John Medina es biólogo molecular e investigador. Es profesor de bioingeniería en la prestigiosa Escuela de Medicina de la Universidad de Washington. Medina también es director del Centro del Cerebro para el Aprendizaje Aplicado a la Investigación de la Universidad Seattle Pacific. Vive en Washington, Estados Unidos. Su libro *Los 12 principios del cerebro*, publicado por Editorial Norma en el año 2010, ocupó la lista de bestsellers de *The New York Times* durante varias semanas.

www.brainrules.com